講談社文庫

密やかな結晶

〈新装版〉

小川洋子

講談社

目次

密やかな結晶

1

この島から最初に消え去ったものは何だったのだろうと、時々わたしは考える。

「あなたが生まれるずっと昔、ここにはもっといろいろなものがあふれていたのよ。透《す》き通ったものや、いい匂いのするものや、ひらひらしたものや、つやつやしたもの……。とにかく、あなたが思いもつかないような、素敵なものたちよ」

子供の頃、そんな物語を母はよく話して聞かせてくれた。

「でも悲しいことにこの島の人たちは、そういう素敵なものをいつまでも長く、心の中にとどめておくことができないの。島に住んでいる限り、心の中のものを順番に一つずつ、なくしていかなければならないの。たぶんもうすぐ、あなたにとっての最初の何かをなくす時が、やってくるはずよ」

「それは、怖いことなの？」

心配になって、わたしは母に尋ねたものだ。

「いいえ。大丈夫。痛くも苦しくもないからね。朝ベッドの中で目を開けたら、知らないうちにもう終わっているわ。じっと目を閉じて、耳をすませて、朝の空気の流れ方を感じ取ってごらんなさい。どこかがきのうと違うはずよ。そうしたら、自分が何をなくしたのか、島から何が消え去ったのか、あなたにも分るわ」

母がこの物語をしてくれるのは、地下の仕事場にいる時だけだった。地下室は二十畳くらいの広さがあり、埃《ほこり》っぽく、床がざらざらしていた。北側は川底に面していたので、水の音が聞こえた。わたしは自分専用の丸椅子に腰掛け、母はのみの刃を研《と》いだり、石をやすりで磨いたりしながら――彼女は彫刻家だった――静かな声で話した。

「消滅が起こるとしばらくは、島はざわつくわ。みんな通りのあちらこちらに集まって、なくしてしまったものの思い出話をするの。懐しがったり、寂しがったり、慰め合ったり。もしもそれが形のあるものだったら、みんなで持ち寄って、燃やしたり、土に埋めたり、川に流したりもするの。でも、そんなちょっとしたざわめきも、二、三日でおさまるわ。みんなすぐにまた、元通りの毎日を取り戻すの。何をなくしたのかさえ、もう思い出せなくなるのよ」

それから母は手を休め、わたしを階段の裏側に連れてゆく。そこには小さな引き出しがたくさん並んだ、古いタンスが置いてある。

「さあ、どれか一つ、好きな引き出しを開けてごらん」

引き出しについた、錆《さ》びた楕円形の把手《とって》を一つ一つ眺めながら、どれがいいかわたしは長い時間考える。

わたしはいつも迷ってしまう。中にしまってあるものが、どんなに不可思議で魅惑的な品物か、よく知っているからだ。今までに島から消え去ったものたちを、母は秘密のこの場所に隠しているのだ。

やっと決心して、一つの把手を引っ張ると、母は微笑みながら、中のものを掌《てのひら》にのせてくれる。

「これはね、母さんが七つの時に消えてしまった、〝リボン〟という名の布だよ。髪に飾ったり、洋服に縫いつけたりするの」

「これは〝鈴〟。手の上で転がしてごらん。ほら、いい音がするだろう」

「ああ、今日はいい引き出しを選んだね。母さんが一番大切にしている〝エメラルド〟だよ。おばあさんの形見なの。可憐で、貴重で、気品があって、島では一番大切にされていた宝石だったのに、みんなもう、そんな美しさなんて忘れてしまった」

「これは小さくて薄っぺらだけど、大事なものなんだよ。誰かに何か伝えたいことがある時は、紙に書いて、この〞切手〞を貼《は》りつける。そうすれば、どこへでも配達してくれたの。そんな時が、遠い昔にはあったんだよ」

リボン、鈴、エメラルド、切手……。母の口にする言葉はまるで、外国人の少女か新種の植物の名前のようで、わたしをぞくぞくさせた。母の話を聞きながら、それらがきちんと島に息づいていた頃のことを想像するのは楽しかった。

でもそれはまた、難しい想像でもあった。掌の上のものは、冬眠中の小動物のようにただじっとうずくまっているだけで、何のシグナルも送ってきてくれなかった。わたしはしばしば、宙に浮かんだ雲をつかんできて粘土《ねんど》細工を作っているような、頼りない気分になった。秘密の引き出しの前では、母の言葉の一つ一つに、心を全部集中していなければならなかった。

わたしが一番好きなのは、〝香水〞についての物語だった。それは小さなガラスの瓶に入った、透明な液体だった。初めて母がその瓶を持たせてくれた時、わたしは砂糖水か何かと勘違いして、口をつけそうになった。

「ああ、飲むものじゃないよ」

と母は、あわてて笑いながら言った。

「こうしてね、一滴だけ首筋につけるの」

母はガラス瓶を耳の後ろに持っていき、大事そうにそろそろと、液体をたらした。

「何のためにそんなことをするの？」

わたしにはわけが分からなかった。

「香水は本当は目に見えないものなのよ。目に見えなくても、瓶に閉じ込めておくことができるの」

わたしは瓶の中身に目を凝《こ》らした。

「香水を身体につけると、いい匂いがするの。誰かをうっとりした気分にさせることができるの。母さんが娘の頃は、みんなデートの前には香水をつけたものよ。好きな男の子に気に入ってもらえる匂いを選ぶのは、洋服を選ぶのと同じくらい大切なことだったの。これは父さんとデートする時にいつもつけていた香水。父さんとはよく、南の丘の斜面にあるバラ園で待ち合わせをしたから、バラの匂いに負けないものを探すのが大変だったわ。風が吹いて母さんの髪がなびいたら、さっと横目で父さんの方を見たわ。ちゃんとわたしの匂いをかいでくれたかしら、ってね」

香水の話をする時が、母も一番生き生きとしている。

「あの頃はみんな、いい匂いを感じることができたの。それを素敵だと思うことができたの。それなのに、今ではもう駄目。どこにも香水なんて売ってない。誰もそんなものを欲しがらない。香水が消えてしまったのは、父さんと結婚した年の秋だった。みんな自分の香水を持って川のほとりに集まったわ。瓶の蓋を開けて、中身を川に流したの。最後、名残惜しそうに瓶を鼻に近づけている人も何人かいたわ。でももう、その香りを感じ取れる人は誰もいなかった。香水にまつわる思い出も、全部消えてなくなっていた。それは役立たずの、ただの水に成り下がってしまったの。それから二、三日、川はむせるほどに匂ったわ。魚もいくらか死んだ。でも気に止める人はいなかった。だってみんな、心の中から香りをなくしてしまったんですもの」

最後に母は淋しそうな目をした。そしてわたしを膝に抱き寄せ、首筋の香水をかがせてくれる。

「どう？」

母は聞く。わたしはどう答えていいか困ってしまう。確かにそこには、何かの匂いがあった。パンが焼ける時とも、プールの消毒槽につかる時とも違う、何かの気配が漂っていた。でも、どんなにがんばっても、それ以上の思いは浮かんでこない。

わたしがいつまでも黙っていると、母はあきらめて小さなため息をつく。

「いいのよ。あなたにとっては、これはただの、小量の水でしかないのよね。仕方ないことだわ。なくしてしまったものを思い出すのは、この島ではとても難しいことだから」

そう言って母は、ガラス瓶を元の引き出しにしまう。

地下室の柱時計が九時の合図を鳴らすと、わたしはもう子供部屋に戻って眠らなければいけない。母はのみとハンマーを持って仕事に取り掛かる。明かりとりの窓に、三日月が浮かんでいる。

おやすみなさいのキスをする時、わたしはずっと尋ねたいと思っていたことを、ようやく口にすることができる。

「どうして母さんは、消え去ったもののことを、そんなによく覚えているの？　みんなが忘れてしまった香水の匂いを、どうして今でもかぐことができるの？」

母はしばらく窓の向こうの三日月に目をやり、それからエプロンに飛び散った石の粉を指先で払う。

「母さんもいつも、そのことについて考えるわ」

声が少しかすれている。

「でも分らないの。どうして母さんだけが、何もなくさないのか。いつまでもいつまでも、すべてを覚えているのか……」

まるでそれが不幸なことでもあるかのように、母は目を伏せる。わたしは彼女を慰めるために、もう一度おやすみのキスをする。

2

母が死んで、その後に父も死んで、それからずっとわたしは一人でこの家に住んでいる。赤ん坊の頃から面倒を見てくれていたばあやさんも、おととし心臓の発作で亡くなってしまった。

北の山を越えた水源地の近くの村に、いとこが何人か住んでいるらしいが、一度も会ったことはない。北の山は刺《とげ》のある木がたくさんはえていて、頂上にはいつも霧がかかっているので、山の奥へ足を踏み入れる人はほとんどいない。そのうえ島には地図というものがないので――たぶんもうずっと昔に消えてしまったのだろう――山の向こうがどうなっているのか、本当は島がどんな形をしているのか、誰も知らないのだった。

父は野鳥の研究者だった。南の丘の頂上にある、野鳥観測所に勤めていた。一年のうち三分の一くらいは観測所に泊まり込んで、データを取ったり、写真を写したり、卵を孵化《ふか》させたりしていた。

お弁当を届ける口実で、わたしはしょっちゅうそこへ遊びに行った。若い研究員たちはみんなわたしを可愛がってくれ、ビスケットやココアをごちそうしてくれた。

わたしは父の膝の上にのって双眼鏡をのぞいた。くちばしの形や、目の縁の色や、羽の広げ方や、とにかく父はどんな小さな特徴も見逃さず、鳥の名前を言い当てることができた。双眼鏡は子供のわたしには重すぎて、すぐに腕が痺れてきた。すると父は左手で、軽々とそれを支えてくれた。

そんなふうに二人で顔を寄せ合って鳥を眺めている時、わたしはふとあのことを父に聞いてみたくなることがあった。

「母さんの仕事場の、古いタンスの引き出しに、何が隠してあるか知っている？」

でも、いざ聞こうとすると、明かりとりの窓から三日月を見ていた母の横顔が浮かんできて、どうしても声にすることができなかった。

「お弁当はいたまないうちに、早めに食べてね」

代わりに口から出てくるのは、そんな他愛もない母からの伝言だった。

帰りはバス通りまで父が送ってくれた。途中にある餌場《えさば》では、お土産にもらったビスケットの一枚を粉にしてまいた。

「今度はいつ家に帰ってこられる？」

わたしは尋ねる。

「土曜日の夕方かな、たぶん……」

もぞもぞと父は答える。

「それじゃあ、母さんによろしくな」

作業服の胸ポケットにつめた、赤鉛筆やコンパスや蛍光ペンや定規やピンセットが、こぼれ落ちそうなくらい大きく、父は手を振るのだった。


鳥たちが消えてしまったのが、父の死んだあとで本当によかったと、わたしは思う。島の人たちはおおむね、何かの消滅にともなって職を失っても、たいした混乱もなくすぐに新しい仕事を見つけることができるようだけれど、父の場合はそうはいかなかっただろう。父は鳥の名前を言い当てる以外、他にとりえのなかった人だ。

向かいのおじさんは帽子職人から、傘職人になった。ばあやさんのご主人はフェリーの整備士から倉庫番になった。クラスメイトのお姉さんは美容師から助産婦になった。誰も文句を言う人はいなかった。たとえお給料が減ったとしても、前の職業をうらやんだり懐かしがったりはしなかった。それに、いつまでもぐずぐずしていると、秘密警察に目をつけられる恐れがあった。

わたしを含めて、みんな実に簡単にいろいろなことを忘れることができる。まるでここは、広がってゆく空白の海の上でしか、浮かんでいることのできない島のようだ。

鳥の消滅も他のケースと同じように、ある朝突然に起こった。

ベッドの中で目を開けた時、空気の張りに微かなざらつきがあった。消滅のサインだ。わたしは毛布にくるまったまま、注意深く部屋を見回した。鏡台の化粧品、机の上に散らばったクリップやメモ用紙、カーテンのレース模様、レコード棚……どんなにささいなものにも可能性はあった。何が消え去ったかを探すには、辛抱強い神経の集中が必要だった。

わたしはベッドから降り、カーディガンをはおって庭に出てみた。近所の人たちもみな外へ出て、不安そうな表情であたりをうかがっていた。隣の家の犬が、低い声で鳴いていた。

その時、茶色の小鳥が一羽、空の高いところを飛んでいるのが見えた。丸みを帯びた輪郭で、お腹に少し白い毛が混じっているようだった。

「あれは、観測所で父さんと一緒に見たことのある鳥だったかしら」

そう思った瞬間、わたしは心の中の、鳥に関わりのあるものすべてを失っていることに気づいた。鳥という言葉の意味も、鳥に対する感情も、鳥にまつわる記憶も、とにかくすべてを。

「今回は、鳥だったなあ」

向かいの元帽子職人のおじさんが、ぽつりと言った。

「鳥だったらいいよ。それほど不自由な思いをする人もいないだろうから。鳥は勝手に、空を飛ぶだけさ」

おじさんは首のマフラーを締め直し、小さなくしゃみをした。わたしと目が合うと、父が野鳥の研究者だったことを思い出したのか、気まずそうな微笑みを浮かべてそそくさと仕事に出掛けて行った。

他の人たちも、消滅の正体がはっきりしたことで安心した様子だった。それぞれ、朝の用事に取り掛かろうとしていた。わたしだけがいつまでも空を眺めていた。

さっきの茶色い小鳥は一つ大きな円を描いたあと、北の方角へ遠ざかっていった。何という種類の鳥か、思い出すことはできなかった。観測所で父さんと双眼鏡をのぞいていた時、もっとまじめに名前を覚えておけばよかったと、わたしは後悔した。せめてその羽ばたき方や、さえずりや、色の具合いを、自分の中にとどめておこうとしたが、無駄だった。父さんとの思い出に満ちているはずの鳥が、もはや何の温かい感情も呼び起こしてはくれなかった。それは羽を上下させることで宙に浮いている、ただの生き物にすぎなかった。

午後市場へ買物に行く途中、あちこちで鳥かごを持った人たちが集まっているのに出会った。インコや文鳥やカナリアたちは何かの気配を感じて、かごの中で羽をばたつかせていた。飼い主たちはみんな無口で、ぼんやりした表情をしていた。今回の消滅に、まだ心がなじんでいない様子だった。

彼らはそれぞれのやり方で、自分の鳥とお別れのあいさつをしていた。名前を呼んだり、頬ずりをしたり、口うつしで餌をやっている人もいた。一通りそういう儀式が終わると、みんな空に向けてかごの扉を一杯に開いた。鳥たちは最初戸惑ったように飼い主の周りを飛んでいたが、やがて空の遠くに吸い込まれ、見えなくなってしまった。

全部の小鳥が飛んでいってしまうと、あたりは空気がしんと息をひそめたように、静かになった。飼い主たちはからの鳥かごを提げ、それぞれの家へ帰っていった。

こうして、鳥の消滅は完了した。

次の日、思いがけないことが起った。テレビを見ながら朝食を食べていると、玄関のベルが鳴った。その乱暴な鳴り方で、何かよくない出来事が発生したと分った。

「父親の仕事部屋に案内しなさい」

玄関に立っていたのは秘密警察だった。彼らは全部で五人だった。深緑色の上着とズボン、幅の広いベルトと黒いブーツ、革のてぶくろ、そして腰骨のあたりに見え隠れしている武器。何もかもがおそろいだった。襟元《えりもと》にとめられたいろいろな種類のバッジの組合せだけが、各々違っているようにも思えたが、確かめる余裕はなかった。

「父親の仕事部屋に案内しなさい」

先頭に立っている、菱形《ひしがた》とそらまめ形と台形のバッジをつけた男が、さっきと同じ口調で繰り返した。

「父は、五年前に、死にました」

自分を落ち着かせるために、ゆっくりとわたしは言った。

「そんなことは承知している」

楔形《くさびがた》と六角形とT字形バッジの男がそう言ったのを合図に、五人は靴のまま一斉に家へ上がり込んできた。五人分の靴音と、武器が止め金とぶつかってカチカチいう音が、廊下にこもって響き合った。

「カーペットをクリーニングしたばかりなんです。ブーツを、脱いで下さい」

何か他に、もっと大事なことを主張すべきだと、自分でも分っていたのだが、そんな間の抜けた言葉しか出てこなかった。しかし彼らはわたしを無視し、二階へ続く階段を昇っていった。

家の見取り図はすっかり頭に入っているようだった。彼らは迷わず、東角にある父の仕事部屋にたどり着くと、見事な手際のよさで作業に取り掛かった。

まず一人が、父の死後締め切ったままになっていた窓を全部開け放ち、一人がキャビネットと机の引き出しの鍵を、手術用のメスのような細長い道具で壊してゆき、残りが壁の隅々《すみずみ》に指を這《は》わせて、隠し金庫でもないかと探っていた。

それから全員で、父の残した原稿、メモ用紙、スクラップブック、書籍、写真の類を選別し始めた。危険とみなされたものは――つまりどこかに一つでも〝鳥〟という字が見つかったものは――どんどん床に放り投げられていった。わたしは戸口にもたれ、ノブのボタンを押したり戻したりしながら、じっと彼らのやり方を見ていた。

噂には聞いていたが、彼らはすばらしくよく訓練されていた。五人で作業するのに最も効率的な役割分担が、徹底されていた。無言で、目付きが鋭く、無駄な動きがなかった。紙のこすれ合う音だけが、鳥の羽音のように漂っていた。

あっという間に、床に書類の山ができた。この部屋に鳥と関わりのないものなど、ほとんどないはずだった。懐かしい右上がりの父の字が並んだ原稿用紙や、観測所に泊まり込んで苦労して撮った写真が、彼らの手からハラハラと舞い落ちていった。

確かに彼らのやっていることは無茶苦茶なのだけれど、そのやり方があまりにも洗練されているために、何か正当なもてなしを受けているような錯覚さえ呼び起こすのだった。できるだけ早く異議を申し立てなければと思ったのだが、胸がどきどきするばかりで、どうしていいのか分らなかった。

「もっと、大事に扱って下さい」

試しにわたしは言ってみた。でも、何の効果もなかった。

「わたしにとっては、すべて父の形見なんです」

こちらを振り向く者さえいなかった。わたしの声はただ、積み重なってゆく父の形見の中に、吸い込まれてゆくだけだった。

一人が、机の一番下の引き出しに手を掛けた。

「そこのものは、鳥とは関係ありません」

あわててわたしは言った。父は家族の手紙と写真を、いつもそこにしまっていた。二重丸と長方形と雫形バッジの男は、お構いなしにそれらを引っ張り出して作業を続けた。父が人工孵化させた、派手な色合いの珍しい鳥――名前はもう思い出せない――と一緒に家族で撮った写真だけが、一枚選別された。男は残った写真と手紙を、机の上で丁寧にそろえてから、元の引き出しに戻した。その日秘密警察が行なったなかで、それだけが、唯一まっとうな瞬間だった。

すべての選別が終わると、今度は上着の内ポケットに用意してあった黒いビニール袋の中に、床のものたちを詰め込みだした。何もかも一緒にぎゅうぎゅう詰めにしている様子から、全部を破棄してしまうつもりなのだと分った。込み入った事情があって、何かを探り出そうとしているのではなく、ただ鳥に関するものの残骸を処分したいだけだ。消滅を徹底させることが、秘密警察の第一の任務なのだから。

たぶんこの襲撃は、母が秘密警察に連れ去られた時の状況に比べれば、ずっと単純だろうとわたしは思った。気がすむまで全部袋詰めにしてしまえば、彼らはもう二度とここへは戻って来ないだろう。父が死んでいる以上、この家に残された鳥の記憶はただ薄れてゆくばかりだ。

一時間ばかりかかった作業が終わり、大きな袋詰めが十個できた。朝日が差し込み、部屋は暑いくらいになっていた。よく磨き込まれた襟元のバッジが、きらきら光っていた。しかし彼らは誰一人、汗もかいていなかったし、息も乱れていなかった。彼らは平等に一人二つずつの袋を両肩に背負い、表に停めてあったトラックで去って行った。

部屋はたった一時間で様子が違ってしまった。大切に封じ込めておいた父の気配がすっかり消え去り、代わりにそこは、取り返しのつかない空洞になっていた。わたしは部屋の真ん中に立ってみた。奥の一点に吸い込まれてしまいそうな、深い空洞だった。

3

わたしは今、小説を書いて生活している。これまでに三冊、本を出した。一冊めは、行方不明になった恋人のピアニストを探しだすため、調律師が耳に残った音色を頼りに、楽器店やコンサートホールをさ迷う物語。二冊めは、右足を事故で切断したバレリーナが、恋人の植物学者と一緒に、温室の中で暮らす物語。三冊めは、染色体が一番から順番に溶けてゆく病気にかかった弟を、看病するお姉さんの物語。

全部、何かをなくす小説ばかりだ。みんなそういう種類のお話が好きなのだ。

しかし島の中では、小説を書くというのは最も地味でひそやかな仕事の一つだ。島には、本があふれているとは言いがたい。バラ園の隣にある図書館は、みすぼらしい木造の平屋建てで、いつ訪ねても二、三人の人影しか見えない。誰の目に触れられることともなく、表紙をめくっただけで、ぽろぽろと粉になってしまいそうなほどに朽ちた本が、書架の片隅に眠っている。

そういう古い本は修理されることもなく、いずれは捨てられてしまう。だから図書館の蔵書はいつまでたっても増えない。けれど、それで文句を言う人もいない。

本屋も同じようなものだ。商店街の中で本屋くらいひっそりした場所はない。主人は無愛想で元気がなく、売れ残った本の背表紙が、変色しかかっている。

小説を必要としている人なんて、ここにはほんのわずかしかいない。

わたしはだいたい午後の二時から真夜中近くまで、原稿用紙に向かっている。それでも一日に書けるのは五枚くらいだ。わたしはゆっくり升目《ますめ》を埋めてゆくのが好きなのだ。あわてる理由は何もない。その升目にふさわしい一字を、時間をかけて選ぶ。

仕事場は昔の父の部屋だ。しかし父が使っていた頃に比べると、ずっとすっきりしている。わたしの小説には参考文献も取材メモも必要ないからだ。机の上には、原稿用紙の束と、鉛筆と、それを削るための小刀と、消しゴムがのっているだけだ。秘密警察が残していった空洞は、どうやっても埋めることができない。

夕方になると、一時間くらい散歩に出掛ける。海岸通りをフェリーの発着所まで歩き、帰りは丘に沿った小道に入り、野鳥観測所を通り抜けて帰ってくる。

フェリーは長い間、港につながれたままで、すっかり錆《さび》ついている。もう誰もこれに乗ってどこかへ行くことはできない。フェリーも、島から消え去ったものの一つだ。

フェリーの愛称が船体にペンキで書いてあったはずなのだけれど、潮風ではがれ落ちて、今では読むことができない。窓は埃まみれで、船底やいかりの鎖やスクリューは、貝殻と海藻で覆《おお》われてしまっている。まるで巨大な海の生物の死骸が、ここで化石になるのを待っているかのようだ。

ばあやさんのご主人は昔、フェリーの整備士だった。フェリーが消滅してからは、港の倉庫番として働いていたが、今は引退して一人でこの船の中に住んでいる。散歩の途中、わたしはここへ寄っておじいさんと世間話をする。

「どんな調子ですか。小説の方の進み具合いは」

そう言いながらおじいさんは、わたしに椅子を勧めてくれる。船の中にはいくらでも椅子があるので、わたしたちはその日の天候や気分によって、甲板のベンチに腰掛けたり、一等船室のソファーでくつろいだりする。

「まあ、ぼつぼつというところかしら」

わたしは答える。

「くれぐれも、お身体にだけは気をつけて下さいまし」

いつでも必ず、おじいさんはこの一言を忘れない。

「一日中机の前に坐って、ただ頭の中で難しそうなことを想像するだけの仕事なんて、誰にでもできるというものじゃありません。ご主人さまと奥さまがお元気でいらしたら、さぞかしお喜びでございましょう」

おじいさんは一人でうなずく。

「小説なんて、そんな大げさなものじゃないのよ。フェリーのエンジンを分解して、部品を取り替えて、また元通りに直すことの方が、ずっと神秘的で難しい仕事だと思うわ」

「いや、いや。フェリーが消えてしまったんじゃあ、もうどうしようもありません」

ここで少し、沈黙が訪れる。

「あっ、今日は上等の桃が手に入ったんです。お切りしましょう」

おじいさんはボイラー室の隣にある小さなキッチンに入ってゆく。氷を敷きつめた皿の上に桃を並べ、ミントの葉を飾り、それから濃いお茶をポットにたっぷり用意してくれる。おじいさんは機械でも食べ物でも植物でも、本当に器用に扱うことができる。

わたしは今まで書いた小説は全部、一番におじいさんにプレゼントしてきた。

「ああ、これがお嬢さまの、小説でございますか」

彼はショウセツという言葉を、慎重に大切に口にした。それから頭を深く下げ、神聖な捧げ物を受け取るように、両手で本を支えた。

「ありがたいことでございます。ありがたいことでございます」

そう繰り返す声が、だんだん涙まじりになってきて、わたしを困惑させた。

ところがおじいさんは、小説を一ページも読んではくれなかった。

「感想を聞かせてほしいんだけど」

わたしが言うと、

「とんでもございません。小説というのは、最後まで読んでしまったら、もうそれでおしまいなのでございましょう？　そんなもったいないことはできません。こうしていつまでも、手元で大事にしておきたいのでございます」

そう答えておじいさんは、船長室にある海の神様の祭壇に本を供え、皺だらけの両手を合わせるのだった。

おやつをつまみながら、わたしたちはいろいろな話をする。そのほとんどが思い出話だ。父のこと、母のこと、ばあやさんのこと、野鳥観測所のこと、彫刻のこと、フエリーでよその土地へ行くことのできた、遠い昔のこと。……でもわたしたちの思い出は、日に日に少なくなってゆくばかりだ。消滅がやってくるたび、一緒に記憶も持ち去られてしまうからだ。わたしたちは残り少ないおやつを分け合い、ゆっくりゆっくり舌で溶かすように、同じ話を何度も繰り返す。

夕日が海に沈みはじめる頃、わたしはフェリーを降りる。それほど急なはしごでもないのに、おじいさんは必ずタラップのところで手を貸してくれる。わたしのことを幼い少女のように扱う。

「お気をつけて、お帰り下さいまし」

「ええ。また明日」

姿が見えなくなるまで、じっとおじいさんはわたしを見送ってくれる。

港の次は、丘の頂上にある野鳥観測所に寄る。でもそこにはあまり長居はしない。海を見渡し、何度か深呼吸をし、それですぐに下りてくる。

父の部屋と同じようにそこも秘密警察の手入れを受け、ただの廃屋になっている。野鳥観測所だったことを思い出させるものは、何も残っていない。研究員たちもみんな散り散りになってしまった。

父と一緒に双眼鏡をのぞいた窓に立ってみると、今でも時折小鳥が近づいてくるが、それはもう自分にとって何の意味もないことなんだと、思い知らされるだけだ。

丘を下り町を通り抜けている間に、どんどん日は暮れてくる。夕方の島はいちだんとひっそりしている。仕事帰りの人たちはうつむき加減に歩いているし、子供たちは早足で家の中に駆け込んでゆくし、商品を売り尽くした移動マーケットのトラックは、調子の悪そうなエンジンの音を残して、ガタガタとわたしを追い越してゆく。

明日訪れるかもしれない何かの消滅のために、島全体が心の準備を整えているかのような静けさが、あたりに満ちている。

こんなふうにして島は、夜を迎える。

4

水曜日の午後、出版社に原稿を届けに行く途中、記憶狩りに出会った。今月に入ってもう三回めだ。

日に日にそのやり方は強引になり、乱暴になっている。今から思えば、十五年前に母が秘密警察に連れて行かれたのが、記憶狩りの始まりだった。母と同じような、記憶を失わない特殊な人間の存在が、だんだんに明らかになり、秘密警察は彼らを残らず連行しようとしている。でも、彼らがいったいどんな場所へ集められているのか、誰も知らない。

バスを降り信号を渡ろうとした時、例の深緑色のトラックが三台連なって、交差点に入ってきた。他の車はスーッと速度を弱め、脇に寄って道を開けた。トラックは歯科医院や生命保険会社やダンススタジオが入っている雑居ビルに横付けされ、秘密警察が十人ほど素早く中へ入っていった。

あたりの人たちは誰もが息をひそめていた。横道に隠れる人もいた。みんな目の前の光景が少しでも早く過ぎ去ってほしい――自分の身に何かふりかかってくる前に――と、願っている様子だった。けれどトラックを包む空気は、時間の渦の真ん中に吸い込まれたかのように、しんと静止していた。

わたしは原稿用紙の入った封筒を胸に抱え、街灯の柱の陰でじっとしていた。信号が何度か青から黄色に変わり、赤になり、また青に戻った。横断歩道を渡る人は誰もいなかった。路面電車の窓から、乗客がこちらをうかがっていた。いつのまにか、封筒が皺くちゃになっていた。

しばらくして聞こえてきたのは、かなりの数の靴音だった。威圧的で規則正しい秘密警察のブーツの音に、弱々しく打ちひしがれた数人の靴音が混ざっていた。彼らは一人ずつビルのドアから出てきた。

中年過ぎの紳士が二人、髪を栗色に染めた三十代の女性が一人、痩せたローティーンの女の子が一人。まだ木枯らしも吹かない季節なのに、四人はみなシャツを重ね着し、オーバーコートをはおり、マフラーやスカーフを首に巻きつけていた。さらに大きく膨らんだボストンバッグや、スーツケースを提げていた。何かの役に立ちそうなものは、できるだけたくさん持ち出そうと、苦心した感じだった。

ボタンがはめられていなかったり、バッグの口から衣類の端がのぞいていたり、靴の紐が解けていたりする様子から、心の準備をする暇もなく、短い時間で荷造りさせられたのだろうと察しがついた。彼らの背中には武器が突き付けられていた。しかし、表情に混乱はなかった。ただ、森の奥に取り残された沼のように静かな瞳で、遠くを見つめているだけだった。その瞳の中に、わたしたちの知らないたくさんの記憶を、彼らは隠し持っているのだ。

相変わらず秘密警察は襟元のバッジを光らせながら、無駄なく計算通りに作業をすすめていた。四人がわたしの前を通り過ぎていった。微かに消毒液の匂いがしたように感じた。もしかしたら、歯科医院の誰かがつかまったのかもしれない。

彼らは順番に、幌つきトラックの荷台に押し込められていった。その間一瞬も、武器が背中から離れることはなかった。最後に残った少女が、小熊のアップリケのついたオレンジ色のバッグを幌の中に投げ込み、続いて乗り込もうとしたが、荷台のステップは明らかに少女には高すぎた。彼女はしりもちをついた。

わたしは思わずあっ、と声を上げ、封筒を落としてしまった。原稿用紙が歩道に散らばった。まわりの人たちは一斉に、不快な表情で振り向いた。余計な刺激を秘密警察に与えて、厄介なことにでもなったらと、みんな怯《おび》えているのだ。隣に立っていた青年が、原稿用紙を集めるのを手伝ってくれた。水溜まりに落ちて濡れたり、踏まれて汚れたりしたのもあったが、とにかく急いでかき集めた。

「これで、全部ですか？」

青年が耳元でささやいた。わたしはうなずき、目元だけで感謝の気持ちを表わした。しかし、わたしが引き起こしたこのちょっとしたざわめきは、彼らの作業に何の影響も与えなかった。誰一人、こちらに見向きもしなかった。

先に乗り込んでいた秘密警察の一人が、手を貸して少女を荷台に引っ張り上げた。スカートからのぞいた彼女の膝は小さくて固く、まだ子供っぽさが残っていた。幌が下ろされ、エンジンが掛けられた。

彼らが去っても、まだしばらくは時間の流れが元にもどらなかった。エンジンの音が遠ざかり、トラックが見えなくなり、路面電車が動き始めてからやっと、目の前の記憶狩りがとにかく完了し、自分には危害が加えられなかったことを確信できるのだった。人々はまた、思い思いの方向へ歩きだした。青年も横断歩道を渡っていった。あの少女には、秘密警察の手の感触はどんなふうに残ったのだろうと、閉じられたビルのドアを見やりながら、わたしは思った。

「ここへ来る途中、怖いものを見てしまったんです」

出版社のロビーでわたしは編集者のR氏に言った。

「記憶狩りですか……」

R氏は煙草に火をつけた。

「ええ。最近特にひどくなってきたみたいですね」

「全く、どうしようもない状況だ」

彼は長く煙を吐き出した。

「でも、今日出会った記憶狩りは、少し様子が違っていました。昼間、町の中のビルで、しかもいっぺんに四人も連れ去られたんです。これまでわたしが出会ったのは、夜、住宅街から家族の一人を連行するパターンばかりでした」

「たぶんその四人は、隠《かく》れ家《が》に潜《ひそ》んでいたんでしょう」

「隠れ家？」

聞き慣れないその言葉を繰り返したあとで、わたしはあわてて口を押さえた。こういうデリケートな話は、人前でしない方が安全だと言われていた。どこに覆面の秘密警察が紛《まぎ》れ込んでいるかもしれないからだ。記憶狩りに関しては、あらゆる噂が島中に飛びかっている。

ロビーは閑散としていた。ベンジャミンの鉢植えの向こうで、スーツ姿の男性が三人、分厚い書類をはさんで込み入った話をしている以外には、受付の女性が退屈そうに坐っているだけだった。

「ビルの一室を隠れ家にしていたんだと思うよ。身を隠す以外、彼らに方法はないからね。彼らを支援し、かくまうための、かなりしっかりした地下組織が存在しているという話だ。あらゆるつてを張りめぐらせて、安全な場所や物資やお金を確保しているんだ。でも、そうした隠れ家さえ秘密警察に踏み込まれたとなると、本当に安全な場所なんてものはないということだ……」

R氏はまだ何か言葉をつぎ足そうとしたが、コーヒーカップに指をのばし、中庭に視線を向けて、そのまま唇を閉じた。

中庭にはレンガで囲んだ小さな噴水があった。特別な仕掛けは何もない、素朴な噴水だった。会話が途切れると、ガラス越しに水音が聞こえた。遠くの方で、楽器の柔らかい弦をつまびいているような音だった。

「前から不思議に思っていたんですけど」

彼の横顔を見ながら、わたしは言った。

「どうして秘密警察は、そういう人たちを見分けることができるんでしょう。つまり、消滅の影響を受けない人たちのことを。外見に共通の特徴があるとは思えないんです。性別も年齢も職業も家柄も、みんなばらばらです。だから、ちょっと注意してほかの人たちに合わせていれば、うまくごまかせるんじゃないでしょうか。消滅が自分の意識の上にもちゃんと及んでいる振りをすることは、そんなに難しいことじゃないはずです」

「いや、それはどうだろう……」

しばらく考えてから彼は言った。

「君が思うほど、簡単なことじゃないはずだよ、たぶん。自分の意識なんてものは、その何十倍もの無意識に包み込まれているんだ。だからそううまく操作できないと思う。彼らには消滅がどういう状態のものなのか、想像もできないんだ。そうじゃなきゃ、隠れ家に潜んだりはしない」

「確かにそうですね」

「これはまだ、噂の段階なんだけど、遺伝子の解読によって、特殊な意識を持つ人たちを選別している、ということらしい。解読の技術者が、大学の研究室あたりで、密《ひそ》かに養成されているんだ」

「遺伝子の、カイドク、ですか？」

「そう。外見上の共通点がなくても、遺伝子まで掘り下げて徹底的に分析すれば、何らかの共通の特徴をつかむことができるんだろうね。最近の記憶狩りの徹底ぶりをみると、その研究がかなり進展してきたということだろう」

「でも、どうやって遺伝子を手に入れるのかしら」

わたしは尋ねた。

「今君は、このカップでコーヒーを飲んだね」

R氏は煙草を灰皿に押しつけ、わたしの目の前にカップを持ち上げた。息が吹きかかりそうなくらい近くに、彼の指があった。わたしはじっと唇をつぐんでうなずいた。

「これを持ち出して、唾液を検出し、遺伝子の解読をするのは、秘密警察にとっては何でもないことさ。彼らはあらゆるところに潜んでいるんだ。もちろん、出版社のロビーの湯沸かし室にもね。知らない間に、島中の人間が解読され、データ化され、登録されてゆく。その作業がどこまで進んでいるのかは、見当もつかないけど。僕たちはどんなに注意してたって、自分の身体の何かを、つまり遺伝子を、あちこちに落としてしまう。髪の毛や、汗や、爪や、脂や、涙や、とにかくいろいろなものが身体からこぼれてゆくんだ。だから、のがれようがない」

彼はゆっくりとカップをソーサーに戻し、まだ半分残っているコーヒーに視線を落とした。

ベンジャミンの向こうにいた人たちは、いつの間にか打ち合せを終えて姿が見えなくなっていた。あとには、コーヒーカップが三つ残っていた。受付嬢がそれを無表情にトレーに集めていた。

「しかし、それにしても……」

受付嬢が行ってしまうのを待ってから、わたしは言った。

「どうして彼らは、連行されなくちゃならないんでしょう。不都合なことなんて、何にも起こっていないのに……」

「支配する側にとってみれば、あらゆるものが順番に消えてゆくこの島で、消えないことはもうそれだけで不都合だし、不条理なんだろうね。だから自分たちの手で、無理矢理消しているんだ」

「母もやはり、殺されたんでしょうか」

こんなことをR氏に尋ねるのは筋違《すじちが》いだと分っていたが、思わず母のことが口から漏れてしまった。

「調査、研究の、対象にされたことは、確かでしょうね」

言葉を選びながら彼は答えた。

それからしばらく、沈黙が続いた。わたしは噴水の音だけを聞いていた。二人の間に、皺だらけの封筒がひっそりと置かれていた。R氏はそれを引き寄せ、中の原稿を取り出した。

「ただ消えてゆくだけの島で、こうして言葉で何かを作り出せるなんて、不思議だな」

そう言って彼は、いとおしいものを撫でるように、砂埃でざらざらに汚れた原稿用紙を拭《ぬぐ》った。

その時わたしたちは、二人が同じことを考えているのに気づいた。目と目を見合わせ、もうずっと前からお互いの心の隅に巣くっている不安を、感じ取った。噴水のしぶきに弾《はじ》けた光が、彼の横顔を照らしていた。

声に出してしまったら、それが本当のことになってしまいそうで、わたしは彼に悟られないようにそっと胸の奥でつぶやいた。

もし言葉が消えてしまったら、どうなるのだろう。

5

秋はすぐに過ぎ去っていった。波の音が鋭く冷ややかに響き始め、山の向こうから吹いてくる季節風が冬の雲を運んできた。

おじいさんがフェリーからやって来て、ストーブの掃除や、水道管の布巻きや、庭の枯葉焼きや、いろいろと冬の支度を手伝ってくれた。

「今年は十年ぶりに、雪が降るかもしれませんよ」

裏庭の食料倉庫の天井に、玉ねぎを吊り下げながらおじいさんは言った。

「夏に採《と》れた玉ねぎの皮が、こんなふうにきれいな飴色《あめいろ》で、蝶の羽みたいに薄く乾燥する年は、雪が降るんです」

皮を一枚はぎ、手のひらで握りつぶすと、それはパリパリと気持ちのいい音をたてた。

「それじゃあ今年は、生まれてから三回めの雪が見られるかもしれないのね。楽しみだわ。おじいさんは何回雪を見た？」

うきうきしてわたしが言うと、

「数えたことなどありません。フェリーで北の海を渡っていけば、雪なんてうんざりするくらい降っていたもんです。お嬢さまが生まれる、ずっとずっと昔の話です」

そう答えておじいさんは、また、玉ねぎを吊り下げる作業にもどった。

支度が全部整うと、わたしたちはストーブに火をつけ、ダイニングでワッフルを食べた。掃除したばかりのストーブは、まだ炎を出すのにしっくりこないといった感じで、ゴワゴワとくぐもった音をたてていた。窓からは飛行機雲が見えた。庭の焚火のあとから、残った煙が細く立ち昇っていた。

「いつも手伝ってもらって、助かるわ。冬が来る前は、一人きりだと何となく不安な気分になるから。そうだ、この間ね、セーターを編んだの。もしよかったら着てみて」

ワッフルを一個食べ終えたところで、わたしは用意しておいた編み込み模様のグレーのセーターを、おじいさんに渡した。彼はびっくりして喉を鳴らしながら紅茶を飲み込み、本をあげた時と同じように両手でセーターを捧げ持った。

「私はただ、自分にできるささやかな仕事をやっているだけですのに、このようなお気遣いをして下さって、もったいないことでございます」

それから自分の着ていた毛玉だらけのセーターを脱ぎ、使い古したタオルのようにくるくると丸めてバッグに押し込むと、まるではかなく破れやすいものをまとうように、ゆっくりと新しいセーターに腕を通した。

「ああ、これは何とも温かい。身体がふんわり浮き上がりそうでございます」

少し袖《そで》が長すぎて、襟元《えりもと》がつまっていたが、おじいさんはそんなことにこだわってはいなかった。二個めのワッフルを食べながらも、新しいセーターの感触にばかり気を取られ、唇からはみ出したカスタードクリームが、頬についているのにも、気づいていない様子だった。

ペンチやドライバーやサンドペーパーや機械油を詰め込んだ道具箱を自転車の荷台にくくりつけ、おじいさんはフェリーに戻っていった。その次の日から、とうとう本格的な冬になった。コートなしでは外を歩けなくなり、家の裏を流れている川が朝凍るようになり、移動マーケットが持ってくる野菜の種類が減ってきた。

わたしは家へこもって四つめの小説を書いている。今度は、タイピストが声を失う物語だ。恋人のタイプ学校の教師と一緒に、自分の声を探して歩くのだ。彼女は言語療法士のところでカウンセリングを受ける。彼は彼女の喉を両手で撫で、舌を唇で温め、昔二人で録音した歌を繰り返し流す。でも、声は戻ってこない。彼女はタイプを打って彼に気持ちを伝える。二人の間にはいつも、カシャ、カシャという機械の音が、音楽のように流れていて、そして……

これからどうなふうになるのか、自分でもよく分らない。今度は素朴で平和だけれど、あやうい物語になりそうな予感がする。

真夜中過ぎ、仕事をしていると、どこか遠くでガラスをノックする音が聞こえた気がした。鉛筆を置いて耳を澄ましてみたが、外ではただ風の音が舞っているだけだった。原稿用紙に戻って、一行書いたところでまたガラスが鳴った。コツ、コツ、コツ。規則正しい、控えめな音だった。

わたしはカーテンを開け、外を見た。近所の家はみな明かりが消え、人影はなかった。わたしは目を閉じ、ノックがどこから聞こえてくるのか、神経を張りつめた。そしてたぶん、地下室だろうと見当をつけた。

母が死んでから、地下室へ下りることは滅多《めった》になかったので、入り口には鍵が掛かっていた。大事にしまいすぎていたせいで、鍵を見つけるのに少し手間取った。引き出しをかき回して鍵束の入った缶を取り出し、その中から錆びかけた一本の鍵を見つける間、かなり耳障りな雑音がした。静かにことを運んだ方が安全だと直感はしていたのだが、ノックの音がいつまでも辛抱強く控えめだったので、余計にあせってしまった。

ようやく扉を開けて段階を降り、明かりのスイッチを入れた時、川べりの洗濯場へ通じるガラス戸に、人の影が映っているのが見えた。

洗濯場といっても、そこで洗濯をしていたのは、祖母の時代のことだ。母は時々、汚れた彫刻刀を洗ったりしていたが、それだってもう十五年も前だ。

そこは川底に一畳分くらいレンガを敷きつめてあって、地下室のガラス戸から降りられるようになっている。幅が三メートルくらいしかない小さな川なので、向こう岸とは手作りの――おじいさんが作ったのだ――木製の橋でつながってはいるが、今ではもうぼろぼろに朽ちている。

そんなところに、なぜ人が立っているのだろう。

その疑問を胸の中でこっちへやったりあっちへやったりしながら、どうしたらいいか考えた。泥棒だろうか。いや泥棒はノックなんかしない。変質者のいたずらだろうか。でも、変質者にしては、ノックの仕方があまりにも礼儀正しい……。

「どなたですか？」

勇気を出してわたしは言った。

「すいません。こんな時間に。い、ぬ、い、です」

ガラス戸を開けると、乾《いぬい》教授が家族と一緒に立っていた。乾氏は父と母の古い友人で、大学病院の皮膚科学教室で教授をしていた。

「どうしたんですか、一体」

とにかくわたしは彼らを中へ入れた。足元を流れる水の音を聞いているだけで凍えそうだったし、何より彼らの様子は普通ではなかった。

「本当に、申し訳ありません。ご迷惑なことは十分承知していたのですが……」

教授は謝ってばかりいた。奥さんは素顔で頬が透き通り、寒さのせいかそれとも涙のせいか、目元がうるんでいた。十五歳のお姉ちゃんは唇を固く閉じ、八歳の弟は好奇心を抑えきれずに目をきょろきょろさせていた。四人はお互い、身体のどこかで触れ合っていた。奥さんは教授の腕を取り、教授はお姉ちゃんの肩を抱き、子供二人は手をつなぎ、弟はお母さんのコートの端を握っていた。

「遠慮なんかご無用ですわ。でも、よくあの橋が渡れましたね。怖かったでしょ。壊れる寸前ですもの。どうして玄関からいらして下さらなかったんですか。まあ、いずれにしても、上の暖かいリビングルームへどうぞ。ここではどうしようもありませんから」

「ありがとうございます。でも、わたしたちには時間がありません。それに、あまり目立つわけにはいかないんです。ここでひっそりと、用事をすませてしまわなければなりません」

教授はため息をついた。それを合図のようにして、四人はまた一段と近くに身体を寄せ合った。

彼らはみな、カシミアの上等のロングコートを着ていた。首も手も足も、コートから外へ出ている部分は全部、毛糸の製品で包まれていた。そして、それぞれの身体の大きさに見合うバッグを両手に提げていた。それらはどれも重そうだった。

わたしは母の作業台だった机をざっと片付け、椅子を集めて彼らを坐らせた。荷物は机の下に並べた。どうにか、話を聞ける状態になった。

「とうとう、来たんです。わたしのところにも」

机の上で指を組み、その指によって形づくられた半円の空間に、声を閉じ込めるような調子で教授は言った。

「何がですか」

なかなか次の言葉が出てきそうになかったので、我慢できずにわたしは聞いた。

「秘密警察からの呼び出し状です」

落ち着きのある、理性的な声で教授は答えた。

「えっ、なぜ……」

「遺伝子解読研究所への出頭命令です。明日、いえ、もう今日です、今日の朝、迎えが来ることになっています。大学の職は解かれました。官舎も出なければなりません。家族全員でその研究所へ移り住むよう、命令されています」

「それは、どこにあるんですか」

「分りません。どこにある、どんな建物なのか、誰も知りません。でも、そこでやっていることの見当はつきます。表向きは医療関係の研究所ということですが、実際には、記憶狩りの片棒をかつぐことになるんです。わたしの研究を応用して、記憶をなくさない人々を見つけだせということです」

わたしは出版社のロビーで、R氏から聞いた話を思い出した。あれはただの噂なんかではなかったのだ。しかも、こんな身近な人が巻き込まれようとしている。

「呼び出し状が届いたのは、ほんの三日前なんです。ゆっくり事態を検討する時間なんてありませんでした。報酬は今の三倍になる。子供の教育設備も整っている。税金、保険、車、住宅、あらゆる面で特権が用意されている。恐ろしいばかりの好条件です」

「十五年前と、同じ封筒だったわ」

初めて奥さんが口を開いた。目元と同じように、声もうるんでいた。お姉ちゃんは喋《しゃべ》っている人の方に顔を向け、黙って話を聞いていた。弟は手袋をはめたままの手で、机の上に残っている彫刻の道具に、遠慮しながら触っていた。

わたしは十五年前、母が連れて行かれた時のことを思い出した。あの時、相談に乗ってくれたのが乾夫婦だった。わたしはほんの小さな女の子で、奥さんは生まれたばかりのお姉ちゃんをだっこしていた。

呼び出し状はざらっとした手触りの、薄紫色の封筒に入っていた。まだ、記憶狩りという言葉を誰も知らない頃で、両親も乾夫婦もそれほどの危機感は持っていなかった。ただ文面からだけでは、どれくらいの時間、あるいは日数がかかるのか、また、なぜ母が呼ばれるのかがはっきりしないという不安はあった。

でもわたしは、あの地下室の引き出しに関係があると、感づいていた。封筒をはさんで大人たちが話し合っている間、わたしは、秘密の品物にまつわる物語を聞かせてくれる時の、母の密《ひそ》やかな声や、どうしてそういう物語を忘れないで覚えていられるのか、尋ねた時の表情の陰りを、思い浮かべていた。

話し合っても、結論は出なかった。拒む理由はなかったし、もしかしたら拍子抜けするくらいつまらない用件かもしれなかった。

「大丈夫。そんなに深刻に心配する必要はないよ」

「家のことも、お嬢ちゃんのお世話も、何でもお手伝いするから、安心して」

と、乾夫婦は元気づけてくれた。

朝、迎えに来た秘密警察の車は、恐ろしいほどに高級なものだった。一軒の家のように大きく、威厳のある黒色で、くもり一つなく磨き上げられていた。ホイールや、ドアの把手や、ボンネットの先についた秘密警察のマークが、朝日に照らされて光っていた。シートは坐ってみたくて仕方ない気持ちにさせるような、柔らかい革製だった。

白い手袋をはめた運転手が、母のためにドアを開けた。母は乾夫婦とばあやさんにまだ何かお願いごとをし、父と抱擁し、最後に、微笑みながらわたしの頬を両手で包んだ。

車の豪華さと、運転手の礼儀正しさを見て、みんな安心した。これだけ大切にされるのだから、心配はいらないと思ったのだ。

母はそのふかふかしたシートに身体を沈めた。彫刻展で入賞して受賞パーティーに出かけるのを、見送るような気分でみんな手を振った。

でもそれが、生きた母を見る最後になった。一週間後、彼女は死亡診断書と一緒に遺体で帰ってきた。

心臓発作ということだった。乾氏の病院で徹底的に調べてもらったが、疑わしい点は見つからなかった。

……我々のある秘密事項において、ご協力いただいておりましたが、不慮のご病気により、このような事態になりましたこと、心よりお悔やみ申し上げ……

父は秘密警察からの手紙を、声を出して読んでくれた。外国語のおまじないを聞いているようで、わたしには少しも意味が分らなかった。父の涙が薄紫色の封筒にこぼれ、小さなしみになってゆくさまを、ただ黙って見ているしかなかった。

「便箋の紙質も、タイプライターのエレメントも、透かし模様も、お母さまの時と同じだったわ」

奥さんは続けた。彼女はマフラーを二重に巻きつけ、首の前で固い結び目を作っていた。一言喋るたびに、まつげが震えていた。

「辞退することはできないんですか」

わたしは聞いた。

「辞退すれば、連行されます」

すぐさま、教授が答えた。

「記憶狩りに加担しなければ、自分が狩られるというわけです。もちろん家族全員一緒です。狩られたあと、どこへ連れて行かれてどうなるのか、それは分りません。監獄か、強制労働か、処刑か。いずれにしても、人間をスプーンの束みたいにして連れ去る記憶狩りのやり方を見ていれば、その先が心地いい場所でないことだけは確かです」

「それじゃあ、その、遺伝子の研究所へいらっしゃるんですね」

「いいえ」

教授と奥さんは同時に首を横に振った。

「隠れ家へ行きます」

「かくれが、……」

この言葉を聞くのは二度めだと思いながら、わたしはつぶやいた。

「運よく支援組織とつながりが持てて、安全な場所を確保してくれたんです。そこへ隠れます」

「しかし、お仕事も生活も、何もかも失うことになるんですよ。いくら不本意でも、おとなしく命令に従った方が安全じゃないですか。お子さんだってまだ小さいんだし」

「研究所へ閉じ込められることが、安全とは言い切れませんよ。何といっても秘密警察がやっていることです。信用はできません。用済みになったら、秘密を守るために、卑劣な手段だって取るでしょう」

教授は子供たちを怯《おび》えさせないように、言葉を選んでいた。

二人はおとなしく、いい子にしていた。弟は何の変哲もない石のかけらを、仕掛けの隠れたおもちゃのように撫で回して遊んでいた。手袋は空色で、いかにも手作りといった感じの素朴なデザインだった。片方だけなくしてしまわないように、鎖編みにした毛糸の紐で、右手と左手をつないでいた。自分も昔、こんな手袋をはめていたなと、わたしは思った。重苦しい地下室の中で、彼の手袋だけ平和な匂いがした。

「それに、記憶狩りに手を貸すようなことは、わたしたちにはできません」

奥さんが言葉をつぎ足した。

「でも、隠れるって言ったって、お金や、食べ物や、学校や、病気や、つまり、乾さんの生活は、どんなふうになるんですか。生活だけじゃない。乾さんたち四人の存在そのものは、どうなるんですか」

わたしにはまだ、いろいろなことがうまく理解できていなかった。遺伝子、解読、研究所、支援組織、隠れ家、これらの言葉が行き場を見つけられないまま、耳の中でいつまでも響き合っているような感じだった。

「それはわたしたちにも、よく分らないわ」

そう言い終わると、奥さんの目から涙がこぼれた。でも彼女は泣いているわけではなかった。涙を流しているのに泣いていないなんて、おかしな話だけれど、わたしにはそう思えた。彼女はただ、泣くこともできないくらい深く哀しんで、透明な体液を一粒あふれさせただけだ。

「あまりにも急なことで、時間がなさすぎたの。何を準備して、何を片付けていけばいいのか、全然頭が働かなかったわ。まして、先のことを予測するなんてとても無理。目の前にある選択をするので精一杯だったの。貯金通帳は役に立つのか、現金の方がいいのか、金に換えた方がいいのか。衣類はどれくらい必要なのか。食料も持てるだけ持っていっていいのか。猫のみぞれは置いていかなきゃならないのか。……」

　透明な粒が数えきれないくらい流れ落ちてきた。お姉ちゃんがポケットからハンカチを差し出した。

「そして、わたしたちがしたもう一つの選択は、お母さまにいただいた彫刻をどうするかです」

　教授が言った。

「たぶん、わたしたちが消えたあとの家は、行き先の手がかりを探すため、秘密警察に踏み荒らされることになるでしょう。何もかもが目茶苦茶に壊されてしまうでしょう。だから、わたしたちが大切にしたものを、何か一つでも残したいと思ったんです。でも、安易に人に物を託すのは危険です。秘密が漏れる可能性があります。隠れ家のことを知っている人間は、最低限にすべきですからね」

　わたしはうなずいた。

「ご迷惑かもしれないけれど、お母さまに作っていただいたこの彫刻を、預かっておいてくれませんか。いつかまた、わたしたちがこうして再会できる時まで」

　教授がそう言い終わると、まるであらかじめリハーサルをしてきたかのようにすみやかに、お姉ちゃんが足元の布製のスポーツバッグから、彫刻を五つ取り出して机の上に並べた。

「これは、わたしたちの結婚祝いに彫ってもらった獏《ばく》。こっちは、上の子ができた時のお祝い。残りの三つは、お母さまが秘密警察へ出頭する前日に、いただいたものです」

母は獏を――そんな動物、見たこともないのに――よく好んで彫っていた。お姉ちゃんの誕生祝いは、樫の木に彫った目の大きい人形だった。わたしも同じものを持っている。でも、あとの三つはどことなく雰囲気が違っていた。木片と金属のかけらをパズルのように組み合わせた、抽象的なオブジェだった。全部大きさは手のひら大くらいで、表面にはサンドペーパーも塗料もかけられていなかった。三つを組み合わせれば、また何かの形になりそうでもあり、全く無関係なもの同士にも見えた。

「母が出頭の前に、乾さんにこんなものを残していったなんて、知りませんでした」

「わたしたちだって、これがお母さまの形見になるなんて、思ってもみませんでした。でもお母さまは、もしかしたら、ということを考えていらしたんです。今度いつ、仕事ができるか分らないから、地下室にこもって夢中で作った。仕事場に置いておいても仕方ないから、もしよかったらもらってくれないかと、おっしゃったんです」

「それをまた、ここへお預けしたいの」

ハンカチを小さく折り畳みながら、奥さんが言った。

「ええ、もちろん、お預かりさせていただきます。母の彫刻をこんなふうに大事にして下さって、ありがとうございます」

「ああ、よかった。これで、少なくともこの彫刻だけは、奴らの手に渡らないですむ」

教授は静かに微笑んだ。

明るくならないうちに、できるだけ急いで出発しなければならないことはよく分っていたのだが、わたしはどうしても彼らのために何かがしたかった。でも、何をしてあげたらいいのか、全然分らなかった。

とにかくわたしは上へあがり、キッチンで牛乳を温め、マグカップに注ぎ分けて地下へ運んだ。わたしたちは五人で音を立てずに乾杯し、黙って牛乳を飲んだ。時折誰かが、何か言っておきたいことがあるような表情で、カップから目を上げたが、言葉を見つけられないまま、白い液体を飲み込んだ。

電球が埃をかぶっているせいで、地下室を照らす光は水彩絵具のようににじんでいた。作りかけの――そして決して完成することのない――石の彫刻や、変色しかかったスケッチブックや、乾ききってしまった砥石《といし》や、壊れたカメラや、二十四色のクレパスが、部屋の隅で眠っていた。身体のどこかを少しでも動かすと、椅子と床がミシミシ音をたてた。窓の向こうは闇が広がるばかりで、月は見えなかった。

「おいしいね」

いつまでもみんなが黙っていることを不思議に思ったのか、一人一人の顔を順番に見上げながら弟が言った。唇の回りに白い輪っかができていた。

「うん。おいしいね」

みんながうなずき合った。これから先、彼らにどんなことが待っているのか、想像もできなかったが、とりあえず今手の中にある牛乳が、おいしく温かくてよかったとわたしは思った。

「ところで、隠れ家というのはどこにあるんですか。もしかしたら、何かお役に立てることがあるかもしれません。必要なものを差し入れたり、外の情報をお伝えしたり」

一番気になっていたことを、わたしは尋ねた。乾夫婦は顔を見合わせ、そして同時にカップの中に視線を落とした。しばらくして、教授の方が口を開いた。

「そこまでご心配していただいて、ありがとうございます。でも、隠れ家については何もお知らせしない方がいいと思うんです。もちろん、秘密がもれることを心配しているんじゃありません。もしそうなら、初めからここへ彫刻を持って来たりはしません。ただ、これ以上あなたにご迷惑をおかけするわけにはいかないんです。わたしたちに深く関われば関わるほど、あなたにも危険が及びます。たとえあなたが秘密警察に尋問されるような事態になったとしても、知らないことは知らないで済ますことができます。しかし何か知っているとしたら、奴らはどんなむごい手段でも使うでしょう。隠れ家のことは、どうかお聞きにならないで下さい」

「よく分りました。わたしは何も、知らないでおきます。知らないままここで、乾さんたちの無事を祈っています」最後に、何かしてさしあげられることはないかしら」

空になったカップを握ったまま、わたしは言った。

「爪切りを、貸してもらえないでしょうか。この子の爪が伸びているものだから……」

遠慮気味に奥さんがそう言って、下の子供の手を取った。

「ええ、お安いご用です」

わたしは引き出しの奥から爪切りを探し出し、彼の手袋を抜き取った。

「じっとしててね。すぐ終わるから」

指はか細く、滑らかだった。どんな小さなあざも汚れもなかった。わたしは彼の前に膝をついてかがみ、傷つけないようにそっと指を握った。目が合うと、彼は恥ずかしそうに微笑み、足をぶらぶら揺らした。

わたしは左手の小指から順番に、ゆっくりと爪切りを動かしていった。爪は透明で柔らかく、刃をあてるとたやすく指から離れ、花びらのように落ちていった。みんな爪切りがつぶやく小さな音に耳をすませていた。それは夜の底にこのひとときを封印する、鍵音のように響いた。

すべてが終わるのを、空色の手袋が机の上で待っていた。

こうして、乾一家は消えた。

6

わたしは階段を昇っていきました。それは、上から誰か降りてきたら、どうやってすれ違えばいいのだろうと、心配になるくらいに細い階段でした。質素な木材を張り合わせただけで、絨毯も手すりもありませんでした。

ここを昇る時、わたしはいつも灯台にいるような錯覚を感じます。灯台には子供の頃、一度か二度入ったことがあるだけですが、ここととよく似た足音と匂いがしたように思います。木と木のすきまを靴が踏みしめる時のくすんだ音と、機械油の匂いのことです。

灯台はもうとっくに光を出さなくなっていました。大人たちは誰も、そこへ寄りつこうとはしませんでした。岬は乾いて尖った草に覆われていて、灯台まで歩くと足にたくさん切り傷ができました。

わたしはいとこのお兄さんと一緒でした。お兄さんが足の傷を一つ一つなめてくれました。

階段の脇には小部屋がありました。昔、灯台守が休憩した部屋です。折り畳み式のティーテーブルと、椅子が二つ。テーブルの上には紅茶ポット、砂糖壺、ナプキン、二客のカップ、ケーキ皿とフォークが、きちんと並べられていました。

食器と食器の間隔といい、カップの把手の向きといい、フォークの輝きといい、あまりにもすべてに狂いがないので、わたしはぞくぞくと怖くなりました。しかし同時に、あんなにきれいな皿の上にのっていたのは、さぞかしおいしいケーキだったことだろうと、想像してみたりもしました。

灯台守がここを去ったのは何年も昔のことなのに、海を照らしていたてっぺんの電球は冷たくなって埃だらけだというのに、そこにはほんの十分前まで、誰かがおやつを食べていたかのような雰囲気が残っていました。

いつまでも眺めていると、カップからゆらめく湯気が見えてきそうでした。

小部屋をのぞいてどきどきした気分のまま、わたしたちは階段を昇りました。お兄さんが後ろで、わたしが前でした。薄暗いうえに、急な角度でカーブしているので、どれだけ進めば頂上までたどり着けるのか見当がつきませんでした。

わたしはたぶん、七歳か八歳だったと思います。お母さんに作ってもらったピンク色の吊りスカートをはいていました。それは肩紐をいっぱいに伸ばしても明らかに短すぎて、下のいとこにパンツを見られるのではないかと、気が気ではありませんでした。

しかし、なぜ二人でそんなところへ行ったのでしょう。それは、どうしても思い出すことができません。

息が切れて苦しくなってきた頃、急に波の音が大きくなり、機械油の匂いがしてきました。けれどすぐに、機械油だと分ったわけではありません。最初は何か、身体によくない薬品が漂っているのだと思いました。それを吸い込まないように手で口を押さえ、じっと息を我慢しました。するとますます苦しくなって、めまいがしてきました。

下の方で、何かがぶつかるカツンという音がしました。小部屋でケーキを食べていた人が、階段を昇ってきたのだと、わたしは思いました。最後の一切れを、あの輝くフォークで突き刺し、舌の上で溶かしたあと、唇の回りにスポンジの粉をつけたままの灯台守が、わたしを追い掛けてきたのです。

わたしはいとこに助けを求めようとしました。でも、後ろにいるのがいとこではなく、灯台守だったらどうしようと思うと、振り向くことができませんでした。とうとう、頂上がどんなふうになっているのか確かめることもできないまま、わたしは階段の途中でうずくまっていました。

どれくらいの時間が過ぎたのでしょう。いつのまにか灯台の中は、上から下までしんと静まりかえっていました。波の音も聞こえません。

しばらく耳を澄ませていましたが、これ以上何も起こりそうにありませんでした。ただ圧倒的な静けさが満ちているだけです。わたしは勇気を出して、そろそろと後ろを振り返ってみました。

そこには、灯台守もお兄さんもいませんでした。

それにしても、この階段でいつも灯台のことを思い出すなんて、おかしな話です。わたしがここへ来るのは、恋人に会うためなのですから、つまずきそうになるくらいうきうきと、階段を駆け上がってもよさそうなものなのに、なぜか足音を確かめながら、一段一段踏みしめてしまうのです。

ここは教会の時計塔です。午前十一時と、午後五時の二回、鐘の音を鳴らします。一階には時計を調整する道具類をしまった納屋――ちょうど灯台の小部屋と同じくらいの広さです——があります。もちろん頂上は時計の機械室ですが、そこまで上がってみたことはありません。恋人は塔の真ん中にあるタイプ教室で、わたしを待っています。

いくつめかの踊り場を過ぎると、タイプの音が聞こえてきます。たどたどしい音と、滑らかな音が混じり合っています。習い始めたばかりの生徒と、卒業間近な優秀な生徒が一緒に練習しているのでしょう。

彼は初心者の彼女のそばに立って、おびえたようにキーをたたいている指を見つめているのでしょうか。彼女が間違えるたびに、正しいキーの上にその指をそっと運んでやっているのでしょうか。以前、わたしにしてくれたのと同じように。…………

そこまで書いて、わたしは鉛筆を置いた。新しい物語はあまりうまく進んでいなかった。同じところをぐるぐる回ったり、後戻りしたり、行き止まりに迷い込んだりして、少しも先が見えてこなかった。でも、そういう立往生はよくあることなので、気にはしていなかった。

「調子はどう？」

顔を合わせると必ずR氏は尋ねた。小説のことを言っているのか、それともわたし

個人のことを気にしてくれているのか、どちらだろうと思いながら、

「ええ、まあまあです」

と答えた。けれど彼はいつでも、小説のことを言っているのだ。

「頭で書いちゃいけない。手で書いてほしいんだ」

彼がそんなふうに、物事を断定するような言い方をするのは珍しいことなので、わたしは黙ってうなずいた。そして右手を彼の前に差し出し、指をぴんとのばしてみせた。

「そう。ここから物語が紡《つむ》ぎ出されてくるんだ」

まるでわたしの身体の中で一番傷つきやすい部分を見つめるように、彼は慎重に視線を動かした。

とにかく今日はもう眠ろうと思った。疲れ過ぎて指が強ばっていた。わたしは鉛筆と消しゴムを筆箱にしまい、原稿用紙の束をそろえて上にガラスの文鎮を置いた。

ベッドの中で、乾一家のことを考えた。あれから何度か、大学と官舎のそばを通ったが、表面的には特別変わった雰囲気はなかった。学生たちは芝生にのんびり寝転がっていたし、正門脇の守衛室では、暇を持て余した初老の職員が盆栽の本を読んでいた。

キャンパスの裏手にある官舎では、あちこちのベランダに布団が干してあった。わたしは目を凝らし、窓の数を端から一つずつ数えていって、乾一家が住んでいたE棟六一九号室を探し当てた。そこのベランダは、すっきりと片付いて何もなかった。

大学病院の皮膚科の待合室ものぞいてみたが、教授の診察日だった水曜日のところには、助教授の名札が掛けてあった。変わっていたのは、その小さな名札だけだった。看護婦は薬やガーゼやカルテを持って歩き回り、患者は洋服をめくって細菌にやられた皮膚を見せていた。誰も教授がいなくなったことをいぶかったり、悲しんだりしていなかった。

乾一家は宙に溶けるようにきれいに、消えてなくなっていた。

それにしても彼らは、病気にならない程度の清潔さと、心なごむ夢を見るのに必要な柔らかさを備えたベッドで、眠っているだろうか。四人分の食器がきちんとそろったテーブルで、夕食を食べることができただろうか。あの時間きのがしてしまったけれど、猫のみぞれはどうしたのだろう。彫刻と一緒にみぞれも預かってあげればよかった。でも乾家の猫がうちでうろうろしていたら、怪しまれるかもしれない。秘密警察のことだから、きっと猫の種類や模様や顔立ちも調査済みに違いない。

いくら眠ろうとしても、次から次から空気の泡のように、心配なことがわき上がってきた。それらはいつまでも消えずに胸の中を漂っていた。

支援組織というのは、本当に信用できるのだろうか。その実体について、教授は詳しく話してくれなかったけれど。しかし何より、子供たちは病気をしていないだろうか。空色の手袋の中で、彼の爪はもういくらかは伸びただろうか。……


次の日目覚めると、また新しい消滅が訪れていた。

一段と寒い朝で、庭には霜が降りていた。スリッパや、水道の蛇口や、ストーブの芯や、パンケースの中のバターロールや、家中のいろいろなものがひんやり冷たくなっていた。ゆうべ吹いていた風は、いつのまにか静まっていた。

わたしはきのうの残りのクリームシチューをストーブにのせ、アルミホイルで包んだバターロールをその回りに並べた。やかんのお湯が沸騰すると、それで紅茶を作り、はちみつを入れて飲んだ。とにかく、温かいものしか口に入れる気分になれなかった。

お皿を洗うのが面倒だったので、ストーブの上の鍋から直接スプーンでシチューを食べた。香ばしい匂いがしてくると、アルミホイルを広げ、パンにもはちみつをたらした。

口を動かしながら、わたしは今回の消滅の正体が何なのか感じ取ろうとした。少なくとも、シチューとバターロールと紅茶とはちみつでないことだけは確かだ。わたしはそれらを、きのうまでと同じように味わうことができる。

何であれ、食べ物が消えてしまうのは淋しい。昔、移動マーケットのトラックには、あふれそうなくらい食べ物が詰め込まれていたのに、今では、すきまだらけだ。子供の頃、〝いんげん〟のたくさん入ったサラダが好物だった。じゃがいもやゆで卵やトマトと一緒にマヨネーズで和《あ》えて、パセリを散らしたサラダだ。母はよく移動マーケットのおじさんに、

「新鮮ないんげんはある？　ポキ、ポキ、音がするくらい新鮮なの」

と言っていたものだ。

〝いんげん〟のサラダを食べなくなってからずいぶん時間がたつ。それがどんな形と色をして、どんな味だったか、もう思い出すことができない。

わたしは空になったシチュー鍋を下におろし、ストーブの火を少し小さくした。二杯目の紅茶は何も入れずに飲んだ。指にはちみつがついて、べたべたしていた。

これだけ寒い朝でも、川は凍っていない様子だった。水の流れる微かな音がしていたからだ。大人と子供が一緒になって、裏通りの方へ駆けてゆく靴音と、隣の犬の鳴

き声も聞こえた。いつものことながら、消滅の朝はどことなくざわついている。

温めたロールパンを全部食べてしまってから、わたしは靴音を頼りに北側の窓を開けてみた。元帽子職人のおじさんも、無愛想な隣人夫婦も、茶色いぶちの犬も、ランドセルを背負った小学生たちも集まっていた。みんな無言で、川をのぞき込んでいた。

でもそれは、川と呼ぶにはあまりにも風変わりで、なおかつ美しかった。きのうまでは、時々ふなの背中が見えるだけの、何のおもしろみもない川だったのに。

わたしは窓から身を乗り出し、何度もまばたきした。水面は赤か、ピンクか、白か、一言で名付けがたい色合いの、小さなかけらで埋めつくされていた。どんなわずかなすきまも残されていなかった。そのかけらたちは——上から見る限り何か柔らかいもののようだった——互いに重なり合い、連なって、いつもの川の流れよりはゆっくりした速さで動いていた。

わたしは急いで地下室へ降り、乾一家を迎えたあの洗濯場へ出た。そこが一番近くで川を見ることのできる場所だからだ。

洗濯場は冷たくざらざらしていた。レンガの合わせ目から、クローバーが生えていた。すぐ足元に、その不可思議な流れがあった。わたしはひざまずき、両手を川の中につけてすくい上げた。手のひらに一杯、バラの花びらがはりついた。

「すごいことになりましたなあ」

向こう岸から、元帽子職人のおじさんが声をかけてきた。

「まったくねえ」

他の人たちはみんなうなずき合っていた。子供たちはランドセルを鳴らしながら、流れを追い掛けていった。

「寄り道せずに学校へ行くんだぞ」

と、おじさんが叫んだ。

花びらはどれもまだ枯れてはいなかった。それどころか、冷たい水に濡れたせいで、バラの花だった時よりもつやつやと鮮やかに見えた。そして香りは、川面を漂う朝靄に溶けて、息苦しいくらいに立ち昇っていた。

見渡せる限り、全部が花びらだった。すくい上げたところだけ、一瞬水面がのぞいたけれど、すぐにまた花びらが押し寄せてきた。一枚一枚が催眠術にかかって、海に吸い寄せられているかのようだった。

わたしは手にはりついた花びらを川に戻した。先端がフリルのようにカールしたのや、色がぼやけているのや濃いのや、がくがまだついているのや、いろいろなのがあった。それらはしばらく洗濯場のレンガの縁に引っ掛かっていたが、やがてまた流れに巻き込まれ、他の花びらと区別がつかなくなった。

わたしは顔を洗い、クリームだけつけてお化粧はせず、コートをはおって外へ出た。川の流れをさかのぼって、丘の南斜面のバラ園まで行ってみようと思った。川の回りにはたくさんの人たちが集まって、その美しい現象を見物していた。秘密警察の姿もいつもより多かった。相変わらず腰に武器をぶらさげ、無表情で立っていた。

子供たちはもうじっとしていられない、といった感じで、石を投げてみたり、どこからか見つけてきた長い棒でかき回してみたりしていた。けれど、そんなちょっとしたいたずらにも、流れは乱されなかった。所々、中州《なかす》があったり、杭《くい》がささっていたりしたが、圧倒的な花びらの前では何の障害にもなっていなかった。寝転がれば、肌《はだ》触《ざわ》りのいい毛布のように、身体を包んでくれそうだった。

「しかし驚いたねえ」

「こんな見事な消滅は初めてだよ」

「写真でも撮っておこうか」

「よしなよ。消えちゃったものを撮ったって、何にもならないじゃないか」

「それもそうだな」

秘密警察を刺激しないように、大人たちはひそひそ声で話していた。

パン屋さん以外、お店はまだほとんど閉まっていた。花屋さんのバラがどうなっているか見てみようと思ったが、シャッターが降りていた。バスも路面電車もすいていた。太陽がしだいに、雲の間から姿を見せようとしていた。それにつれて朝靄も薄くなっていたが、香りはそのままだった。

思った通り、園にはたった一つのバラも残ってはいなかった。棘と葉だけになった枝が、痩せた骨のように斜面に突き刺さっていた。時々、丘の頂上から――野鳥観測所のあたりだ――風が舞い降りてきて、地面にまだ残っている花びらを、川の方へ運んでいった。それと一緒に、葉と枝が震えていた。

いつも受付にいた厚化粧のお姉さんも、植物を世話する係の人たちも、もちろんお客さんも、誰一人姿が見えなかった。入場料を払うべきなのか迷ったけれど、結局そのままゲートをくぐり、見学順路の矢印の通りに斜面の小道を歩いてみた。

ほんの少し植えられているバラ以外の花は、ききょうもカニサボテンもりんどうも無事だった。それらは申し訳なさそうに、ひっそりと咲いていた。風はバラだけを選り分けて、その花びらをまき散らしたようだった。

バラのないバラ園というのは寒々として味気ないものだった。副え木がしてあったり、肥料がまいてあったり、そういう手入れの跡が残っているのを見ると、余計に淋しげだった。栄養の行き届いた土は、サクサクと柔らかい音を立てた。ここまでは川べりのざわめきは届いてこなかった。わたしは両手をポケットにしまい。無名者墓地をさ迷っているような気分で、丘を歩いた。

しかし、どんなに棘や葉や枝の形を見つめても、種類を説明した立て札を読んでも、もう自分がバラの花の形を思い出せないことに、わたしは気づいていた。

7

川は三日で元に戻った。水の量も色も変わりなかった。どこに隠れていたのか、ふなたちもまた泳ぎ始めた。

二日めには、自分の庭でバラを育てている人たちが、それぞれ川に花びらを葬った。彼らはみな、丁寧に花を分解し、一枚一枚をそっと投げ入れていった。

洗濯場にかかる橋のたもとにも、お金持ち風の婦人が一人、たたずんでいた。

「気品のあるバラですね」

わたしは言った。バラから何かを感じ取れる心は、もう消えてしまっていたのだけれど、彼女があまりにも大切に自分の花に触れていたので、何か言葉をかけてあげたくなったのだ。それでふと頭に浮かんだ修飾語を、そのまま口にしたのだった。

「ありがとう。これはね、去年の品評会で金賞を取ったんですよ」

わたしが選んだ言葉に、彼女は満足していた。

「父がわたしに残してくれた、最も美しい形見でしたわ」

でも彼女に未練はないようだった。バラの色によく似合う、濃いマニキュアを塗った指から、ひとときのためらいもなく花びらは、次々と舞い落ちていった。

すべての作業が終わると婦人は、川の流れを目で追い掛けようともせず、上流階級の人独特のゆったりとしたお辞儀をして、わたしから離れていった。

一枚残らず花びらは海に流れ着き、どこか遠くへ運ばれていった。いくら川を埋めつくしていたといっても、広い海ではどうしようもなく貧弱で、あっという間に波にのまれて見えなくなってしまった。そんな風景を、フェリーのデッキからおじいさんと一緒に見物した。

「でもどうして、風はバラだけを見分けることができたのかしら」

手すりの錆《さび》を親指でこすり落としながらわたしは言った。

「そんなことに理由なんてございませんよ。バラが消えた、ただこれだけが動かしがたい事実なんです」

おじいさんはわたしがプレゼントしたセーターと、整備士だった頃の作業ズボンをはいていた。

「このあと、バラ園はどうなってしまうのかしらね」

「お嬢さまが心配なさるようなことじゃありません。別の花が咲くのか、果樹園になるのか、霊園になるのか、誰にも分りませんし、分る必要もありません。時間に任せておけばよろしいんです。時間は誰に命令されるでもなく、けなげに流れ続けておりますから」

「野鳥観測所もバラ園もなくなって、丘は淋しくなるわ。あと残っているのは、あのさびれた図書館だけですもの」

「確かにそうでございます。ご主人さまがお元気な頃は、観測所によくご招待していただきました。珍しい鳥がやって来ると、私にも双眼鏡を貸して下さいました。お礼に、水道管や配電板のちょっとした修理を、させていただいたこともございました。それから園には、幼なじみのバラ職人が勤めておりましたから、新種が咲くと一番に見せてもらったもんです。だから丘にはしょっちゅう登っておりました。でも、私のようなものには、図書館は用がございません。お嬢さまのご本が出ました時、ちゃんと図書館にも置いてあるかどうか、偵察に行くくらいのことでございます」

「まあ、そんな心配までしてくれていたの？」

「はい。もし置いてなかったら、文句を言ってやろうと思いまして。でも、ちゃんとございました」

「そう。だけど、わたしの小説をわざわざ図書館で借りて読んでくれる人なんて、滅多にいないでしょうね」

「そんなことはございません。お二人の方が借りていらっしゃいました。女子中学生と会社勤めの男の方です。貸し出しカードをちゃんと調べたんですから」

おじいさんは一生懸命に説明してくれた。冷たい潮風のせいで、鼻の頭が赤くなっていた。

スクリューの回りで花びらが、渦を巻いていた。長い川を渡ったあと塩水につかったせいで、もうかなりくたびれていた。色もつやも悪く、海藻や魚の死骸やごみと混ざり合って、見分けがつかないくらいだった。知らない間に香りもなくなっていた。

時々大きな波がくると、フェリーは微《かす》かに揺れた。そのたびに、船のどこかで、何かのきしむ音がした。向こうの岬の灯台に、夕日が当たっていた。

「お友だちのバラ職人さんは、これからどうなさるの？」

わたしは尋ねた。

「もう隠居ですよ。この歳《とし》だから、新しい職を見つけなくても、秘密警察に目をつけられる心配はないでしょう。バラの世話の仕方を忘れたって、世の中には他にいくらでも世話するものはありますよ。孫の耳掃除とか、猫の蚤取りとか、いろいろね」

おじいさんは靴の先で甲板をコツコツ叩いた。それは古いけれど頑丈な靴だった。まるでおじいさんの身体の一部のように、よく使い込まれていた。

「時折、妙に不安になることがあるんだけど……」

足元に視線を落としたまま、わたしは言った。

「これから先もずっと、いろいろなものが消え続けていって、一体、島はどうなるのかしら」

質問の意味がよく分らないといった感じで、おじいさんは髭の伸びかけたあごに手をやった。

「どうなる、と言われましても……」

「この島では、何かが新しく生まれる割合よりも、何かが消えてゆく割合の方が、何倍も大きいと思うの。そういう見方は、間違っていないわよね」

おじいさんは頭痛がする時のように、顔中の皺に力を込めてうなずいた。

「島の人たちに作ることができるものといえば、数種類の野菜、故障ばかりする車、単純なお芝居、重たいストーブ、栄養のよくない家畜、脂っぽい化粧品、赤ん坊、誰も読まない小説……。ささやかで、頼りなげなものばかりだわ。とても消滅にはたちうちできない。何かが消え去る時の、あのエネルギーはすさまじいもの。暴力的じゃないけど、徹底的ですみやかで油断がないわ。このまま、消えたものの穴埋めをすることができないとなると、島はすきまだらけになってしまう。すかすかになって、ふわふわになって、いつかふっと、跡形もなく溶けてしまうんじゃないかと不安になるの。おじいさんは、そんなふうに思ったことない？」

「そうですねえ……」

ますます困ったふうにおじいさんは、セーターの袖口を引っ張ったり縮めたりした。

「たぶんお嬢さまは、小説などお書きになっているせいで、そういう余計な、いや失礼しました、つまり、何と言うか、とてつもないことを思いついてしまわれるんじゃないでしょうか。小説を書くというのは、とてつもないお話を作ることなのでございましょう？」

「ええ、まあ、ねえ」

わたしは口ごもった。

「でも、小説とは関係ないと思うの。もっと現実的な不安なの」

「大丈夫でございますよ」

きっぱりとおじいさんは言った。

「私はお嬢さまの三倍以上長く、ここに暮らしております。つまり、三倍以上たくさんのものを失ってまいりました。しかし、そのことで不自由したり、危機を感じたりしたことは一度もありませんでした。フェリーが消えた時でさえそうでした。フェリーに乗って、海の向こうの土地へ買い出しに行ったり映画に行ったりできなくなる。油まみれになって機械をいじる喜びもなくなる。お給料ももらえなくなる。それでも、そんなことはたいした事じゃありませんでした。フェリーなんてなくても、私は無事にここまでやってまいりました。倉庫番の仕事もコツをつかめば、なかなかおもしろうございましたし、結局今では、こうして昔なじんだ仕事場を住まいにしております。何の不足もございません」

「でも、フェリーには大事な思い出も記憶も残っていないわ。海に浮かぶただの鉄よ。それでも切なくない？　この鉄の箱の空洞が不安じゃない？」

わたしは下からおじいさんをのぞき込んだ。

彼は唇をもごもごさせながら、言葉を探していた。

「確かに、昔に比べて島のすきまは増えたかもしれません。私が小さい頃は、もっと、何と言うか、島全体にぎゅっと煮詰まったような空気が満ちておりました。でも、その空気の目が粗くなるにつれて、私たちの心もまた薄められてきました。それでバランスが取れているんじゃないでしょうか。つまり、浸透圧の法則と同じです。バランスというのは、崩れることはあっても、ゼロになることはありません。ですから、大丈夫でございます」

おじいさんは何度もうなずいた。子供の頃、みかんを食べるとどうして指が黄色くなるのかと尋ねた時も、赤ちゃんがお腹にいる間、胃や腸はどこへ押し込められているのかと尋ねた時も、こんなふうに顔中の皺をくねくねさせながら答えを考えてくれたものだと、わたしはふと思い出した。

「そうね。大丈夫よね」

「はい。私が保証いたします。忘れること、何も残らないことは、決して不幸せではございません。現に、心から何も消え去らない人たちは、恐ろしい秘密警察に捕まっているじゃありませんか」

夕闇が海を覆い始めていた。もうどんなに目を凝《こ》らしても、花びらの姿を見ることはできなかった。

8

声が出なくなってから三ヵ月が過ぎようとしていました。今では、わたしと恋人の間に、タイプライターは欠かせません。二人が愛し合っている間でさえ、それはおとなしくベッドの脇に控えています。何か伝えたいことがあると、さっと両手をのばし、キーを叩くのです。わたしは書くよりもずっと早く、タイプを打つことができます。

失語症になった最初の頃は、どうにかして声を出そうともがいていました。舌で喉の奥を撫でてみたり、苦しくなるまで息を胸に溜め込んでみたり、唇をくねらせてみたり、いろいろです。でも、そんな努力も無駄だと分ると、あとはもうタイプライターに頼るしかありませんでした。何といっても、彼はタイプ学校の教師で、わたしはタイピストなのですから。
「誕生日のプレゼントは何がいい？」
いつしか彼は話し掛ける時、わたしの膝のあたりに視線を向けるようになりました。いつもそこに機械を乗せていたからです。
カシャ、カシャ、カシャ
INKU RIBON GA HOSHII
彼は首を斜めに傾け、左手でわたしの肩を抱きながら、印字されたばかりのアルファベットを読みます。
「インクリボンだって？　夢がないなあ」
彼は微笑みます。
カシャ、カシャ、カシャ、カシャ
DATTE SHINPAI NANO INKU RIBON GA NAKU NATTARA WATASHI MOU ANATA TO HANASENAI
こうして二人でいる間、ずっと肩に彼のぬくもりを感じていられるというのは、幸せなことです。声をなくした悲しみを忘れるほどです。
「分ったよ。文房具屋に行って、倉庫のインクリボンを全部買ってあげよう」

カシャ、カシャ

ＡＲＩＧＡＴＯＵ

言葉をアルファベットで並べると、口に出した時とは違う雰囲気を帯びてきます。タイプ用紙に残る、活字が打ちつけられたあとのわずかなくぼみ。インクのかすれ。尻もちをつきそうな具合いに傾きかけている〝Ｊ〟の字。真ん中の角が欠けてぎざぎざになっている〝Ｍ〟の字。そういうものが、親しみとけなげさを醸し出すのです。

〝Ｊ〟と〝Ｍ〟については、いずれ修理に出さなければと思ってはいるのですが。

学校で初めて彼からインクリボンの取り替え方を教えてもらった時のことを、わたしはよく覚えています。

まだ用紙一杯に、ｉｔ、ｉｔ、ｉｔ、ｉｔ……やｔｈｉｓ、ｔｈｉｓ、ｔｈｉｓ、ｔｈｉｓ……と、それぱかり練習していた頃のことです。

「今日はインクリボンの取り替え方を覚えて帰ってもらいましょう」

と彼が言いました。

「少しややこしいですが、覚えてしまえば簡単ですから、よく見ておいて下さい」

中央の机に生徒を集めると、彼はまずサイドのすきまに指を引っ掛け、上蓋を外しました。ガチッと小さな音がしました。

タイプライターの内側は、想像していたよりもずっと興味深い様相を呈していました。活字を支えるレバー、滑車のような輪、さまざまな形をしたピン、油で黒ずんだ鉄の棒などが入り組み、それらが互いに複雑な空間を作り合っていました。

「残り少なくなったインクリボンは、こうして捨てましょう」

彼は右のローラーから使用済みのインクリボンを抜き取りました。リボンの先がシュルシュルと、レバーや輪やピンや棒の間をすり抜けてゆきました。

「では、いいですね。これが新しいものです。リボンの表面が上向きになるよう、左のローラーに差し込みます。ツルツルした方が表です。右手でリボンの先をしっかりつまんでおいて下さい。離しては駄目です。大切なのは、向きと順番です。どういう向きでどういう順番に、インクリボンを機械の中に通してゆくか、ということなんです。ミシンの糸通しと同じですね。一番めはこの、鉤形《かぎがた》の針金の間です。二番めはこの輪っかの間、三番めはこのピンの向こう側、四番めは少し逆戻りしてこの……」

確かにややこしい手順でした。とても一回では覚えられそうにありません。他の生徒たちもみんな不安そうです。でも彼の指はお構いなしに、的確に動いていきました。

「これで出来上がりです」

インクリボンはタイプライターの中に、くねくねと巻きついていました。みんなは同時にため息をつきました。

「分りましたか？」

彼は両手を腰に当て、みんなを見回しました。彼の手には機械油もインクもついていませんでした。いつものきれいな指のままでした。

いつまでたっても、わたしはそのやり方を覚えられませんでした。途中でリボンが絡まってしまったり、いくらキーを叩いても何も印字されなかったり、そんな状態でした。授業中タイプを打ちながら、もしリボンが切れてしまったらどうしようと、そればかり心配していました。

けれど、今ではもう大丈夫です。彼より上手に素早く取り替えられるほどです。タイプライターが声の代わりをしてくれるようになって以来、三日で一本のインクリボンを使っています。わたしは古いリボンも捨てずに保管しています。そのインクリボンに刻まれたアルファベットの連なりを見つめていると、あるいは指で撫でていると、いつか声が戻ってくるかもしれないという気がするからです。…………

ここまでの原稿をわたしはR氏に見せた。原稿用紙がかなりの枚数になっていたので、出版社まで持ってくるのは重いからと、彼の方が家まで訪ねてきてくれた。

わたしたちは一行一行について、時間をかけて話し合う。それが本当に必要な一行なのかどうか議論する。一つの言葉を他の単語に書き替えたり——ノートを手帳に、ワインを果実酒に、視線をまなざしに、という具合い——足りない何かを書き加えたり、数十行を一遍に切り捨てたりする。

R氏はソファーに腰掛け、原稿の束を静かにめくっていた。左下の角を撫でるようにしながら、上手に指先に一枚をはさみ込む。決して余分な力を入れない。彼はいつも原稿用紙を丁寧に扱う。その様子を目にするたび、わたしは緊張してしまう。この丁寧さに見合うだけの小説を自分は書いただろうかと、不安になるからだ。

「さあ、今日はこれくらいにしておこう」

仕事が一段落したところで、彼は内ポケットから煙草とライターを取り出し、わたしは書き込みで一杯になった原稿をクリップで束ねた。

「もしよろしかったら、お茶のおかわりはいかがですか？」

「濃いのを一杯、お願いできるかな」

「もちろんです」

わたしは台所でカステラを切り分け、お茶を入れ直して応接間に運んだ。

「これ、君のお母さん？」

マントルピースに飾ってある写真の一枚を指して彼が言った。

「ええ」

「美しい人だね。君とよく似ている」

「いいえ。父がよく言っていましたわ。おまえが母さんから受け継いだのは、虫歯のないその丈夫な歯だけだって」

「歯が美しいことは大切なことだよ」

「母は仕事場の机に、いつも新聞紙にくるんだイリコを置いていたんです。それをムシャムシャ食べながら仕事をしていたの。ベビーサークルに閉じ込められたわたしがぐずりだすと、まだ歯もはえていない口の中に、イリコを一匹放り込んで、黙らせていたそうなんです。おがくずや石膏の匂いが混じり合ったその味を、今でも覚えています。ジャリジャリして、ひどい代物《しろもの》だったわ」

彼は眼鏡のフレームに手をやり、うつむき加減で微笑んだ。

それからしばらく、わたしたちは黙ってカステラを食べた。彼と二人きりの時、小説の話がすんでしまった後、何を喋っていいか分らなくなることがしばしばあった。決して気まずいわけではなく、彼の物静かな息遣いにこちらも包まれてしまうような気分になるからだ。それにわたしは、原稿を読んでいるR氏の姿しか知らない。生い立ちや、家族構成や、日曜日の過ごし方や、好きな女性のタイプや、ひいきの野球チームについて、何も知らない。二人でいる時彼は、ただわたしの原稿を読むだけなのだ。

「お母さんの作品は、ここにたくさん残っているの？」

十分に沈黙を味わったあと、R氏が言った。

「いいえ。家に残っているのは、父とわたしに個人的にプレゼントしたものばかりで、ほんのわずかなんです」

わたしは母の写真をもう一度見やりながら答えた。彼女は裾のふくらんだサマードレスを着て、膝にわたしを抱き、はにかんだように微笑んでいる。ノミやハンマーや石や、重たいものばかりつかむので、節の太くなってしまった特徴のある手が、赤ん坊の両足を撫でている。

「母は自分の作品をいつまでも手元に置いておくのは、好まなかったみたいです。でもわたしが子供の頃は、部屋のあちこちにもっと彫刻がごろごろしていたような気もするんですけど……。秘密警察の出頭命令が来た時、あわてて整理したようなんです。やはり、嫌な予感がしたんでしょうか。わたしはまだ幼かったから、そのあたりの様子はよく覚えていないんです」

「仕事場はどこにあったの？」

「地下室です。川の上流の村に小さな別荘があって、そこで創作していたこともあったみたいだけど、わたしが生まれてからはずっとこの下です」

　わたしはスリッパの先で床をつついた。

「この家に地下室があるなんて、気づかなかった」

「地下室と言っても、純粋に地面の下というわけじゃありません。うちは南側の玄関は道路に面していますけど、北は川に面しているんです。川の中に石の基礎を築いて、その上に建っている家だから、地下室は川底にあるんです」

「なかなか複雑だね」

「母は水の音が好きだったみたいです。波しぶきのように激しいのじゃなくて、川の水が流れるひそやかな音が。だから別荘も川のそばに買ったんだと思います。彼女の創作の現場には、欠けてはならない三つの小道具があったんです。水の音と、ベビーサークルと、イリコ」

「その取り合わせも、なかなか複雑だ」

　ライターを掌で一回転させてから、彼は煙草に火をつけた。

「もし、迷惑でなかったら……」

ためらいがちに彼は言った。

「地下室を見せてもらえないだろうか」

「もちろん、構いませんわ」

すぐにわたしは答えた。

長い時間胸につかえていたことをようやく口にすることができた、とでもいうように、彼はゆっくり煙を吐き出した。


「やはり、足元がひんやりするね」

「すぐにストーブをつけます。大昔のストーブで壊れかけているものですから、暖まるまでに時間が掛かるんです。ごめんなさい」

「いや。川から伝わってくる冷たさだから、不快なものじゃないよ。気にしないで」

わたしたちは地下室へつながる階段を一緒に降りていった。彼は薄暗い足元を気遣い、遠慮気味にわたしの右腕を取ってくれた。

「思っていたより広いね」

彼は部屋全体を見回した。

「母が死んだ後、父は辛がって、ここへはほとんど足を踏み入れなかったものだから、すっかり荒れてしまって……」

わたしがここへ降りるのは、乾一家の事件以来だった。

「何でもご自由にご覧になって」

彼は作業台に残っているがらくたや、道具類をしまってある整理棚や――その一番上には乾一家から預かった彫刻が五つ並んでいた――洗濯場に通じるガラス戸や、木製の椅子などを、一つ一つ見て回った。たいしておもしろいものなどないはずなのに、時間をかけて部屋の隅々を歩いた。地下室に染み込んでいる古い時間の冷気を、残らず吸い取ろうとしているかのようだった。

「引き出しでもノートでもスケッチブックでも、どうぞ中を開けて見て下さい」

そうわたしが言うと、原稿用紙をめくる時と同じように、慎重な手つきでそれらのものに触れた。

彼が動くたび、埃と彫刻の削り屑の混ざり合ったものが、ふわふわと舞い上がった。明かり取りの窓からは、よく晴れた空がのぞいていた。時折、川でふなの跳ねる音がした。

「これは何？」

最後に彼がたどり着いたのは、段階の裏のタンスだった。

「母が昔、秘密の品物を隠していたタンスなんです」

「秘密の品物？」

「ええ。何て言うか、つまり、わたしの知らない、いろいろな形のもの……」

わたしはどう説明していいか言葉に詰まった。彼は端から順番に引き出しを開けていった。中は全部空だった。

「何も残っていないんだね」

「子供の頃には確かに、引き出し全部に一つずつ品物が入っていたんです。仕事の合間に母はよく、中の物を見せてくれました。そして、それにまつわるお話をわたしに聞かせるんです。どんな絵本でも読んだことのない、不思議な物語でした」

「どうして今は空なんだろう」

「分からないんです。ある時気がついたら、全部なくなっていたんです。たぶん、母が秘密警察に連れて行かれた、あのごたごたの最中に消えたんだと思います」

「秘密警察が押収したの？」

「いいえ。彼らは地下室へ入ってきたことはありません。このタンスの秘密を知っていたのは、母とわたしの二人だけだったはずです。父にさえ内緒だったんです。秘密警察に出頭するまでの数日の間に、母が何らかの方法で処分したんじゃないでしょうか。わたしはまだ十歳かそこらの子供だったから、ここに隠された物の意味なんて何にも分っていなかったけれど、母は出頭命令が届いた時に、事の重大さを悟っていた様子なんです。それで、どこかへ隠すか、捨ててしまうか、誰かに託すかしたんじゃないかと思うんです」

「そう……」

R氏は階段の角に頭をぶつけないよう、背中を丸めてうつむいたまま、把手の一つをいじっていた。錆で指が汚れるのではないかと気掛かりだった。

「ここに何が入っていたか、思い出せる？」

彼はわたしをのぞきこんだ。窓の光が眼鏡のレンズに映っていた。

「わたしも自分で、そのことをたまらなく思い出したくなることがあるんです。母と過ごした貴重な時間でしたから。でも、駄目なんです。うまく思い出せないんです。母の表情とか、声の調子とか、地下室の空気の感触とかはくっきり残っているのに、引き出しの中身については何もかもがぼんやりしているんです。そこだけ記憶の輪郭が溶けてしまったみたいに」

「漠然とした印象でも構わないよ。どんなささいな記憶でもいいから、聞かせてほしいんだ」

彼は言った。

「そうですねえ……」

わたしはタンスを見つめた。昔はきっと上等な品だったのだろうけれど、今ではニスもはげ、把手は錆つき、埃をかぶってみすぼらしい姿になっていた。子供の頃いたずらで貼ったシールの跡が、所々まだ残っていた。

「母が一番大事にしていたのは、……」

十分に考えてからわたしは口を開いた。

「二段めのこのあたりの引き出しにしまっていた、祖母の形見でした。緑色の小さな石です。抜けた乳歯みたいに小さくて硬いんです。当時ちょうど永久歯に生えかわる時期で、よく歯が抜けていたから、そんなふうに感じたんだと思うんです」

「きれいだった？」

彼が尋ねた。

「ええ、たぶん。母はそれを指に飾って、月の光に透かしてうっとり眺めていましたから。でも、いくら母がそんなふうにしても、わたしの心には何にも残っていないんです。きれいだとか、かわいいとか、自分も欲しいとか、そんな感情が何もわいてこないの。ただ掌にのせてもらった時の、ひんやりした感触が残っただけ。このタンスの前では、わたしの心は蚕みたいになってしまったんです。繭《まゆ》の中でうとうと眠る蚕」

「仕方ないさ。消えてしまった物の前では、誰でもそうなるんだ」

彼は眼鏡のフレームに手をやった。

「もしかしたらその緑の石の名前は、エメラルドじゃなかったかい？」

わたしは最初、彼の言っている言葉の意味がよく分からなかった。

「エメ……ラ……ルド」

彼が口にしたその五文字を、何度かつぶやいてみた。それは奥深く密やかな響きを胸に残した。

「そう。確かに、エ、メ、ラ、ル、ドでした。ええ、間違いありません」

わたしはうなずいた。

「でも、どうしてそれが、あなたに分るんですか」

ひととき沈黙が流れた。答えるかわりにR氏は、もう一度引き出しを一つずつ開けていった。把手がコツン、コツンと鳴った。四段めの左端の引き出しが開いた時、彼は手を止め、こちらを振り返った。

「ここにしまってあったのは、香水だね」

どうして……と同じ質問をしようとして、わたしは言葉を飲み込んだ。

「香りがまだ残っている」

彼は背中を軽く押し、その引き出しにわたしをもっと近づけようとした。

「感じるかい？」

わたしは引き出しの小さな空洞を見つめ、胸一杯に息を吸い込んだ。母も同じようにして、わたしに匂いをかがせようとしたことを思い出した。でもやはり、胸を満たすのは味気ない冷えた空気だけだった。香りの感覚よりも、背中に置かれた彼の手の感触の方が、ずっと生々しく伝わってきた。

「ごめんなさい」

わたしはため息をつき、首を横に振った。

「謝ることなんてない。消えてしまった物のことを思い出すのは、とても難しいからね」

彼は〝こうすい〟の引き出しを元に戻し、まつげを伏せた。

「僕には分るんだ。エメラルドの美しさも、香水の匂いも。僕の心からは、何も消えないんだ」

9

冬が深まるにつれ、島は重く淀んだ空気に包まれていった。太陽の光は弱々しく、午後になると決まって強い風が吹いた。人々はコートのポケットに両手を突っ込み、背中をすぼめて急ぎ足で歩いていた。

通りでは、例の深緑色の幌付きトラックをよく見かけるようになった。幌を上げ、サイレンを鳴らしてあっという間に走り去ってゆく時もあれば、幌を下ろし、車体を重そうに揺らしながらのろのろ通り過ぎてゆくこともあった。幌のすきまからは、誰かの靴か、スーツケースの底か、コートの裾がわずかにのぞいていた。

記憶狩りのやり方はどんどん激しくなるばかりだった。母の場合のように、出頭命令があらかじめ届くなどということはもうなかった。すべてが不意打ちだった。彼らはどんな種類の鍵でも壊すことのできる、頑丈な武器を持っている。家の中を踏み荒らし、どこかに怪しい空間がないか探し回る。納戸でも、ベッドの下でも、洋服ダンスの後ろでも、人一人分のスペースがあれば見逃さない。そして潜んでいる人を引きずりだす。隠れ家を提供した人たちもまた、幌付きトラックに乗せられる。

バラの花以来、新しい消滅はなかったけれど、隣の町内の誰かが、同級生の知り合いの誰かが、魚屋さんの遠い親戚の誰かが、突然に姿を消すということは、もう珍しくなくなっていた。連行されたか、運よく隠れ家へ潜んだか、隠れ家が発見されて連行されたか、どれかだった。

そのことについて、みんなあまりしつこく穿鑿《せんさく》はしなかった。いずれの場合にしても、不幸な出来事であるのは間違いないし、余計な噂話をしているだけで、自分に危険がふりかかってくる恐れがあるからだ。ある朝、何の前触れもなく一軒の家が空になっていたとしても、人々は通りからそのひっそりとした窓を見つめ、彼らの無事を祈り、黙って立ち去るだけだ。島の人たちは、何かを失うことにはもう十分慣れている。

「わたしがこれから話そうとしていることを、もし聞きたくないと思ったら、はっきりそう言ってほしいの」

おじいさんはりんごのケーキを切り分けていた手をとめ、えっ、と短い声を出した。

「なかなか、ややこしいですなあ」

おじいさんはわたしの言ったことを、もう一度ぶつぶつつぶやいていた。

「どんな話か、聞いてみないことには何とも申し上げられません」

「いいえ。聞いてしまったあとでは、もう遅いの。手遅れなのよ。わたしがこれから話そうとしているのは、絶対に秘密にされなければならないことなの。その秘密を共有できるかどうかを、今はっきりさせておかなきゃならないの。おじいさんが嫌だと言ったら、それはそれで構わない。何の問題もない。今わたしが胸に抱えていることは、一生口にされないまま封印される。それだけのことよ。遠慮や見栄や義理を全部捨てて、純粋な気持ちを言って欲しいの。聞きたいか、聞きたくないか」

おじいさんはナイフを置き、両手を膝の上で組んだ。ストーブに掛けたやかんが沸騰しそうになっていた。一等船室の丸い窓から入る日差しが、りんごのケーキを照らしていた。表面に塗られた溶かしバターがつやつや光っていた。

「お聞きしましょう」

こちらをまっすぐに向いて、おじいさんは言った。

「困難で危険な問題に巻き込まれることになるのよ」

「承知の上です」

「命にも関わるわ」

「私の命など、もうたいして残ってはおりません」

「本当に……」

「大丈夫でございます。お話し下さい」

彼はうなずき、膝の上の手を組み替えた。

「ある人を助けたいの。かくまってあげたいの」

わたしは彼の表情をうかがったが、動揺している様子はなかった。ただ静かに次の言葉を待っているだけだった。

「秘密がばれたらどんな恐ろしいことになるか、よく知っているわ。でも、このまま何もしないでいたら、大事な人をまた一人、確実に失うことになる。母と同じようにね。力を貸してもらえるかしら。わたしだけでは、どうにもできないの。完璧に信頼できる協力者が必要なの」

強い風が吹き抜け、フェリーがきしんだ。二枚重ねたケーキ皿が音をたてた。

「一つだけお尋ねしてもいいですか」

「もちろん」

「そのお助けになりたい方は、お嬢さまとどういう関係でいらっしゃるのでしょう」

「編集者よ。わたしの小説をいつも一番最初に読んでくれる人。小説に込められたわたし自身を、最も深く理解してくれる友人」

「分りました。お手伝いいたします」

おじいさんは答えた。

「ありがとう」

わたしは彼の膝の上の手に触れた。皺だらけで大きな手だった。


二人で相談した結果、父が昔書庫として使っていた小部屋が一番安全だろうということになった。そこは二階の床と一階の天井のすきまを利用して、父が大工さんに作らせたスペースで、滅多に使わない本や資料がしまわれていた。仕事部屋の真ん中の床が一メートル四方取り外せるようになっていて、そこから出入りできた。

三畳くらいの細長い部屋で、深さは一八〇センチしかなかった。背の高いR氏は、思い切り背伸びすることができないだろう。そのうえ、電気はひいてあるが、水道がない。陽も当たらない。

地下室の方がずっと広いし、快適なのは分りきっているけれど、あそこは近所の人みんなに知られている。壊れかけた橋を怖がらずに渡れば、外から入ってくることもできる。万が一捜索を受けるようなことになったら、最初に疑われるだろう。しかしあの書庫は、以前秘密警察が父の研究資料を押収に来た時でさえ、気づかれなかったのだ。R氏を守るためには、外の世界から最も奥まった場所を選ぶ必要があった。

おじいさんは航海日誌の白紙のページに、二人がこれからやらなければならない事柄を順番に書き上げていった。

まず、わたし。

1　書庫に残っている資料を処分する——鳥に関するものばかりだから注意が必要。

2　そのあとをきれいに掃除、消毒する——清潔さは大事。病気になってもR氏を診てくれるお医者さんはいない。

3　床の出入り口を覆い隠すための絨毯を用意する——思わずはぐってみたくなるような仰々しいデザインではなく、さり気ないシンプルなもの。

4　電気コード、スタンド、寝具、ポット、お茶のセットなど、最小限の生活用品をそろえる——新しく買うことはできるだけ避ける。目立った買物は怪しまれる。

5　誰にも気づかれずR氏を連れて来る方法を考える——一番大切で難しいこと。

次に、おじいさん。

1　換気扇をつける——今のままでは空気が少なすぎる。
2　わずかでも水を使えるようにする——工夫すれば何とかなるだろう。
3　周囲に分厚い壁紙を貼る——保温と防音のため。
4　トイレを作る——大がかりな工事になりそうだが、あくまでひっそりと。
5　R氏と友人になる——これからR氏が接触できるのは、わたしとおじいさんの二人だけになるのだから。

わたしたちは細かいところまで話し合った。隠れ家を準備し、R氏をかくまうまでの過程を何回も頭に思い巡らして、どこかに手落ちはないか確認した。あらゆる種類のアクシデントを想定し、どうやって切り抜けたらいいか考えた。工事の材料を運ぶ途中、検問に会ったら、隣の犬が匂いをかぎつけたら、準備ができる前にR氏が記憶狩りに会ったら、……。いくらでも心配事はあった。

「さあ、ケーキでも食べて一服いたしましょう」

おじいさんはストーブの上のやかんからポットにお湯を注ぎ、お茶の葉が柔らかくなるのを待つ間、途中でやめになっていたりんごのケーキを切った。

「世の中、たいていの心配事は心配だけで終わるものでございます」

「そうかしら」

「はい。私にお任せ下さい。うまくやりますから」

「そうね。大丈夫よね」

おじいさんは大きい方のケーキをわたしのお皿にのせてくれた。彼はまだわたしのことを成長期の娘だと思い込んでいて、何でもたくさん食べるようにすすめるのだ。お皿には真っ白な紙ナプキンが敷いてある。テーブルクロスはパリッと糊がきき、一輪挿しには丘の頂上でよく見かける、赤い木の実のついた小枝が生けてある。

わたしたちはもう一度、航海日誌に書いたメモを読み直し、すべてを頭に入れた。それからおじいさんは証拠を消すため、そのページを破ってストーブの中に捨てた。二枚の航海日誌はすぐに炎に包まれ、小さくなって溶けていった。わたしたちはしばらく、黙って炎を見つめていた。これから大変なことが起ころうとしているのに、気持ちはどんどん穏やかになっていくようだった。船室は暖かく、ケーキの匂いに満ちていた。

次の日から作業が始まった。書庫の資料は小分けにし、古いファッション雑誌を処分するような振りをして、庭の焼却炉で燃やした。絨毯は客間に敷いてあったのを移すことにした。日用品は全部家にあるもので間に合った。

しかし、小部屋の改装はそう簡単にはいかなかった。島中の大工さんには秘密警察の手が回っていて、疑わしい改装の注文があった場合すぐに通報されるという噂だった。自分たちだけでひそかに工事をしていることがばれたら、必ず怪しまれるだろう。

だから道具と材料を運ぶだけでも神経を使った。大げさにならない程度でなおかつ最大限のものを運び込むために、おじいさんはいろいろな工夫をした。セーターの背中にパイプと角材を突っ込み、釘や蝶番《ちょうつがい》やねじを詰めた袋を腰に巻き、すべてのポケットに工具をしのばせた。ようやく家までたどり着いた時は、さすがにほっとした様子だった。自転車をこぐたび、身体中のあちこちでガチャガチャ音がして、骨がばらばらになったような気分でございました、と言っておじいさんは、妙に背筋をのばしたまま笑っていた。

彼の仕事ぶりはすばらしかった。的確で丁寧で我慢強く、そのうえ素早かった。あらかじめ作ってきたらしい設計図に――それも航海日誌の裏に書かれていた――時折目をやり、考えをまとめるとあとは迷わず作業に打ち込んだ。壁に穴を開け、パイプを通し、天井裏に続く他の管につないだ。電気の線を分解し、コンセントをねじで止め、ベニヤ板を切り分け、釘を打った。わたしは邪魔にならないように気をつけながら、できるだけの手伝いをした。

音を少しでも目立たなくするために、仕事部屋には交響曲のレコードを流しておいた。全部の楽器が一斉に鳴り響くクライマックスのところで、おじいさんはタイミングよく金槌とのこぎりを使った。わたしたちはお昼も食べず、黙々と作業を続けた。

完成したのは四日めの夕方だった。わたしたちは部屋の真ん中に坐り、全体を見回した。想像していたよりもずっと素敵な部屋に仕上がった。小綺麗で素朴で温もりがあった。ベージュの壁紙を選んだのは正解だった。狭いのは仕方ないが、最低限必要なものはすべてコンパクトに収まっていた。ベッドがあり、机と椅子があり、隅にはベニヤ板で囲ったトイレがあった。上から吊したポリタンクの水が、浄化槽にうまく流れ込むようになっていた。タンクに水を満たすのが、これからわたしの日課になりそうだった。

おじいさんのアイデアで簡易スピーカーのようなものも取り付けた。上の仕事部屋と下の隠し部屋をゴムの管でつなぎ、それぞれの先に台所で使っていたじょうごを差し込んだ。じょうごに口を近づけると、顔を見合わせなくても糸電話の要領で話ができる仕組みだった。

ベッドのシーツと毛布は洗濯したばかりで、柔らかく清潔だった。机と椅子は新鮮な木の香りがしていた。電球の光は淡いオレンジ色で、部屋を照らすには十分な明るさだった。わたしたちは電気のスイッチを切り、はしごを三段上って、出入口の四角い板を押し上げた。その狭い四角い穴から外へ出るのは、なかなか難しかった。肩をすぼめ、半回転しながら両手で身体を持ち上げなければいけなかった。おじいさんが手を貸してくれた。

R氏の身体の大きさでは引っ掛かってしまうかもしれないと心配になったが、彼がここから上へ出てくることはたぶんほとんどないのだから、これでいいのだと気づいた。

わたしたちは板を元通りにはめ込み、絨毯をかぶせた。そこは何の変哲もないただの床に戻った。わたしは絨毯の上を歩き回ってみた。下にあんな部屋が隠れている気配など、どこにもなかった。

10

「隠《かく》れ家《が》があります。どうか、身を隠して下さい」

仕事の話が一段落したあと、表情も声のトーンも変えないように気をつけながら、わたしはR氏に告げた。まるで「これからお食事にでも行きませんか」と誘うような口調だった。

出版社のロビーは混雑していた。あちこちで笑い声や、コーヒーカップのぶつかる音や、電話のベルが聞こえた。こういうざわめきに紛れて、素早く用件を話してしまわなければならなかった。

「信用できる、安全な場所です。すぐに準備して下さい」

R氏は指にはさんだ煙草を灰皿に戻し、まばたきせずにこちらを見た。

「僕のための隠れ家ですか」

「もちろんです」

「どうやって見つけたんですか。簡単なことじゃないはずだ」

「そんなことはどうでもいいんです。とにかく、彼らがあなたの遺伝子を解読してしまう前に、早く……」

「僕はもう、覚悟を決めているんだ」

彼はわたしの言葉をさえぎった。

「どんな覚悟を？」

わたしは尋ねた。

「妻には僕の秘密は話していない。彼女は妊娠しているんだ。四週間後に子供が生まれる。彼女を一人残して行くことはできないし、ましてや二人一緒に隠れることは不可能だ。妊婦をかくまってくれる人なんてどこにもいないよ」

「お一人で隠れて下さい。そうすればみんなが助かります。あなたも、奥様も、赤ちゃんも」

「しかし、隠れてみたところで、一体どうなるって言うんだろう。いつになったら出てこられるのか、あてもないのに……」

灰皿から立ち上る煙が二人の間で揺れていた。R氏は気持ちを落ち着けるかのように、ライターで机を三度叩いた。

「先のことは誰にも分りません。記憶狩りにだって、いつかは終わりがくるはずです。ここは、消えてゆくだけの島なんですから」

「君からこんな話が出るなんて、思ってもみなかったから、僕も混乱しているんだ」

「ええ、当然ですわ。でもとにかく今は、記憶狩りから逃れることだけを考えてほしいのです。奥様のことはご心配でしょうけれど、それは残された人たちで協力し合えば、どうにかなります。もちろんわたしもお力になります。命さえあれば、奥様と赤ちゃんに再会できる機会もくるはずです。それに、あなたが捕まってしまったら、わたしが今書いている小説はどうなるんですか」

段々声が大きくなっているような気がして、わたしは一度深く息を吸い込んでから、残りのコーヒーを飲みほした。

中庭の噴水は水が止められ、落葉が浮かんでいた。レンガの囲いの上に、黒い猫が寝そべっていた。花壇の花は枯れたままで、風で飛ばされてきた何かのポスターの切れ端が散らばっていた。

「その隠れ家は、どこにあるの？」

掌のライターに視線を落としたまま、Ｒ氏は尋ねた。

「あらかじめそれを、お教えすることはできないんです」

わたしはおじいさんと打ち合わせしたとおりに答えた。

「知りすぎることは危険です。知ってしまえば、どこからか秘密が漏れていきます。何の用意もせず、何も告げず、空気に吸い込まれるみたいに消えるのが、一番安全なんです。分っていただけますか？」

Ｒ氏はうなずいた。

「もちろん、これは信用できる話です。疑わしい点はどこにもありません。わたしにすべて、任せて下さい」

「僕のせいで、君を大変なことに巻き込んでしまったようだね」

テーブルには原稿用紙が広げたままになっていた。さっきまで使っていた彼の万年筆とわたしの鉛筆が、その上に並んで転がっていた。彼は灰皿の煙草の火を消し、ゆっくりと視線を上げた。それほど混乱しているようには見えなかった。むしろ理性的で穏やかでさえあった。ただ中庭からの光の加減で、時折目元に影が差すと、表情が淋しげに曇るのだった。

「いいえ。わたしはあなたのために、いつまでも小説を書いていたいだけなんです」

わたしは笑顔を見せようと思ったが、口元がかじかんだようになって、うまく微笑むことができなかった。

「じゃあ、手順を説明します。明後日、水曜日の朝八時に中央駅の改札口に行って下さい。急ですけれど、明後日でなければいけないんです。時間があれば、どうしても余計な準備をしてしまいます。準備なんていらないんです。身体を移動させることだけを考えて下さい。いつも出勤するのと同じ服装で、手荷物は書類鞄一つくらいにまとめて下さい。必要なものはあとでわたしが奥様からお預かりして、いくらでも隠れ家へ運び入れることができますから。次に、駅の売店で経済新聞を買い、改札口を出てすぐ右手にあるクレープ屋さんの前で、それを読んでいてほしいんです。クレープ屋さんはその時間まだ閉まっていますが、気にしなくて結構です。しばらくすると、一人の老人が近づいてくるはずです。コールテンのズボンにジャンパー姿で、腕にパン屋さんの紙袋を抱えています。それが目印です。直接声を掛けず、目くばせだけでお互いを確認したら、あとはそのおじいさんに黙ってついて行って下さい。以上です」

わたしは一息に喋《しゃべ》った。

水曜日の朝は雨だった。島全部が海の渦に飲み込まれたかのような大雨だった。カーテンを開けても、雨のしぶき以外何も見えなかった。

そのことがわたしたちの計画にとって好都合なのか不都合なのか、よく分らなかった。秘密警察の目をごまかしやすいとも思えたし、R氏とおじいさんの動きが鈍るかもしれない、という心配もあった。いずれにしても、ただ待っているしかなかった。

わたしはストーブの炎を最強にして家中を暖め、ポットにお湯を満たし、二人の姿が見えたらすぐに玄関の鍵を外せるよう、縁側の窓から何度も通りをうかがった。中央駅から家まで普通に歩けば二十五分ほどの距離だが、この土砂ぶりの中でどれくらいの時間が掛かるのかは見当もつかなかった。

八時二十五分を過ぎてから急に、時計の針の動きがゆっくりになったような気がした。わたしは縁側に立ち、窓とダイニングの柱時計を交互に見やった。窓ガラスは曇りがちだったので、しばしばセーターの袖口で水蒸気を拭き取らなければいけなかった。すぐにセーターは湿っぽくなった。

でも、そこから見えるのは雨ばかりだった。庭の木々も、フェンスも、電信柱も、空も、すべてのものが水の幕に覆われていた。厚ぼったく息苦しい幕だった。R氏とおじいさんがうまくそのすきまをくぐり抜けられますようにと、わたしは祈った。何かを祈るなんて、久しぶりのことだった。

彼らがようやくここへたどり着いたのは、八時四十五分を過ぎてからだった。わたしがドアの鍵を外すと、肩を抱き合うようにして玄関へ飛び込んできた。二人ともずぶ濡れだった。身体中からしずくが落ちていた。髪は額に張りつき、服は変色し、靴の中からはぴちゃぴちゃ音がしていた。とにかくわたしは彼らをダイニングへ連れてゆき、ストーブの前へ坐らせた。

二人ともまだ、目印に使った経済新聞とパン屋の紙袋をしっかり握っていた。けれどそれらも雨に濡れ、くたびれた雑巾のようになっていた。袋の中のコッペパンは水気を含んでべたべたになり、とても食べられない代物になっていた。

R氏はコートを脱ぎ、椅子に深く腰掛けて目を閉じ、呼吸を鎮めていた。おじいさんは少しでも早く彼を暖めようとして、ストーブの向きを変えたり、毛布を取ってきて肩に掛けたりした。おじいさんが動くたび、床に水滴が散らばった。二人の身体からはすぐに湯気が立ち上り始めた。

わたしたちは雨の音を聞きながら、しばらく黙ってストーブを見つめていた。三人とも喋りたいことがたくさんあるのに、いざ口にしようとすると胸につかえて何も出てこないという感じだった。丸い覗《のぞ》き穴から見える炎は濁《にご》りのない赤色で、絶え間なく揺れ動いていた。

「とてもうまくいきました」

独り言のようにおじいさんがつぶやいた。

「何もかも雨が覆い隠してくれました」

R氏とわたしは同時に顔を上げた。

「よかったわ。本当に無事で」

わたしは言った。

「それでも念のため、尾行されているかもしれないと思いまして、わざと遠回りをいたしました」

「しかし、驚いた。隠れ家が君の家だなんて、思いもしなかったから」

R氏が言った。

みんな小さくかすれた声で喋った。この部屋の静けさを乱すと、何かよくないことが起こるのではないかと、恐れているかのようだった。

「ええ、わたしは地下組織とつながっているわけでも何でもないの。個人的に計画したことなんです。あっ、そうだわ。改めてご紹介すると、こちらはわたしが生まれるずっと昔から、家族ぐるみでお世話になっている方なんです。わたしたちの唯一の協力者です」

二人は毛布の下から手をのばし、握手をした。

「何と感謝していいか、分りません」

R氏がそう言うと、おじいさんは照れたように首を横に振りながら、彼の手を毛布の中に戻した。

「とにかく、熱い飲み物を作りましょうね」

わたしはカップを入念に温め、いつもより葉を多めにしてお茶をいれた。わたしたちは時間をかけてそれを飲んだ。またひととき、沈黙が訪れた。

二人の身体は段々に乾いていった。R氏の髪は柔らかさを取り戻し、おじいさんの頬は赤みを帯びてきた。相変わらずの激しさで雨は降り続いていた。三つのカップが空になったのを確かめてから、

「それではお部屋へ案内します」

とわたしは言った。

仕事部屋の絨毯をめくり床板を外した時、R氏はほーっと驚きの声を上げ、

「宙に浮いた洞窟みたいだ」

とつぶやいた。

「窮屈で申し訳ないけれど、ここなら絶対に安全です。外からのぞかれる心配もないし、音が漏れることもありません」

おじいさん、わたし、R氏の順番で梯子《はしご》を降りた。やはり三人になると、かなり窮屈だった。R氏は重くふくらんだ書類鞄を、ベッドの真ん中に置いた。いつもなら原稿やゲラ刷りが入っている鞄だが、今はもっと違う種類の大事なものがしまわれているのだろう、とわたしは思った。

電気ストーブ、トイレ、じょうごのスピーカー、その他いろいろな道具の使い方をおじいさんが説明していった。R氏は一つ一つの言葉にうなずいていた。

「これから不都合なことも起きてくると思いますけど、おじいさんがついていてくれる限り安心です。おじいさんの手から作り出せない品物なんて、一つもないんだから」

わたしは彼の背中を軽くたたいた。おじいさんはまたひどく照れて、白髪の頭をごりごりと掻いた。R氏はほんの少しだけ微笑んだ。

一通り説明が終わると、ひとまずおじいさんとわたしは上へ戻ることにした。R氏はわたしたちの何倍もの緊張を強いられてきたのだから、ゆっくり身体を休めなければならない。そして、たぶんあわただしいものになってしまっただろう大切な人たちとの別れを、一人でかみしめる時間が必要だと思ったからだ。

「十二時にお昼ご飯をお持ちします。何かご用があったら、いつでもじょうごで呼んで下さい」

梯子の途中で振り返り、わたしは言った。

「ありがとう」

R氏は答えた。

わたしたちは床板を閉じ、絨毯をかぶせた。それでもしばらく、そこから立ち去ることができずに足元を見つめていた。わたしは彼の、ありがとう、という言葉を繰り返し思い出していた。それは、沼の底から時間をかけてわき上がってきた声のように聞こえた。

11

R氏が隠し部屋に潜《ひそ》んでから、十日が過ぎた。でもお互い、この変則的な生活に慣れるには、まだまだ時間が掛かりそうだった。ポットのお湯はいつ取り替えたらいいか、食事は何時がいいか、シーツの洗濯は何日おきにしたらいいか、そういうこまごまとしたことを、順番に二人で決めていかなければならなかった。

机に向かっていても隠し部屋のことが気になって、なかなか小説が進まなかった。退屈して話相手を求めているのではないかしらと思ったり、やっぱりそっとしておいてあげようと思い直したり、じょうごを持ったままあれこれ考えた。どんなに耳を澄ましても、下の気配は伝わってこなかった。その静けさが余計に彼の存在を意識させるのだった。

それでも次第に、毎日が規則正しく過ぎてゆくようになった。朝九時、朝食のお盆とお湯の入ったポットを持って床板をノックする。その時、空になったポリタンクを受け取り水を詰める。昼食は一時。もし必要なものがあれば、買物メモとお金を預かり、夕方の散歩の時に買いそろえる。本が多かったが、その他にはカミソリの替え刃や、禁煙用のガムや——狭い隠し部屋では煙草を吸うことはできなかったから——ノートや、トニックなどだ。夕食は七時。お風呂は二日おきに、たらいのお湯で身体を拭く。そしてあとは、長い夜が過ぎるのを待つだけだ。

夕食の食器を下げる時、少しだけ部屋にお邪魔することがあった。おいしいお菓子が手に入ったら、それを一緒に食べることもあった。わたしたちはベッドに腰掛け、机の上にお菓子を置いて、時折それに手をのばしながらとりとめのないおしゃべりをした。

「少しは、落ち着いたかしら」

わたしは尋ねた。

「おかげさまで」

R氏は答えた。彼は黒いシンプルな型のセーターを着ていた。壁に作り付けた戸棚には、鏡や櫛や塗り薬や砂時計やお守りが、きちんと並べてあった。枕元には本が重ねて置かれていた。ずっと昔に自殺した作曲家の自伝と、天文学の専門書と、北の山が活火山だった頃のことを書いた歴史小説だ。どれも古い本だった。

「困ったことがあったら、遠慮せずに何でも言って下さいね」

「大丈夫。とても快適だよ」

けれど、やはりまだ彼はこの部屋にしっくりなじんではいないように見えた。無意識に身体を動かすと、必ず電灯か戸棚かトイレの壁かどこかにぶつかってしまうので、いつも背中を丸め、遠慮気味に両手を膝の上にのせていた。ベッドは明らかにこぢんまりしすぎていたし、花や音楽や、部屋を潤すものは何もそろっていなかった。彼を包んでいる空気と部屋の空気が、うまく混じり合わないままに淀んでいるようだった。

「どうぞ、もっと召し上がって」

わたしは机の上のクッキーを指差した。冬になると食糧が減って、甘いものを手に入れるのはなかなか難しかった。そのクッキーは、おじいさんが知り合いの農家から分けてもらったカラス麦で焼いたものだった。

「すばらしく美味しいクッキーだ」

彼は一口でそれを飲み込んだ。

「おじいさんはコックとしても十分生きていける人なの」

わたしたちは数少ないそのお菓子を二個と四個に分けて食べた。二個がR氏で四個がわたしだった。「僕は身体を動かさないから、お腹も減らないんだ」と言って遠慮して、彼がどうしても三個めを食べなかったからだ。

電気ストーブの火は弱々しかったが、それほど寒くはなかった。黙っていると、彼の息遣いがすぐ手の届くところで聞こえた。ここでは身体を寄せ合って坐るしかなかった。時折隣に視線を向けると、彼の横顔の輪郭がオレンジの電灯の下で、くっきり浮かび上がって見えた。

「一つ、聞いてもいいですか」

横顔を見つめたまま、わたしは言った。

「いいよ」

彼は答えた。

「心の中のものを、何一つなくさないでいるというのは、どういう気分がするものなのかしら」

彼は眼鏡のフレームを人差し指で押し上げ、そのまま手をあごに当てて、

「難しい質問だねえ」

と言った。

「心がぎゅうぎゅう詰めになって、窮屈になったりしないのかしら」

「いいや。そんな心配はないよ。心には輪郭もないし、行き止まりもない。だから、どんな形のものだって受け入れることができるし、どこまでも深く降りてゆくことができるんだ。記憶だって同じさ」

「今までに島から消えていったものたちが、あなたの中には全部完全に残っているんですね」

「完全といえるかどうかは分らない。記憶はただ増えるだけじゃなくて、時間をかけながら移り変わってゆくからね。時には消えてゆくものだってある。でもそれは、君たちの身に降りかかってくる消滅とは、根本的に違う種類のものだけど」

「どういうふうに違うのですか」

わたしは自分の爪を撫でながら尋ねた。

「僕の記憶は根こそぎ引き抜かれるということはない。姿を消したように見えても、どこかに余韻が残っているんだ。小さな種のようなものだ。何かの拍子にそこへ雨が吹き込むと、また双葉が出てくる。それにたとえ記憶がなくなっても、心が何かをとどめている場合もある。震えや痛みや喜びや涙をね」

彼は慎重に言葉を選んで話した。考えついた言葉を、一つ一つ舌の上で感触を確かめてから口にしているような喋り方だった。

「あなたの心を両手にのせて眺めることができたらどんなだろうって、時々想像するんです」

わたしは言った。

「それはちょうど掌に収まるくらいの大きさで、十分に固まりきらないゼラチンみたいな手触りなんです。乱暴に扱うと崩れそうで、でもしっかり持っていないと滑り落ちてしまいそうで、わたしはこわごわ両手を差し出しています。もう一つの大事な特徴はその温かさです。身体の奥にじっと隠れていたから、体温よりもいくらか熱くなっているんです。わたしは目を閉じ、その温もりを隅から隅まで味わいます。すると、わたしが失ってしまったものたちの感触が、じわじわとよみがえってくるんです。あなたの中に残されている記憶を、掌で感じ取ることができるんです。素敵な想像だと思いませんか」

「なくしたものを、思い出したいと思う？」

今度はR氏が尋ねた。

「よく分りません」

正直にわたしは答えた。

「何を思い出したらいいのかさえ、分らないのですから。わたしたちの消滅は完全です。種も残りません。空洞だらけのスカスカの心で、うまくやっていくしかありません。だから、そのゼラチンのような感触に憧れるんです。手応えがあって、中が透けて見えそうで見えなくて、光にかざすといろいろに表情を変える心に」

「君の小説を読んでいると、心がスカスカだなんて思えないよ」

「でもやっぱり、島で小説を書くのはとても難しいことです。消滅が起きるたび、どんどん言葉が遠くなってゆくようです。わたしがずっと小説を書いてこれたのは、あなたの消えない心がいつも側についていてくれたからかもしれません」

「そうだとうれしいよ」

R氏は言った。

わたしは掌を上に向け、両手をそっと差し出してみた。わたしも彼も、本当にそこに何かが横たわっているかのように、まばたきもせず掌を眺めた。けれどいくら目を凝らしても、そこにはありふれた空洞が浮かんでいるだけだった。

次の日、出版社から電話があった。新しくわたしの担当になったという編集者からだった。

その人はR氏よりいくらか年上で、背が低く、痩せていた。顔の作りが平凡すぎて、表情を読み取るのが難しかった。そのうえ小さな声でぼそぼそ喋るので、聞き取れない単語がいくつもあった。

「今の小説はいつ頃完成の予定ですか」

「さあ、見当もつきません」

R氏にそんな予定を聞かれたことはなかった、と思いながらわたしは答えた。

「今、ストーリーが非常に微妙な局面にさしかかっていますから、慎重に書きすすめていく必要があると思います。少しでも原稿がまとまったら、連絡を下さい。僕も早く続きが読みたいんです」

話を聞き逃さないために、わたしはテーブルに両肘をついて、前かがみにならなければいけなかった。

「ところで、前任のRさんはどうなさったんですか」

さり気なくわたしは聞いた。

「それがですねえ……」

彼は口ごもり、コップの水を一口飲んだ。

「消えたんです」

その一言は、はっきり聞き取ることができた。

「消えた……」

余計なことを口走らないように気をつけながら、わたしは彼が言った通りの言葉を繰り返した。

「つまり、そういうことなんです。彼から何か聞いていませんか」

「いいえ、何も」

わたしは首を横に振った。

「突然のことでみんな驚いています。ある朝から、ぷっつり出社しなくなったのです。伝言も書き置きもありません。ただ机の上に、あなたの原稿がきちんと重ねて置かれていただけなのです」

「そうだったんですか……」

「ええ。もっとも最近では、人が消えるなんて珍しいことでも何でもありませんけどね」

「全然気づきませんでした。彼がまさか……」

「僕も信じられません」

「彼からレコードを借りていたのに、そのままになってしまったわ」

「よかったら僕がお預かりしましょう。いつか、渡せるチャンスが来るかもしれませんから」

「お願いします。もし居場所が分ったら、わたしにも教えてくれませんか」

「はい、お知らせします。もし、分るようなことがあったら……」

彼は約束した。

R氏の奥さんとの連絡はおじいさんが取ることになった。おじいさんなら自転車に道具箱を積んで修理屋さんになりすまし、怪しまれずに奥さんと接触できるからだ。R氏が隠れてからすぐ奥さんは実家へ移ったが、それはお産のためで、今度の騒動とは関係なくずっと前から予定されていたことらしかった。実家は薬屋さんで、丘の北側、昔金属の精錬所でにぎわった町にあった。しかし今では精錬所は閉鎖され、町もさびれていた。

連絡場所にはその町の廃校になった小学校を使うことにした。ゼロのつく日、十日と二十日と三十日に、奥さんが校庭の百葉箱の中にR氏に渡したい品物を隠す。おじいさんは自転車でそれを取りに行き、反対にR氏から預かったものを置いて帰る。という手順だった。

「冬はどんな町でも沈んで見えますけれど、あそこのうら淋しさは特別でございます」

初めてのゼロのつく日、小学校から戻ってきたおじいさんは言った。

「丘の北側に回り込んだとたん、顔に当たる風がぐんと冷たくなるんです。あのあたりに季節風の境界線でもあるんでしょうか。通りを歩いている人はほとんどおりません。猫の方が数が多いくらいです。家もみんな古い木造で、半分は空き家です。精錬所に勤めていた人たちが引っ越したあとなんでしょうなあ。その精錬所がまた不気味なんでございます。錆ついた大きな鉄の固まりで、太い煙突のようでもあり、崩れかけたビルのようでもあり、遊園地の遊具のようにも見えます。町のどこにいても、ふっと前を見ると必ずそこに精錬所があるんです。哀れなくらい何重にも錆に絡みつかれて、身動きできないまま衰弱死した、という雰囲気なんでございます」

「まあ、あそこがそんなふうになっているなんて知らなかったわ。わたしが子供の頃は、夜になるとあのあたりの空がだいだい色に光ってきれいだったのに」

わたしはおじいさんのカップにココアを注ぎながら言った。

「はい。精錬所の技師が島で一番の花形職業だった時代もありました。全部、昔の話でございます。でも、私たちにはその方が好都合でした。秘密警察の奴らもほとんどおりません。怪しまれる心配はないでしょう」

おじいさんは一息つき、カップを両手で持ち上げた。

「奥様の様子はどうなふう？」

わたしは尋ねた。

「やはり、お疲れのようでございました。まだ自分でも事態を上手に整理できない、とおっしゃっていらっしゃいました。仕方ないことでございます。突然に旦那様とお別れになって、そのうえもうすぐ初めての赤ちゃんをお産みになるんですから。しかし大変にしっかりした、賢い奥様でいらっしゃいます。どこで誰にかくまわれているのか、といった余計なことは一切お聞きになりませんでした。ただ、よろしくお願いしますと、頭を深く下げられただけです」

「そう……。ご実家で静かに出産を待っていらっしゃるのね」

「はい。ああいう町の薬屋さんですから、あまり繁盛しているふうではありませんでした。私がお邪魔している間に、お客さんはたった一人、よぼよぼのおばあさんが二百円かそこらの赤チンを買いに来ただけです。こぢんまりしたお店です。入り口の引き戸や床板やガラスケースや、あちこちにがたがきておりまして、本当の修理屋になって修繕してさしあげようかと思ったくらいです。奥様はレジスターの前にお坐りで、カウンターの陰に大きなお腹が見え隠れしていました。奥様の向こう側に並んだ薬の箱は、全部何となく薄茶けて、埃をかぶっているように見えました。粉っぽい苦い匂いが漂う中で、レジスターのボタンを指でなぞりながら、静かにお話なさる奥様を見ておりましたら、胸が苦しくなりました」

おじいさんはそろそろとココアを飲み、それから思い出したように毛糸のマフラーを外して、ズボンのポケットに押し込んだ。わたしはやかんに水を注ぎ足し、ストーブの上に置いた。こぼれた水滴が音をたててすぐに蒸発していった。

「それで、百葉箱の受け渡しはうまくいったのかしら」

「ご心配はいりません。うまくいきました。たいして大きい小学校じゃありませんが、人の気配はありません。姿が見えないだけじゃなく、人間の名残りっていうものが全然感じられないんです。子供たちの体温とか匂いとか足跡とか、そんなものがね。無菌室みたいな寒々しい空間なんです。あんまり長居はしたくない雰囲気なんで、大急ぎで帰ってまいりました」

おじいさんはセーターの下に巻き付けた布袋の中から、ビニールの包みを一つと白い封筒を一通取り出した。

「これが、百葉箱に入っていた品物でございます」

「そう……」

わたしはビニールの包みを手に取ってみた。きちんと折り畳んだ衣類と、雑誌が数冊入っているようだった。封筒はかなり分厚く、しっかり糊付けされていた。

「百葉箱もずっと放っておかれて傷んでおりました。白いペンキはポロポロ剝げていますし、扉は止め金が朽ちて開けるのに苦労しました。でもまあ、ちょっとしたコツをつかめば大丈夫です。中の器械は壊れていました。温度計の水銀は途中で切れておりましたし、湿度計の針は曲がっておりましたから。あれなら、他の人が中を覗く心配はないでしょう。品物は約束通り、奥の方の目立たない所に置いてございました」

「どうもありがとう。危ないことは全部押しつけてしまって、ごめんなさい」

「とんでもございません」

おじいさんはカップに口をつけたまま首を振ったので、ココアがこぼれそうになった。

「そんなことより、早くこれをお二階へ届けてあげて下さいまし」

「ええ、そうするわ」

わたしはビニールの包みと封筒を抱え、隠し部屋へ向かった。それらにはまだ、おじいさんの体温が残っていた。

12

タイプ学校に入学した最初の授業で、彼が姿を現した時、わたしは少し驚きました。彼がタイプの先生には見えなかったからです。わたしは意味もなく勝手に女性を想像していました。中年過ぎで、丁寧ぶった作り声を出し、おしろいをたっぷりとふりかけ、骨っぽい指をした女の人です。

でも彼は若々しい男性でした。ごく平均的な身体つきで、仕立てのよい地味な色合いの洋服を着ていました。美男子というわけではありませんが、眉毛やまぶたや唇やあごや、顔の一つ一つの部分がそれぞれに印象的な表情を持っていました。思慮深く穏やかでありながら、どこか鋭い影のさす表情です。たとえば眉毛だけを見つめていても、そういう彼の雰囲気が十分に感じ取れるのです。

法律の研究者か、牧師か——何と言ってもそこは教会でしたから——設計技師のように見えました。でもやはり彼はタイプの先生でした。タイプのことなら何でも知っていました。

けれど実際彼がタイプライターを打っている姿は、一度も目にしたことがありませんでした。彼はいつでも生徒の間を歩き、指の動きや機械の扱い方が間違っている人に注意し、あとはわたしたちが打ち終えた原稿のミスを赤ペンでチェックするだけなのです。

時々、決められた時間に何語打てるか、という試験がありました。彼は教室の正面に立ち、上着の内ポケットからストップウォッチを取り出します。わたしたちは与えられた課題のプリントを脇に置き、キーの上に指をのせて合図を待ちます。プリントの英文はおそらく彼が作ったものだったのでしょう。手紙の場合もありましたし、論文のようなものの場合もありました。

わたしはこの試験が苦手でした。練習ならスラスラ打てる単語でも、試験になると途端に指が動かなくなるのです。gとhを逆に打ったり、bとvを間違えたり、ひどい時は最初の指のポジションがずれていて、全部が目茶苦茶になってしまうこともありました。

試験が始まる前の、あの独特の静寂に弱いのです。みんなが息を殺し、お祈りの声もオルガンの音も聞こえず、ただ指にだけ神経を集中させているあの数秒間が、わたしを惑わせるのです。

彼が握ったストップウォッチから、静けさの気体がしみ出しているような錯覚を覚えます。それは長く使い込んだ物らしく、くすんだ銀色で細い鎖がついています。彼は右手の親指をボタンにかけ、今にもそれを押そうとしています。鎖は彼の胸のあたりでゆらゆら揺れています。

彼の右手から流れ出た気体は教室の床を這《は》い、隅々を満たし、やがてわたしの指を覆いつくします。その感触は冷たく、息苦しいものです。少しでも指先を動かすと、静けさの膜が破れていろいろなものがバラバラになってしまいそうなのです。わたしはただもう胸がどきどきするばかりです。

苦しくてもう我慢できないそのぎりぎりのところで、彼はスタートの合図を送ります。いつも見事なタイミングです。まるでそのストップウォッチで、わたしの心臓の鼓動を測っているかのようです。

「始め！」

彼が教室で一番大きな声を出す瞬間です。一斉にタイプが鳴り始めます。でもわたしの指は怯えたようにかじかんだままです。

彼がタイプを打っている姿を見てみたいと、長い間わたしは思っています。たぶんそれは、どんなにか美しいことでしょう。光るほどに手入れされた機械、真っ白なペーパー、すっとのびた背中、的確に動く指先。想像しただけでもため息が出ます。けれどまだ実現していません。二人が恋人同士になった今でもです。彼は決して人前でタイプを打たないのです。

教室に通い始めて三ヵ月ほどたったある日のことです。その日は大雪でした。あんなにたくさんの雪を見たのは生まれて初めてでした。電車もバスも止まり、町全体が雪の下でうずくまっていました。

わたしは三時からのクラスに間に合うよう早めに家を出て、歩いて教会へ向かいました。途中何度か転んで、テキストを入れた布のかばんが濡れてしまいました。時計塔のてっぺんにも雪が積もっていました。

結局、その日の授業に出席したのはわたし一人でした。

「こんな雪の中、よく来たね」

彼が言いました。相変わらず彼の洋服には皺一本ありませんでした。雪のしみ一つありませんでした。

「今日は誰もやって来ないと思っていたよ」

「一日お休みすると、すぐ指が動かなくなってしまうので」

わたしは濡れたかばんからテキストを取り出しました。

雪のせいでしょうか、とても静かでした。わたしは窓際の前から四番めのタイプに坐りました。ここでは早く来た人から好きなタイプを選ぶことができます。キーが重かったり、活字が歪《ゆが》んでいたり、機械によってそれぞれ癖があるからです。いつもなら彼は黒板の前の専用の机に坐るのですが、その日はわたしのすぐそばに立っていました。

最初にビジネスレターを一通打ちました。新しく輸入するジャム製造機の使用説明書を、事前に送ってもらいたい、といった内容でした。彼はじっとわたしの手元を見つめていました。少しでもテキストから視線をずらすと、彼の身体のどこかが、靴かズボンかベルトかカフスボタンが、目に入りました。

手紙を打つのは難しいのです。行間隔やレイアウトに細々とした約束事があるからです。普通の時でも戸惑うのに、先生にこんな近くで監視されたのでは、ますます緊張してしまいます。わたしは間違えてばかりでした。

彼はどんなミスも見逃しませんでした。腰を折り、顔をタイプに近づけ、おかしい箇所を指差すのです。決してとがめるようなやり方ではありませんが、わたしをどんどん狭い場所へ閉じ込めていくような、圧倒的な力を感じました。

「左手の中指の力が足りないんだ。だからeの上がいつも欠けてる」

彼は印字されたeを指し示したあと、そのままわたしの左手の中指をつまみました。

「この指だけ少し先が曲がっているね」

「ええ。子供の頃、バスケットボールで突《つ》き指《ゆび》したものですから」

わたしは自分の声がかすれているのに気づきました。

「もっと真上からキーを叩くようにしたらいい」

彼は関節を引っ張り上げるようにして、わたしの中指で何度もeのキーを叩きました。

eeeeeeeeee……

ほんの小さな中指の先を握られただけで、身体全部を抱き締められたかのように胸苦しくなりました。彼の手は硬く、ひんやりとしていました。さほど力を入れているようには思えないのに、どうしてもふりほどけない圧迫感を感じました。自分の指が彼の掌の肉に癒着してしまったかのようでした。

肩や肘や腰がわたしのすぐそばに迫っていました。彼はなかなか指を離してくれませんでした。いつまでもキーを打ち続けました。

eeeeeeeeeee……

eの形の鉛が紙を打ちつける音だけが教室に響きました。雪がまた降り始めていました。教会の門から時計塔へ続くわたしの足跡が、消えようとしていました。彼はどんどんわたしを包み込んでいきました。上着のポケットからストップウォッチがすべり落ち、床の上で一回転しました。壊れてしまったかしら、とわたしは胸の奥でつぶやきました。今はただ、彼がわたしにしようとしていることを考えるべきなのに、どうしてストップウォッチの心配なんかしてしまうのか、自分でも不思議でした。

時計塔の鐘が鳴りました。五時です。天井のずっと上の方から伝わってきた振動が窓ガラスを揺らし、わたしたちの重なり合った身体を通り抜けて、雪に吸い込まれてゆきました。雪以外動いているものは何もありませんでした。わたしは身動きできないまま息をひそめていました。まるでタイプライターの中に閉じ込められたかのようでした。…………

これから原稿はR氏に読んでもらったあと、新しい編集者に見せることにした。もちろん原稿にR氏の書き込みを残すことはできないけれど、わたしたちは隠し部屋で、以前と同じように小説の隅々にわたって話し合った。椅子が一つしかないのでベッドに並んで坐り、スケッチブックの裏表紙を台にして、その上に原稿用紙を置いた。

彼にとっても何かしら仕事があった方がいいのは確かだった。朝目が覚めたら一番に、今日するべき事柄を順番に思い浮かべ、夜眠る前には、その計画が全部こなされたかどうか確かめて、反省したり満足したりするのが、隠し部屋でのもっとも健全な過ごし方だった。しかも朝思い浮かべるのは、できるだけ具体的で、ささやかであっても必ず何らかの報いがあり、心身をバランスよく疲労させるような仕事が望ましかった。

「もし、面倒でなかったら、……」

ある日R氏は夕食のお盆を梯子の途中で受け取りながら、遠慮気味に言った。

「何かちょっとした仕事をやらせてもらえないだろうか。わずかでも君の手助けがしたいし、気分を紛らわせたい気持もあるし」

「小説を読んでもらう以外にですか？」

わたしは四角い出入口から彼を覗き込んだ。

「ああ。もちろんこの部屋の中でやることだから、たいして役にも立たないけど、何もやらないよりはましだと思うんだ。どんなつまらない仕事でも構わないよ。仕事を見つけるのだって、君にとっては手間が掛かることだ。それもよく分ってる。でも今の僕は、君がいないと何もできない。君の手助けがないと、君の役に立つこともできないんだ」

彼は両手でお盆をつかみ、その上に並んだ料理に視線を落としていた。彼が喋るたび、ボウルのポテトスープが波打った。

「仕事を見つけるのは、それほど面倒なことじゃないわ。そんなに深刻に考えないで下さい。ええ、明日の朝までにちょっとした頼みごとを用意しておきましょう。確かにいい考えね。一石二鳥だもの。さあ、温かいうちに召し上がって。いつも、ポテトのスープばかりで申し訳ないけど、今年はひどい不作で、秋の間に貯蔵したじゃがいもと玉ねぎ以外、野菜がほとんど手に入らないんです」

「いや、君のスープはすばらしいよ」

「料理をほめられるなんて初めてだわ。どうもありがとう」

「仕事のこと、よろしく頼むね」

「ええ、分ったわ。それじゃあ、また明日」

「また明日」

彼は窮屈な梯子の上で身体をすぼめ、両手がふさがっているので口元だけでさよならの合図を送った。彼が梯子を下りてしまうのを見届けてから、わたしは床板をふさいだ。

というわけで、毎朝彼に仕事を与えることが日課に加わった。レシートの整理をしたり、鉛筆を削ったり、住所録の清書をしたり、原稿用紙にページを記入したり、という単純な作業ばかりだったが、彼は喜んで引き受けてくれた。次の朝には全部、これ以上丁寧にしようがないというくらいきちんと仕上がっていた。

こんなふうにわたしたちの生活はどうにか安全に保たれていた。だいたいの事柄が計画通りにすすんだし、どうしていいか分らないような問題も起きなかった。おじいさんはよくやってくれるし、R氏もすぐに隠し部屋に慣れてくれた。

しかしわたしたちの小さな満足とは関係なく、外の世界は日に日にすさんでいった。バラの花以来しばらくおさまっていた消滅が、立て続けに二回も起きた。写真と木の実だ。

家中のアルバムと写真を集め——その中にはもちろんマントルピースの上に飾っていた母の写真も含まれていた——庭の焼却炉で燃やそうとした時、R氏は思いとどまらせようとして懸命にわたしを説得した。

「写真は君の記憶を保存しておくための、かけがえのない品物だよ。燃やしたりしたら、もう取り返しがつかなくなるんだ。いけないよ。絶対にいけない」

「でも、仕方ないわ。消滅がやってきたんですもの」

わたしは答えた。

「写真がなくなったら、どうやってお父さんやお母さんの顔を思い出すんだ」

R氏は真剣な表情で言った。

「消えるのは写真です。父や母ではありません。だから大丈夫。顔を忘れるなんてことはないわ」

「ただの小さな紙切れかもしれないけど、この中には奥深いものが写し出されているんだ。光や風や空気や、撮っている人の愛情や喜びや、撮られている人のはにかみや微笑みがね。そういうものはいつまでも心に残しておかなくちゃいけない。そのために写真を撮ったんだからね」

「ええ、分ります。わたしだって写真をとても大事にしてきました。それを見るたび、大切な記憶をよみがえらせることができました。哀しくなるくらい懐かしくて、胸がうずきました。細く頼りなげな木がぽつぽつ生えているだけの記憶の林で、写真は一番確かな磁石だったんです。でももう、あきらめなければいけません。磁石を失うのは心細いし辛いけれど、わたしの力で消滅を食い止めることはできないんです」

「消滅を食い止めることはできないとしても、わざわざ燃やしてしまうことはない。大事なものは世の中がどう変わっても大事なものだ。その本質は変わらない。残しておけば、必ず何かを君にもたらすよ。君の記憶をこれ以上空洞にしたくないんだ」

「いいえ……」

わたしは弱々しく首を横に振った。

「今はもう、写真を見ても何もよみがえってきません。懐かしくもないし、胸がうずきもしない。ただの、つるつるした一枚の紙にすぎません。心の空洞がまた一つ増えたんです。それを元通りにする方法なんて誰も知りません。消滅とはつまり、そういうことなんです。あなたにはたぶん、分ってもらえないと思うけれど……」

彼は哀しそうに目を伏せた。

「新しい心の空洞が燃やすことを求めるの。何も感じないはずの空洞が、燃やすことに関しては痛いくらいにわたしを突き上げてくるの。全部が灰になった時、やっとそれはおさまるんです。その頃にはたぶん、写真という言葉の意味さえ思い出せなくなっているでしょうね。それにもし写真が秘密警察に見つかったら大変なことになるわ。消滅が起こったあとは、特に彼らの監視が厳しくなるんですから。疑いをかけられたら、当然あなたにも危険が及ぶわ」

彼はもう何も言わなかった。眼鏡をはずし、こめかみを押さえて長いため息をついた。わたしは写真の詰まった紙袋を持って、焼却炉のある裏庭へ回った。

木の実の消滅はもっと簡単だった。朝起きると、島中の木々からいっせいに木の実が落ちているところだった。パラパラ、パラパラ、とあちこちで音がしていた。特に北の山と森林公園のあたりでは、ひょうのように降っていた。野球のボールくらい大きいのや、あずきのように小さいのや、殻にくるまれたのや、色がきれいなのや、さまざまな木の実があった。それらは風もないのにひとりでに、次から次へと枝を離れていった。

外を歩くと頭の上にも落ちてきた。知らないうちに踏みつけて、潰してしまうこともあった。やがて雪が降ってきて、地面の木の実を全部覆い隠してしまった。

人々はまた一つ、冬の大事な食糧を失ったことに気づいた。

13

本当に久しぶりの雪だった。最初は白い砂のようなものが風と一緒に舞っていたと思ったら、次第にその粒が大きくなり、あっという間に風景を包み込んでいった。どんなに小さな木々の葉にも、街灯の笠にも、窓のひさしにも、雪が積もった。そしてそれはいつまでも消えなかった。

雪の中、記憶狩りはもうほとんど日常化していた。秘密警察たちはロングコートにブーツ姿で、町のあちこちをうろついていた。コートは柔らかく暖かそうな生地で、襟元と袖口は毛皮で縁取られ、やはり深緑色をしていた。島中の洋品店を探しても手に入らないような高級品だった。だからどんな人込みでもすぐ、彼らを見分けることができた。

　また彼らはしばしば夜中に突然現われ、一ブロックをトラックで囲み、そこの家々をくまなく捜索した。〝成果〟が上がる場合もあったし、上がらない場合もあった。この次どこのブロックが選ばれるのかは誰にも分らなかった。わたしはどんなささいな音でもすぐ目が覚めるようになった。暗がりの中に沈む絨毯を見つめ、その奥で息をひそめているR氏の姿を思い浮かべながら、何事もなく夜が通り過ぎてゆきますようにと祈った。

　島の人たちはみな余分な外出を避け、休みの日には黙々と雪かきをし、夜になると早めにカーテンをしめて、つつましく毎日を過ごした。人々の心さえ雪に閉じ込められてしまったかのようだった。

　わたしたちの秘密の洞窟も、そんな島の重苦しい空気と無縁ではいられなかった。自分たちが守ろうとしているこの小さな空間がいかにもろいものであるか、思い知らされる事件が起きた。ある日突然、おじいさんが彼らに連れて行かれたのだ。

「きっと何か勘づかれたのよ。どうしたらいいのかしら」

　わたしは床板を持ち上げ、中に向かって大きな声を出した。身体が震えてうまく梯子を降りることができなかった。足をもつれさせたままわたしはベッドに坐り込んだ。

「すぐに彼らがやってくるわ。もっと安全な場所に隠れなきゃ。どこがいいかしら。早くしないと手遅れになってしまう。奥様の実家は？　ああ、でも一番に疑われそうね。そうだ。廃校になったあの小学校がいいわ。百葉箱のある小学校よ。教員室や実験室や図書室や給食室や、きっとたくさん部屋もあるだろうし、身を隠すには好都合だと思うの。すぐに用意しましょう」

R氏はわたしの隣に腰掛け、肩に腕を回した。手のひらの感触が肩先から伝わってくるにつれ、ますます自分の身体が押さえようもなく震えているのを感じた。彼は自分の体温でどうにかそれを鎮めようとしているかのようだった。

「まず、落ち着くことが大切だ」

彼はゆっくりとした口ぶりでそう言うと、膝の上で固く握りしめたわたしの指を一本一本ほぐしていった。

「隠し部屋の存在を知ったのなら、おじいさんを連行したりしないで、奴らはすぐさまここに踏み込んでくるさ。だから大丈夫。まだ気づかれたわけじゃない。下手に動いたら余計に目立ってしまうよ。もしかしたら、奴らの狙いはそこにあるのかもしれない。分るだろ？」

わたしはうなずいた。

「でも、じゃあどうしておじいさんが目をつけられたのかしら」

「何か心当たりはあるかい？　検問にひっかかって持ち物を検査されたとか、フェリーが記憶狩りに踏み込まれたとか」

「いいえ。何もないわ」

彼がどんなに優しく触れてくれてもまだかじかんだままの指先を見つめながら、わたしは答えた。

「だったら心配はいらない。何も証拠は握られていないはずだからね。僕とは無関係な件で取り調べを受けているのかもしれない。奴らはいつでも情報を求めているんだ。確かな証拠もないまま手当たり次第に人をかき集めて、何でもいいから聞き出そうとする。近所の誰かが庭の温室でこっそりバラを育てているとか、家族の人数分より多めのパンを買う人がいるとか、カーテン越しに怪しい人影を見たとか、そういう情報さ。とにかく今は、おとなしく待っていよう。それが一番いい方法だよ」

「そうね。そうかもしれない」

わたしは一度、深呼吸をした。

「でも、おじいさん、恐ろしいめに会っていなければいいけど……」

「恐ろしいめ？」

「ええ。拷問《ごうもん》。彼らのことですもの、どんなひどいことをするか分らないわ。いくらおじいさんだって、我慢できずに隠し部屋のことを白状してしまうかもしれない」

「心配しすぎちゃいけないよ」

R氏は肩を抱いた腕に力を込めた。電気ストーブの赤い火が二人の足元を照らしていた。動物がすすり泣くような音をたてて、換気扇が回り続けていた。

「もちろん君が僕にここを出ていってほしいと言うなら、そうするよ」

彼は落ち着いた声で言った。

「違う。そんなこと思ってもいないわ。自分が捕まるのが怖いんじゃないの。あなたがいなくなってしまうのが怖いの。だからこんなに震えているのよ」

わたしは何度も首を横に振った。髪の毛と彼のセーターがこすれて、くぐもった音がした。彼はいつまでもわたしを抱えていてくれた。外の光が差し込まない隠し部屋では、時間の流れを測る手がかりになるものが何も見つからなかった。時間の渦の真ん中にすっぽり落ちてしまったような感じだった。

どれくらいそのままでいたのだろう。彼の体温で身体が暖まってくるにつれ、ようやく震えがおさまってきた。わたしは彼の腕の中から立ち上がった。

「取り乱してごめんなさい」

わたしは言った。

「いや、仕方ないよ。僕らにとっておじいさんは大事な人だからね」

彼はうつむいた。

「もうあとは祈るしかないわ」

「僕も祈るよ」

わたしは梯子に足を掛け、かんぬき形の鍵を外して床板を押し上げた。途中で振り向くと、彼はベッドに腰掛けたままじっとストーブの火を見つめていた。


次の日、R氏には内緒で秘密警察の本部を訪ねてみることにした。彼に相談すれば、反対されるのは分りきっていたからだ。確かにわざわざこちらから彼らの本拠地に乗り込んでいけば、どんなに厄介で危険なめに会うか知れなかった。けれどどうしても、じっとしていられなかった。おじいさんに直接会うことはできなくても、何か事情が分るかもしれないし、差し入れを届けることができるかもしれない。そうすることで、少しでもおじいさんの助けになれれば、と思ったのだ。

その日の朝は、昨夜の間に降った雪がやんでわずかながら太陽がのぞいていた。積もったばかりの雪は柔らかく、一歩足を踏み出すたびに、くるぶしまですっぽり埋まってしまった。秘密警察が履いているような雪道専用のブーツなど誰も持っていないので、みんな歩くのに苦労している様子だった。背中を丸め、荷物を胸に抱えて、用心深くそろそろと足を動かしていた。まるで年老いた草食動物が物思いに沈んでいるかのような歩き方だった。

わたしの靴にも雪が入り込んで、すぐ靴下が濡れてしまった。手提げ袋の中には膝かけと、懐炉《かいろ》と、ドロップが十粒と、今朝焼いたばかりのロールパン五つが入っていた。本部の建物は電車通りに面した昔の劇場を改装したものだった。正面玄関に続くアプローチは幅の広い石の階段で、彫刻をほどこした柱が何本も立っていた。屋根のてっぺんには秘密警察の旗が掲げてあったが、風がないのでだらしなくポールに巻きついていた。

玄関の両脇には、足を開き手を後ろで組んで、まっすぐに前方を見つめたままの守衛が二人立っていた。彼らにまず用件を告げた方がいいのか、それとも黙って中へ入っても構わないのかわたしは迷った。玄関扉は分厚い木製でぴったりと閉じられ、女一人の力で開けることができるか心配なくらい重そうだった。しかし二人の守衛は口をきくことを禁止されているかのように、全くの無言でわたしを無視していた。

「ちょっとお尋ねしますけど……」

勇気を出してわたしは右側の守衛に声を掛けた。

「面会と差し入れをしたいんですが、どうしたらいいのでしょうか」

彼は振り向きもしないし、まつげ一本さえ動かさなかった。わたしよりうんと若い、色白の青年だった。襟元の毛皮が雪を含んでいくらか湿っているように見えた。

「中に入ってもいいですか」

今度は左側に問い掛けてみたが、結果は同じだった。仕方なくわたしはノブをつかみ扉を引っ張ってみたが、思った通りそれはかなり重かった。手提げ袋を肩に掛け両手で力をこめると、ようやくミシミシと少しずつ動きだした。もちろん二人とも、手伝ってはくれなかった。

中のホールは天井が高く、薄暗かった。見慣れた制服の秘密警察たちが何人も行き来していた。わたしのような部外者らしい人の姿もぽつぽつ見受けられたが、みんな緊張した表情で足早に通り過ぎてゆくだけで、話し声や笑い声は聞こえなかった。音楽も流れていなかった。ただ彼らの靴音が響いているだけだった。

正面には中二階のロビーに続く、ゆるやかにカーブした階段、その裏には劇場だった頃の面影を残す凝《こ》ったデザインのエレベーター、左手の奥には年代物のどっしりした机と椅子が見えた。天井からは巨大なシャンデリアが吊り下げられていたが、電球を包むガラスがくすんでいて、大きさに見合うだけの光は発していなかった。ちょっとしたすきま、エレベーターボタンの隣や、壁掛け電話の上や、階段を支える柱には、彼らを象徴するマークの入ったペナントが貼られていた。

机の前には一人秘密警察が腰掛け、何か一生懸命に書き物をしていた。たぶんそこが受付だろうと見当をつけ、わたしは一度深呼吸をしてから彼に近づいた。

「知り合いの者に差し入れを届けたいのですが、どうしたらいいのでしょう」

自分の声が天井で弾けたあと、ホールの空気に吸い込まれてゆくのが分った。

「さしいれ?」

男は手を止め万年筆を指先で回しながら、まるで使い慣れない哲学用語の意味を思い出そうとするかのような口調で、差し入れという言葉を繰り返した。

「ええ、そうです。たいした品物じゃありません。ちょっとした衣類や食べ物なんです」

全く相手にしてくれなかった玄関の守衛に比べればまだましだと、自分を慰めながらわたしは言った。

男はカチンと音を立てて万年筆のキャップをしめると、手元の書類を並べ替えて机の上にスペースを作り、そこに両手をのせた。そして下から無表情にわたしを見上げた。

「できれば本人に直接会いたいんです」

相手がなかなか答えてくれそうになかったので、待ちきれずにわたしは言葉を付け足した。

「どなたにお会いになりたいのです？」

言葉遣いは丁寧だったが、感情を読み取るのが難しい平板な声だった。わたしはおじいさんの名前を二度繰り返して告げた。

「そのような方はここにはいらっしゃいません」

男は言った。

「よく調べもしないで、どうして分るんですか？」

わたしは尋ねた。

「調べる必要などありません。ここにいる人間の名前は、全部記憶していますから」

「だって、ここには毎日何人もの人たちが連れて来られるんでしょ？　それをいちいち全部頭に入れているって言うんですか？」

「はい。それが仕事ですから」

「おじいさんはおととい連行されたばかりなんです。お願いですから調べてみて下さい。必ず名前があるはずです」

「無駄です」

「じゃあ一体、おじいさんはどこにいるんですか？」

「我々の所有している建物は、この本部だけではありません。あちこちに支所が散らばっています。とにかく、あなたのお探しの方がここにいらっしゃらないことだけは確かです。私が申し上げられるのはそれだけです」

「それじゃあ、どこかの支所にいるということですね。その支所を教えて下さい」

「我々にはそれぞれ割り当てられた職務があります。その区分けは複雑で綿密で、あなたが考えているほど単純じゃないんです」

「単純だなんて、一言も言ってないわ。ただ、おじいさんに差し入れがしたい、って言ってるだけよ」

男はやれやれ、というふうに眉間《みけん》に皺を寄せた。ピカピカに磨き上げられた金色のデスクスタンドが、彼の手元を照らしていた。血管の浮き出た骨っぽい指だった。書類には意味のよく分らない数字やアルファベットが、びっしり書き込んであった。他にファイルやカードや修正液やペーパーナイフやホッチキスが、最も使いやすい位置と向きに整頓して並べてあった。

「ここの仕組みが、なかなかご理解していただけないようですな」

独り言のようにそう言うと、男はわたしの後ろに向かって目くばせした。それはとても小さな合図だったのに、すぐさまどこからか二人の秘密警察が現われ、ぴったりとわたしの両側に立った。胸のバッジの数が受付の男より少ないので、彼よりは低い階級の者だろうという予想はついた。

あとは無言で事が進んでいった。命令がなくても、こういうケースの手順はあらかじめ決められているらしかった。二人の秘密警察に挟まれたまま、エレベーターに乗せられ、入り組んだ廊下を進み、奥まった一部屋に連れて行かれた。

そこが思いの外ゴージャスな部屋だったことで、わたしは混乱した。革張りのソファーは高級品だったし、壁にはゴブラン織りのタペストリーが飾ってあったし、カーテンにはたっぷりとドレープが取ってあった。そのうえメイドさんが紅茶まで運んでくれた。一体彼らはわたしをどう扱うつもりなのか、よく分らなかった。でも、出頭する母を迎えに来たあの車の豪華さを思い出せば、油断はできないと思った。わたしはソファーに腰掛け、手提げ袋を膝の上に置いた。

「せっかく雪の中いらしていただいたのに恐縮ですが、面会も差し入れもできないことになっているんですよ」

今度わたしの前に坐ったのは、背の低い貧弱な身体つきの男だった。しかしバッジの他に房のついた勲章のようなものを付けているのを見ると、位はそう低くない人らしかった。目が大きく、そのぶんだけ表情を読み取りやすかった。わたしを部屋まで連れてきた二人は、扉の前に立っていた。

「なぜですか？」

ここに来てから質問ばかりしている、と思いながらわたしは尋ねた。

「規則だからです」

眉毛をぴくりと動かして男は答えた。

「何も怪しげなものを差し入れしようというわけじゃありません。十分に調べてくれて結構なんです」

わたしは手提げ袋を逆さまにし、中のものを全部テーブルの上に出した。ドロップの缶と懐炉がぶつかって、小さな音を立てた。

「おじいさまにはたっぷりの食事と暖かい部屋が提供されています。どうぞご心配なく」

机の上のものになど目もやらず、男は言った。

「おじいさんはちゃんと記憶を消滅し続けているし、仕事も引退してフェリーで余生を送っているだけの老人なんです。あなたたちに連行されなくちゃならない理由なんて、ないはずです」

「それはこちらで判断することです」

「判断の内容を教えて下さい」

「無理なことばかり質問するお嬢さんですなあ」

　男はこめかみを人差し指で押さえた。

「我々の職務は、そのほとんどが秘密のうちに行われなければならないものです。秘密警察という名前の通りに」

「おじいさんの無事を確かめることさえ許されないんですか」

「もちろんご無事ですよ。あなた今ご自分で、記憶狩りを受ける理由などないと、おっしゃったじゃありませんか。それとも何か、無事でいられないような心当たりが、おありになるんですか？」

　こんな子供だましのせりふに動揺してはいけないと、自分に言い聞かせながら、わたしははっきり、いいえと答えた。

「それなら何もご心配はいりませんよ。おじいさまにはちょっとした、ご協力をお願いしているだけですから。食事は三度、食べきれないくらいお出ししております。我々の専属コックは一流レストランで修業した者ばかりですからね。こういうものをお持ちになっても、きっとおじいさまは食べきれないでしょうな」

汚れ物を見るように、男は机の上の手提げ袋にちらっと目をやった。

「いつ頃帰してもらえるか、それもきっと、キソクで教えられないことになっているんでしょうね」

「その通りです。だいぶ我々のルールがお分りになってきたようですな」

男は微笑みを浮かべ、足を組み替えた。勲章の房が胸で揺れていた。

「消滅を滞《とどこお》りなく行き渡らせること、不要になった記憶をすみやかに消し去ること、それが我々の一番の仕事です。いつまでも役立たずの記憶を抱えていたら、ろくなことはありませんよ。そうでしょ？　足の親指が壊死《えし》した時は、すぐに親指を切り取ってしまわなければならない。いつまでも放っておいたら、足を一本全部失うことになる。それと同じです。ただ問題なのは、記憶にも心にも形がないということです。人間がそれぞれ自分だけの秘密にして、隠し持っておくことができる、ということなんです。目に見えないものを相手にするんですから、我々も神経を使います。大変に繊細な作業なんです。姿のない秘密を取り出し、分析し、選別し、処理するためには、当然こちらも秘密によって自分たちを守らなければならない。まあ、そういうわけなんです」

一息にここまで喋ると、男は左手の爪で机を叩いた。

窓の向こうを路面電車が走ってゆくのが見えた。交差点を曲がる時、屋根に積もった雪が滑り落ちた。いくら弱々しい光でも、久しぶりに姿を見せた太陽の下で、雪はまぶしいくらいに光っていた。向かいの銀行の玄関には、お金をおろす人たちが外まで行列していた。みんな肩をすぼめ、両手をこすり合わせていた。

部屋の中は快適な温度に保たれていた。男が爪を鳴らす音以外、他には何も聞こえなかった。扉の前の二人は相変わらず黙って立っているだけだった。わたしは自分の汚れた靴に視線を落とした。いつの間にか靴下は乾いていた。

これ以上、おじいさんのことを聞き出すのは無理だと、わたしは思った。本部に着いてから秘密警察と交わした会話をもう一度思い出してみたが、おじいさんが今どうなっているのか、結局はよく分らなかった。わたしはあきらめて、机の上の物を手提げ袋にしまった。家を出る時は温かかったパンも、すっかり冷たくなっていた。

「それじゃあ、今度はこちらの質問に答えていただく番ですな」

そう言って男はテーブルの引き出しから一枚の紙を取り出した。てかてかと光る灰色の紙で、名前、住所、職業はもちろん、学歴、病歴、宗教、資格、身長、体重、足のサイズ、髪の毛の色、血液型、等こまごまとした記入項目が並んでいた。

「さあ、こちらをどうぞお使い下さい」

男は胸ポケットのボールペンを抜き取り、わたしの前に差し出した。

その時初めてわたしはここへ来たことを後悔した。自分自身の情報を提供すればすむだけ、彼らとR氏の間を近づけることになる。そんなことは分りきっていたはずなのだ。しかし動揺を見せるのはもっと危険だ。母の件もあったことだし、彼らはわたしについて、この記入項目の内容くらいとっくにつかんでいてもおかしくない。彼らは住所と名前を本当に知りたいのではなく、ただわたしを試しているだけなのだ。だから、さり気なく振る舞うことが大切だ。

そう言い聞かせながら、わたしは男の目をまっすぐに見つめてボールペンを受け取った。特別難しい質問はなかった。手が震えないように、意識していつもよりゆっくりペン先を動かした。手触《てざわ》りの滑らかな高価そうなボールペンだった。

「冷めないうちにどうぞ」

男は紅茶を勧めた。

「どうも……」

一口口に含むと、それは紅茶ではないことが分った。匂いも味もどこか微妙に違う、今まで飲んだことのない種類の飲み物だった。枯葉の積もった森のような匂いがし、酸《す》っぱさと苦《にが》さが混じり合っていた。まずくはなかったが、その一口を飲み込むには勇気がいった。もしかしたら薬が入っているかもしれないと思ったからだ。催眠術にかけて秘密を聞き出すための薬か、わたしの遺伝子を解読するための薬か、何かそんなものが。

男も扉の前の二人もじっとこちらを見ていた。わたしは黙ってそれを飲み込み、記入し終わった紙を渡した。

「結構です」

さっと目を通すと男は、薄っぺらな微笑みを浮かべながら、ボールペンをポケットに戻した。また勲章の房が揺れた。

その日の夜は雪になった。昼間の緊張と、わけの分らない飲み物のせいで妙な具合いに神経が高ぶり、なかなか眠れそうになかった。小説の続きを書こうと原稿用紙を広げてみたが、何も言葉が浮かんでこなかった。仕方なくカーテンのすきまから、雪が降るのを見ていた。

わたしは仕事机の上の国語辞典とことわざ辞典を動かし、その後ろに隠してある簡易スピーカー用のじょうごを引っ張り寄せた。

「もう、眠ったかしら?」

口を近づけ、遠慮気味にわたしは声を掛けてみた。

「いや、まだだよ」

R氏の声が返ってきた。一緒にベッドのスプリングが軋《きし》む音も聞こえた。隠し部屋のスピーカーはベッドの枕元の壁に備え付けられていた。

「何か用かい?」

「いいえ、そういうわけじゃないんです。ただちょっと、眠れないものだから……」

じょうごは銀色のアルマイト製で、かなり古いものだった。きれいに洗ってあるのに、台所で使っていた頃の調味料の匂いが微かに残っていた。

「今、雪が降っているんですよ」

「そう? 全然気づかなかった。しかしよく降るね」

「ええ。今年は特別です」

「僕の部屋のすぐ向こうで雪が降っているなんて、信じられないよ」

簡易スピーカーで話す時のR氏の声が、わたしは好きだ。それは足元のずっと奥の方からにじみ出てくる泉のようだ。長いゴムの管を通っている間に余分なものが消え、透明で柔らかい声の細胞液だけが伝わってくる。その液を一滴も聞き漏らさないように、わたしはじょうごで左の耳をすっぽり包むのだ。

「時々、壁に手を当てて外の様子を想像してみるんだ。壁の手触りで何かを感じ取ることができないかと思ってね。風の向きや、冷たさや、湿り気や、君の居る場所や、川の流れる音や、そういう気配をね。でも、いつもうまくいかない。壁はただの壁だ。その向こうには何もないし、何ともつながっていない。ここは完全に閉じられた場所なんだ。空中にくり貫《ぬ》かれた洞窟なんだっていうことを、思い知らされるだけだよ」

「Rさんがここへいらした頃から比べると、外の風景はすっかり変わりましたよ。何もかも雪のせいで」

「どんなふうに？」

「そうですねえ、一口で言い表わすのは難しいわ。まず、目に見える物すべてに雪が積もっています。少々日が照ったくらいでは溶けない量です。そのために物の輪郭が全部丸くなって、何となく風景全体の面積が五分の四ほど小さくなったような気がするんです。空も海も丘も林も川も。だからみんな、肩をすぼめて歩いています」

「へえ」

あいづちと一緒にまたスプリングの音がした。彼はベッドに寝そべったまま、話をしているらしかった。

「今降っているのはかなり粒の大きな雪です。空の星が全部落ちてくるみたいに、休みなく降っています。闇の中で翻《ひるがえ》ったり、光ったり、ぶつかり合ったりしながらね。想像できますか?」

「なかなか難しいね。でも、想像できないくらいにきれいな風景なんだろう、というのは分るよ」

「ええ。確かにきれいです。でも、こんな夜も、島のどこかでは記憶狩りが行われているのかしら。」

「もちろんだよ。雪の冷たさの中でも記憶は消えないの?」

「寒さなんかには関係ない。記憶は君が考えているよりもっと強靭なものなんだ。それを包んでいる心も同じさ」

「そうなんですか……」

「何だか残念そうだね」

「だって、どうにかしてわたしたちと同じように、あなたの心を薄めてゆくことができたら、そんな所へ隠れる必要もなくなるんですもの」

「ああ……」

つぶやきとも ため息ともつかない声を彼は漏らした。

簡易スピーカーで話す時は、じょうごを耳から口へ、口から耳へと順番に動かさなければならないので、彼とわたしの言葉の間にわずかな沈黙が漂った。その沈黙のおかげで、何気ないやりとりでも、相手の舌の上で大事に温められた言葉のように聞こえた。

「このぶんだと、明日の朝は雪かきをしなくちゃならないわ」

わたしは手をのばしてカーテンをもう少しだけ開けた。

「毎週月曜日と木曜日に役場のトラックが雪を集めに来るんです。おじいさんのフェリーが泊まっている港から、海へ雪を投げ捨てるんです。ザザーッ、ザザーッと。そこまで運ばれてくる間に雪はすっかり汚れて、惨めな姿になっているわ。そして巨大な海の咽喉《のど》に飲み込まれるようにして、波の間に消えてゆくの」

「海へ捨てるのか。知らなかった」

「そうなんです。格好の捨て場所ですもの。でも、波に消えたあと、雪はどうなるんでしょう。フェリーの甲板からその投棄作業を見るたび、いつも考えるんです。雪の行く末について」

「やはりすぐに、溶けてしまうんじゃないだろうか」

「溶けて、塩辛くなって、海水と見分けがつかなくなって、あとはただ魚たちの回りを漂ったり、海藻を揺らしたりするだけなんでしょうか」

「たぶんね。くじらに飲み込まれて、潮になるのかもしれない」

わたしはじょうごを右手に持ち替え、机に肘をついた。

「いずれにしても、消えてしまうんですね。どこにもたどり着けずに」

「そうだよ」

彼が小さな息を吐いた。

周りの家々の窓はみんな真っ暗だった。大通りの車の音も、風の音も、サイレンも聞こえなかった。町中が眠りについていた。目覚めているのはただ、耳元に流れる彼の声だけだった。

「雪を見ていると、なぜか眠りについて考えてしまうんです」

「……ねむり？」

少し間を置いてから、彼はその短い言葉を繰り返した。

「ええ。おかしいでしょうか？」

「いや。そんなことはないよ」

彼は言った。

「それほど深刻で難しい考察じゃないんです。何かもっとさり気なくて、つつましくて、ありふれたものなんです。台所に置き去りにされた、誰かの食べ残しのショートケーキみたいな存在としての考察なんです」

「…………」

じょうごを耳に当てたけれど無言だったので、わたしはまたそれを口に戻した。

「ショートケーキを前にして考えるんです。食べようか、ごみ箱に捨てようか、犬にやってしまおうか。雪を見ていると、そんなふうに台所で考え込んでいる自分の姿が浮かんでくるんです。何の脈絡もなく突然に。もちろんケーキは、雪みたいに真っ白い生クリームに包まれています。しばらくそのままじっとしていると、知らないうちにショートケーキが眠りと入れ替わっていることに気づくんです。……やっぱり変だわ」

「変じゃないさ。それが心の働きっていうものだよ。どんなに空洞だらけの心だって、やっぱり何かを感じ取ろうとしているんだ」

「スポンジのかけらや、粉砂糖の粒や、クリームでべたべたしたフォークが、いつのまにか眠りそのものとしてダイニングテーブルに転がっているんです。眠気を誘うという意味じゃありません。眠りの輪郭がそこに存在しているんです。わたしは考え続けます。眠りを手に取って口に含もうか、ごみ箱に捨てようか、犬にやってしまおうか」

「で、君はどうするんだい？」

「分りません。ただ考え込んでいるだけです。ケーキに触れて、それを飲み込んで、どこまでも深く眠り続けたい気もするし、もう戻ってはこられないかもしれないと思うと、怖い気もするし。ただ、雪の向こうに、ショートケーキの切れ端が残されていることだけは確かなんです」

いくらおじいさんが上手に作ってくれたとは言っても、やはりスピーカーは単純な装置なので、管のちょっとしたねじれやじょうごの傾け方によって、すぐ声が遠くなった。大きな声の方がよく通るというわけでもなかった。わたしは唇をすぼめ、管の奥へ言葉を転がり落とすようにして喋った。

「子供の頃、眠りの世界に憧れていたんです。そこにはきっと、宿題も、おいしくない給食も、オルガンのお稽古も、痛みも我慢も涙もないだろうって想像していたの。八つの時、家出しようと思ったことがあります。原因は忘れてしまいました。たぶんささいなことだったんでしょう。テストでひどい点を取ったとか、クラスで一人だけ逆上がり（さかあ）ができないとか。それでわたし、眠りの世界へ家出することに決めたんです」

「八歳にしては、なかなか手の込んだ家出だね」

「両親が知り合いの結婚式に出掛けた、ある日曜日、計画を実行しました。ばあやさんは胆石の手術で入院中でした。わたしは父の机の引き出しから、睡眠薬の入った瓶を盗み出しました。父が寝る前、いつもその瓶の薬を一錠飲んでいるのを、ちゃんと見て知っていたんです。結局、何錠くらい飲んだのか憶えていません。自分としては精一杯たくさん飲み込んだつもりだったけど、たぶん、四錠か五錠か、そんなところでしょう。すぐに水でお腹がたぷたぷになってしまうし、喉が苦しくなるし、もうそれ以上は無理だったんです。でもやがて、眠くなってきました。ああ、これで自分はもう眠りの世界へ行けるんだ、これだけたくさん飲んだんだから、もうここへ帰って来ることはないだろう、と満足しながら眠りに落ちたんです」

「それから、どうなった？」

Ｒ氏は慎重な口振りで尋ねた。

「どうにもならなかったわ。確かにわたしは眠った。でもそこに世界なんてなかったんです。ただ暗闇が広がっているだけで……。いえ、そういう言い方は不適切ですね。暗闇さえもなかったんです。空気も音も重力も、そしてわたし自身も、そこには存在していませんでした。圧倒的な無です。気づいた時は夕暮れでした。いったい何日間眠り続けたんだろう、五日だろうか、一ヵ月だろうか、一年だろうか、と思ってあたりを見回しました。窓ガラスが夕焼けに染まっていました。でもすぐ、それが同じ日曜日の夕方なんだと分りました。両親が結婚式から帰ってきたんです。二人ともわたしが眠り続けていたことに、気づきもしませんでした。さあ、お土産のバウムクーヘンを食べましょうなんて、うきうきしているだけなんです」

「子供が睡眠薬なんか飲んで、具合いが悪くならなかったかい？」

「悪くなるどころか、ぐっすり眠ってかえってすっきりしたくらいです。だから余計に切なかったんです。もしかしたらあれは、睡眠薬なんかじゃなくて、ただのビタミン剤だったのかもしれません。いずれにしてもわたしは、どこにもたどり着けなかったんです。海に捨てられた雪と同じです」

どんどん夜は更けてゆき、じょうごを持つ手が冷たくなってきた。燃料が少なくなったのか、ストーブの炎が弱々しく揺れていた。

「そうだ。雪の降る音をスピーカーで聞かせてあげましょうか」

わたしは立ち上がり、窓を開けた。思ったほど寒くはなかった。ただ頬がひりひりするだけだった。管が短くて窓のところまでは届かなかったけれど、外の空気が彼の所へ流れ込むように、じょうごをいっぱいに引っ張って雪の方に向けた。窓を開けた時、空気の流れが変わって一瞬雪は渦を巻いたが、すぐにまた上から下へと落ちていった。

「どうですか?」

わたしは尋ねた。部屋へ迷い込んできた雪が髪にかかった。

「ああ、感じるよ。雪の音を感じる」

そうつぶやく彼の声が、夜の中へしみ出していった。

14

おじいさんが釈放されたのは、それから三日後のことだった。夕方、いつものように散歩の途中でフェリーの様子を見に行くと、おじいさんは寝室として使っている一等船室のソファーに横になっていた。

「いつ戻ってきたの？」

わたしはすぐにソファーにかけ寄り、ひざまずいて毛布の端を握った。

「今朝でございます」

おじいさんの声は元気がなく、かすれていた。髭が伸び、唇がかさつき、顔色も悪かった。

「よかったわ。無事で本当によかった」

わたしはおじいさんの頬と髪の毛を何度も撫でた。

「ご心配をおかけして申し訳ございませんでした」

「そんなことより、身体は大丈夫？　かなり弱っているみたいだけど。どこか、怪我はない？　病院へ行った方がいいんじゃないかしら」

「いいえ。大丈夫でございますよ。怪我なんかしておりません。ちょっと疲れて、休んでいただけなんです」

「本当に平気？　そうだ、お腹がすいてるんじゃない？　何か元気が出るものを作りましょうね。ちょっと待ってて」

わたしは毛布の上からおじいさんの胸を軽く叩いた。

留守にしている間に、冷蔵庫の中のものはどれも新鮮さを失いかけていたが、そんなことに構っている場合ではないので、とにかく有り合わせの野菜でスープを作り、お茶を用意した。そしておじいさんの身体を起こし、ナプキンを掛け、スプーンで食べさせてあげた。

「それにしても、いったい秘密警察で何をされたの？」

スープを三口ほど飲み込み、少し落ち着いたのを見計《みはか》らってからわたしは尋ねた。

「ご安心下さい。奴ら、隠し部屋のことについては何にも気づいちゃいません。今回のことでそれははっきりしました。奴らが今むきになって調べているのは、ある密航事件についてなんです」

「密航事件？」

「はい、先月の末、あるグループが灯台の岬の崖下から、船で島を脱出したらしいんです。記憶狩りから逃れるために」

「でも、どうしてそんなことができたのかしら。だって、島に残っている船はどれももう、動かせるような代物《しろもの》じゃないはずだわ。消滅から何年も経つんですもの。おじいさんのフェリーだってそうでしょ？　それにだいいち、動かし方を憶えている人だっていないはずよ」

「いいえ。記憶狩りに追われている人たちは、忘れてはおりません。船のエンジンがうなる音や、ガソリンの匂いや、海を滑る時の波の形をね」

おじいさんはナプキンで口元を押さえ、一つ咳をしてから続けた。

「そのグループの中に、造船の技師か航海士か、とにかく船に関係のあった人が含まれていたんでしょう。それでこの突拍子もない、密航という方法が実行されたんだと思います。今まではみんな隠れることばかり考えていましたが、まさか海を渡って逃げるだなんてこと、想像もできませんでした。秘密警察も相当あわてた様子でした」

「おじいさんも何か手助けしたんじゃないかって、疑われたのね？」

「そうなんでございます。船の技術を持っていた者は残らず連行されたようです。こまごまと、くどくどと、調べられました。知らない人の写真を何枚も見せられ、指紋を取られ、過去数ヵ月にわたる行動について聞かれ、身体検査をされ……まあよくもこれだけ調べる事柄を見つけられるなあ、と感心したくらいです。あっ、もちろん隠し部屋に関係するようなことは何一つ喋ってはおりません。奴らも船のことで頭が一杯でしたから、そこまで疑う余裕はなかったでしょう」

わたしはスープをかきまぜ、人参の薄切りとパセリをすくった。おじいさんはわたしがスプーンを口元に運ぶたび、申し分けなさそうに頭を下げながらスープを飲み込んだ。

「でもひどいわ。何の関係もない人を、こんなにやつれるまで取り調べるなんて」

「なんの、なんの。少々くたびれただけでございます。私はその密航事件に関して、疑われるような点を一つも隠してはおりませんでしたから、何を聞かれても苦痛ではございませんでした。ただ奴らの執拗で非情なやり方にくたばらないよう、毅然《きぜん》としておればよかったんです」

「それにしても、どうやって秘密警察の目を盗んで船を調達したのかしら」

「はい。詳しいことは分りませんが、どうも造船所に残っていた船を、ひそかに整備したらしいですな。もちろん満足な部品や道具がそろっていたわけではないでしょう。船が消滅した時、すべてのエンジンは抜き取られ、分解され、海に放棄されたんです。まあ、いろいろな代用品で工夫したんでしょうな。そういう技術的な問題についても秘密警察で聞かれましたが、もちろん答えようがありません。船の記憶なんて、これっぽっちも残ってはいないんですから」

「そう、そうだったの……」

わたしはポットからカップにお茶を注ぎ、おじいさんに手渡した。窓の外にはいつものように海が見えた。風はそれほど強くなかったが、うねりは高かった。海藻の切れ端が波の間を漂っていた。水平線の向こうから夕闇が迫ろうとしていた。おじいさんは両手でカップを包み、しばらく中身を見つめたあと、一息に飲み干した。

「でも、怖かったでしょうね。夜の海に漕《こ》ぎ出してゆくなんて」

わたしは言った。

「はい、そう思います。船と言っても、有り合わせの材料で組み立てた頼りないものだったでしょうから」

「何人くらいの人が船に乗ったのかしら」

「さあ、それは分りません。しかしたぶん、定員はオーバーしていたんじゃないでしょうか。逃げ道を探している人は、一艘の船に乗り切れないくらいたくさんいるはずです」

わたしはもう一度窓の向こうに目をやり、海面に漂う一艘の船を思い浮かべてみた。それは昔漁師さんが使っていたのだろう木製の小さな船で、申し訳程度に貧相な屋根がついている。ペンキはほとんどはがれ落ち、藻と貝殻に覆われ、エンジンの音は弱々しく、とにかくあちこちが傷んでがたがきている。そしてその中で、人々はぴったりと身体を寄せ合っている。

もちろん灯台の明かりはなく、海を照らすのは月だけなので、人々の表情までは分らない。もしかしたらその夜は雪で、月さえも出ていなかったかもしれない。人々はただ暗い影の固まりとなって、船を埋め尽くしている。どんな小さな隙間も見つけることができない。少しでもどこかバランスが崩れたら、とうもろこしの実が弾けるように、みんなパラパラと海に転落してしまうのではないかと、心配になるくらいだ。

船は重すぎて、とてもスピードを出すことはできない。それにエンジンを全開にして音が大きくなると、秘密警察に見つかるかもしれない。それが一番怖いことだ。だから怯《おび》えるようにゆっくりと、水平線に向かって進んでゆく。みんな片手で船のどこかをしっかりとつかみ、もう片方の手は自分の胸に当てて、船がこのまま何事もなく岬を離れていってくれることを祈り続けている。……

わたしはまばたきした。海の上には相変わらず海藻が揺れているだけだった。動いている船をわたしはもう何年も見たことがなかった。船にまつわる記憶はあの消滅の日、一瞬のうちに凍結され、心の奥の底無し沼に吸い込まれたままだった。だから、海を渡っていった人たちのことを想像するのは、胸苦しい作業だった。

「そして結局、彼らは成功したのかしら」

わたしは言った。

「どうにか、島を離れていったことだけは確かです。でも、冬の海は荒れます。どこかで誰にも看取られず、沈没している可能性だってあるでしょう」

おじいさんはカップをサイドテーブルに置き、ナプキンで口元を押さえた。

「でもいったい、彼らはどこへ行こうとしたの？　水平線の向こうには何にも見えないのに」

わたしは海を指差した。

「分りません。消えない心がそのまま生き延びることのできる場所が、どこかにあるのかもしれません。けれど誰も、そこに行ったことはないのでございます」

おじいさんは毛布の上で、ナプキンを小さく折り畳んだ。

おじいさんが帰ってきたことの他にもう一つ、喜ばしい出来事があった。R氏の初めての赤ちゃんが、無事に生まれたのだ。二九四七グラムの男の子だ。

おじいさんの身体がまだ本調子ではないので、その日百葉箱にはわたしが出向いた。雪が深くて自転車が使えず、ハイヤーを頼むお金もないので、丘の北までは歩いて行くしかなかった。

島の北のはずれにある四つ角を折れると、正面に精錬所が見えてきて、あとはずっと一本道だった。シャッターが閉まったままの食堂や、平屋の社宅の群れや、ガソリンスタンドや、荒れた畑の向こうに、鉄の塔がそびえていた。言われていたとおりそれは、衰弱死した鉄のミイラだった。

人通りの少ない、雪かきのされていない道を歩くのは骨が折れた。何度も足を取られてしりもちをついた。時折、頭をすっぽりマフラーで覆ったおばあさんと、バタバタ頼りない音を立てるオートバイと、薄汚れた猫にすれ違った。

ようやく小学校にたどり着いた時は、もうお昼をずいぶんと回っていた。校庭は一面の雪だった。誰の足跡もついていない、無傷の雪だった。右手には鉄棒とシーソーとバスケットボールのゴールがあった。反対側には動物の、たぶんうさぎか何かの飼育小屋が見えたが、もちろん中は空《から》だった。正面の校舎は三階建てで、同じ大きさの窓が規則正しくいくつも並んでいた。

風景の中で動いているものは何一つなかった。風もなく、人影もなく、ただ自分の息遣いが聞こえるだけだった。まるでそこは、不必要になった風景の吹き溜まりのようだった。

手袋をはめた両手に息を吹きかけてから、わたしは百葉箱に向かって歩きだした。それはちょうど校庭を斜めに横切った先にあった。雪があまりにもきれいに積もっているので、踏みつけるのが怖いほどだった。途中で振り返って足跡がちゃんと自分の後ろをついてきているかどうか、確かめないではいられなかった。

百葉箱の上にも帽子をかぶせたように丸く雪が積もっていた。おじいさんに教えてもらったとおり、扉を心持ち押し上げるようにして引っ張ると、それはギシギシ音を立てながら開いた。中は薄暗く、蜘蛛の巣が張っていた。温度計と湿度計の後ろ側に品物が見えた。下着や文庫本やお菓子の箱が、両手におさまるくらいの大きさに荷紐でこぢんまりとまとめられ、その一番上に赤ちゃんの絵がはさんであった。

誰が描いたものなのだろう。わたしはそれを手に取ってみた。葉書大のしっかりした紙に色鉛筆で、目を閉じた赤ちゃんの顔が描かれていた。髪の毛は茶色がかって柔らかく、耳は整った形で、目元はくっきりひきしまり、水色のレース編みのケープをはおっていた。決して上手ではなかったけれど、髪の毛の一本一本、レース模様の一目一目に丁寧さが感じられる絵だった。

『十二日の午前四時四十六分に生まれました。お産婆さんに、産院始まって以来の安産だと言われました。赤ちゃんも元気です。生まれてすぐ、わたしのお腹の上でおしっこをしました。青とピンク、二種類用意していたボタンのうち青色を、今日ベビー服に全部縫いつけました。わたしたちのことは心配しないで下さい。いつかあなたにだっこしてもらえる日が来るのを、信じて待っています。どうぞお元気で』

裏は奥様からの手紙になっていた。わたしはそれを三回繰り返して読んでから、元通り紐の間にはさみ、百葉箱を閉じた。上に積もっていた雪が崩れて、足元に落ちた。

鍵が掛かっていなかったので、わたしはノックせずに隠し部屋の扉を開けた。R氏は気づかないまま熱心に机に向かっていた。昨日わたしが頼んだ仕事——うちに一組だけある銀食器を磨いてもらう仕事だ——をしている様子だった。

しばらく黙ってわたしは彼の背中を見ていた。ここに隠れてから、だんだん彼の身体が縮んでいるように思うのは錯覚だろうか。日光に当たっていないから肌は白くなっているし、食欲がわかないから体重も減っているのだろうけれど、わたしが感じるのはそういう理にかなった変化ではなく、もっと抽象的な雰囲気の変質だ。会うたび彼の輪郭はぼやけ、血液は薄まり、筋肉はしぼんでいるように感じる。

もしかしたらそれは、身体が隠し部屋に順応している証拠かもしれない。空気の薄い、音の伝わらない、逮捕の恐怖に包まれた、窮屈なこの部屋に身を沈めるためには、否応なく過剰なものを蒸発させなければならないのだろう。すべてを保存しておくことのできる心を持った代わりに、肉体はどんどんエネルギーを失ってゆくのだ。

わたしは昔テレビで見た、ある見世物小屋のことを思い出した。そこには売られてきた子供を閉じ込めておくための、木の箱があった。子供は一つだけ開いた穴から首を出し、両手足は不自由に折り曲げられたまま、何ヵ月も何年も過ごさなければならない。食事の時も寝る時も、箱から出してはもらえない。するといつか身体が固まって、もう手足をのばすことはできなくなる。そして奇形した昆虫のようなその姿を、お客さんの前にさらすのだ。

R氏の背中を見つめていると、なぜか見世物小屋の少女の、ぎすぎすした手足や瘤《こぶ》のように固くなった関節や浮き出た肋骨や埃《ほこり》にまみれた髪の毛やうつむいたままの目元を、思い浮かべてしまう。

彼はまだわたしに気づかず銀食器を磨き続けていた。背中を丸め、祈るような格好で、時間をかけてフォークの隅々を撫で回していた。柄に彫られた模様のくぼみの一つ一つ、先のすきまの一つ一つに布を滑り込ませていた。机の上からはみ出したシュガーポットやケーキサーバーやフィンガーボウルやスープスプーンは、新聞紙を敷いた床に並べられていた。

その食器は母が嫁入り道具に持ってきたもので、昔は特別なお客さんがいらした時に使っていたが、もう長い間食器戸棚の一番奥にしまったままになっていた。どんなにR氏が丁寧に磨き上げてくれたところで、たぶんそれを使うことはないだろう。お客さんを招待してパーティーを開くようなことはもうないし、高価な食器に見合うだけの料理を作ってくれるばあやさんもいない。

隠し部屋の中ででき、疲労するほどではなく、でもひととき退屈を忘れさせてくれるような種類の仕事を見つけるのは、案外難しかった。役に立つかどうかはあまり問題ではなかった。食器磨きはわたしの考えついたうちで、最も彼に適切な仕事だった。

「秘密警察に踏み込まれてもまだ、フォークを磨き続けるつもりですか？」

わたしは声を掛けた。R氏は驚いて振り返り、左手に握ったフォークを宙に突き立てたまま、ああ、と声を漏らした。

「ごめんなさい、黙って扉を開けたりして」

「いや、いいんだ。でも全然気づかなかったなあ」

「あまりにも熱中していらしたから、ついつい声を掛けそびれてしまったんです」

「そんなに、熱中しているつもりじゃなかったんだが……」

彼ははにかんだように眼鏡の縁に手をやり、フォークを磨き布の上に置いた。

「ちょっと、お邪魔してもいいかしら」

「もちろんだよ。さあ降りてきて、ここへ坐って」

床に並んだ食器を爪先立ちでまたぎながら、わたしはベッドに腰掛けた。

「かなり高価なものだね。今じゃあとても手に入らない品だよ」

彼は椅子をくるりと半回転させ、わたしの方に向き直った。

「さあどうかしら。母の宝物であったことだけは確かだけど」

「磨きがいがあるよ。丁寧にやればやるだけ、その報いが現われるんだ」

「どんな報い？」

「覆いかぶさっていた古い時間の膜が少しずつはがれていって、輝きが戻ってくるんだ。しかもそれは突き抜けてくるきらびやかな輝きじゃなく、もっと慎ましくておとなしくて淋しげな光だ。両手にのせていると、まるで光そのものをつかんでいるような気になってくる。何かそれが僕に物語っているような気になってくる。そしてそれを愛撫したくなるんだ」

「銀の光にそんな作用があるなんて、考えてみたこともなかった」

わたしは机の上でくしゃくしゃに丸まっている、紺色の磨き布に目をやった。彼は疲れた手を癒すように、指を開いたり閉じたりした。

「昔、大金持ちのお屋敷では銀食器を磨くためだけの召使が何人も雇われていた、っていう話を聞いたことがあるわ」

わたしは言った。

「中庭に面した石造りの倉で、ひたすら食器を磨き続けるの。仕事はただそれだけ。他には何にもない。真ん中に細長い机があって、その両側にずらっと召使たちが腰掛けているの。それぞれの前には、その日一日分のノルマが積み重ねられているわ。唾が飛んだり、息が吹きかかったりして食器が汚れちゃいけないから、お喋りは固く禁じられているの。だからみんな黙々と作業をするのよ。倉の中はひんやりして、昼間でもお日さまは差し込んでこない。ランプが一つ揺れてるだけ。必要最小限の明かりの下じゃないと、食器がちゃんと磨けたかどうか、点検できないからなの。もう少し上の階級の召使が――厨房の備品責任者みたいな人よ――手抜きがないかどうか厳密にチェックするの。一個一個、ランプの下で、石の壁にかざして、向きをいろいろに変えてゆくの。ほんの少しでも曇りが見つかったら、もちろんやり直しよ。そのうえ次の日のノルマが二倍になるの。そうなったら一晩中磨き続けなくちゃならないわ。だから召使たちは点検の間じっとうつむいて、びくびくしているのよ。……あんまり気のきいたお話じゃないわね。ごめんなさい」

わたしは少し、一人で勝手に喋り過ぎたような気がした。

「そんなことないさ」

彼は言った。

「でも、退屈でしょ？」

「いいや」

彼は首を横に振った。

間近で見ると余計に、彼の発するもろく壊れやすい雰囲気を、身近に感じ取ることができた。外の世界で会っていた頃、彼はもっとバランスが取れていた。身体の各部分がそれぞれの役割をきちんと果たしているという、統一感があった。すきがなかった。でも今は、わたしが人差し指で鎖骨の先端をちょっとつつくだけで、糸の切れた操り人形のようにバラバラと崩れてしまいそうな気がした。

「召使の話で一番驚いたのはね」

わたしは続けた。

「長くその仕事を続けていると、だんだん声が出なくなってくるっていうことなの。朝七時から夜七時まで、石の倉にこもってじっと布を動かしていると、いつのまにか本当に口がきけなくなってしまうんですって。食器の曇りを心配しなくてもいい、倉の外に出た時でさえ、もう自分の声を思い出すことはできないの。でも召使たちはみんな貧しいし、教育も受けていないし、他に働き口もないから、そこで食器を磨き続けるしかないの。お金をもらえるなら、声なんて惜しくないと思っているのよ。一人、また一人と声を失って、ますます倉の中は静かになってゆくばかりよ。ただ布と銀のこすれる音が微かに漂うだけ。でもどうしてそんなことになったのかしら。銀の光には声を吸い取ってしまう力があるのかしら」

わたしは足元から大型のデザート皿を取り上げ膝に置いた。それは母がいつもパーティーの時、チョコレートを並べていた皿だった。けれどわたしは食べさせてもらえなかった。子供がチョコレートを食べると胸に虫がわきますよと、ばあやさんに脅されていたのだ。縁のところには凝《こ》ったぶどうの模様が彫りこまれていた。まだR氏の愛撫の順番を待っている途中らしく、房と蔓のすきまには埃がたまっていた。

「もしかしたらそういうことが、あるのかもしれないね」

しばらく間を開けてから彼は言った。

枕元にはじょうごのスピーカーが転がっていた。ベッドカバーは洗濯したばかりで糊がよくきいていた。壁のカレンダーは、過ぎた日にちが×印で消されていた。最初は殺風景だった棚の上は、ここへ来るたびに少しずつ品物が増えているようだった。

「これは別に急がない仕事だから、もっとのんびりやってもらって構わないの」

部屋を一通り見回してから、わたしは言った。

「うん。分ってるよ」

「あなたの声まで吸い取られちゃったら困るもの」

「大丈夫だよ。僕は何も失わない人間なんだから」

「そうね。そうだったわね」

わたしたちは顔を見合わせて、小さく笑った。

部屋を出る時、百葉箱に入っていた物を彼に渡した。彼は黙って赤ちゃんの絵を見ていた。何か声をかけてあげた方がいいとは思ったのだけれど、ふさわしい言葉が思いつかなかった。何を言っても無神経な言葉になってしまいそうな気がして、仕方なくわたしも黙っていた。

彼はそれほど感傷的になってはいなかった。小説の原稿を読むように、銀食器の光を撫でるように、静かに視線を落としているだけだった。

「おめでとうございます」

いつまでも彼が黙ったままなので、たまらずにわたしは口を開いた。

「写真はもう、消滅してしまったんだね」

彼はつぶやいた。

「しゃしん？」

わたしはすぐにはその意味が分らなかった。胸の中で何度もその言葉を繰り返すうちようやく、人の姿をそのままの形でつるつるの紙に写し取った、しゃしんというものが存在していたことを、ぼんやり思い出すことができた。

「ええ、そうね。そう言えば消えてしまったわね」

彼は絵を裏返し、手紙を読み始めた。

「でも、とてもかわいらしい赤ちゃんだわ」

手紙を読み終えた頃を見計らってわたしは言った。

「写真は全部消えてしまったけど、写真立てなら一つくらいどこかに残っているかもしれない。探して持ってくるわ」

わたしは梯子に足を掛けた。

「ありがとう」

うつむいたまま彼は言った。

15

困ったことがおきました。ある朝突然、わたしのタイプライターが壊れてしまったのです。

いくらキーを叩いても活字のレバーが持ち上がりません。痙攣したバッタの足のように、小さく震えるだけです。AからZまで、1から0まで、コンマもピリオドもクエスチョンマークも、すべてのレバーが言うことをきかないのです。

昨日の夜、最後に彼に、OYASUMINASAI、とタイプした時までは、どこもおかしいところはありませんでした。落としたりぶつけたりしたわけでもありません。なのに朝目が覚めたら、一字も印字できないなんて、そんなことがあるのでしょうか。もちろんこれまでにちょっとした修理を受けたことはありますが——活字の歪《ゆが》みを調節したり、ローラーの滑りをよくしたり――精密で丈夫なタイプライターだったのです。

それでも何かの拍子に直るのではないかと思い、わたしは機械を膝の上にのせ、一つ一つのキーを力まかせに叩いてゆきました。彼はかたわらにひざまずき、その様子をのぞき込んでいました。……A、S、D、F、G、H、J、K、Lのところまできた時、彼はわたしの肩に腕を回しました。

「そんな無茶をしたら、よけい壊れてしまうよ。僕に貸してごらん」

彼は両手で機械を持ち上げ、カバーを開き、慎重にいくつかの部品を引っ張ったり回したりしていました。

『どんな具合い？』

と尋ねようとしましたが、もちろん声は出ませんし、キーを打つこともできません。ただ習慣で指だけが、宙を叩いてしまうだけです。

「これは少し、厄介なことになったようだな。本格的な修理が必要だよ」

彼は言いました。

『どうしたらいいの？』

わたしは彼を見上げました。

「タイプ教室の上の時計室へ行こう。あそこは教会にお願いして、倉庫兼修理室として使わせてもらっているんだ。そこなら道具もそろっているし、もし修理できなかったら別のタイプライターを持ってくることもできる。教会にはいくらでも余ったタイプライターがあるんだ。だから心配はいらないよ」

教室の上の階がそんなふうに使われているなんて知りませんでした。そこが時計の機械室で、午前十一時と午後五時の二回、鐘を鳴らしているところだというのは知っていましたが、足を踏み入れたことはなかったのです。

本当のことを言うと、わたしは子供の頃から鐘の音が怖くて仕方ありませんでした。だから塔のてっぺんへ昇ってみようなどと思ったこともなかったのです。

鐘の音はあまりにも大きく、重々しく、余韻がいつまでも消えず、死にかけた人間のうめきのようです。それは町の隅々に響きわたります。教室でタイプの練習をしている時でも、市場で野菜を選んでいる時でも、家のベッドで彼と抱き合っている時でも、鐘が鳴り始めると不意に身体が硬くなり、心臓がどきどきして胸苦しくなります。

あんな音を出すくらいだから、時計塔のてっぺんには大きな歯車や太い鎖や重い鉛の固まりが詰まっていて、針が一目盛り動くたびにそれらが複雑に絡み合っているのだろう。そして十一時と五時にはいっぱいに巻き上げられた鎖の力が最高潮にたまって、鐘つき棒を引っ張るのだ。下手に入り込んだりしたら、歯車に身体を挟まれ、鎖に首を絞められ、鉛に押しつぶされるに違いない……などという子供じみた想像をしてしまいます。それくらい怖い音なのです。

械械室の扉には鍵が掛かっていました。彼は上着の内ポケットから鍵束を取り出し、迷わず一本をつまんで扉を開けました。内ポケットにいつもしまっているストップウォッチが、ちらっと見えました。

中の様子はわたしが想像していたのとは少し違いました。確かに時計盤の後ろには、歯車や滑車やねじ巻きのような機械が備わり、それらが絡み合いながら動いていましたが、部屋の広さからすればそのスペースはごく一部でした。もっと圧倒的に部屋を占めていたのは、タイプライターの山でした。

わたしはしばらく戸口にたたずんだまま、部屋を隅から隅まで見渡しました。ここにこんなたくさんのタイプライターが隠れているなんて思いもしなかったので、まごついてしまったのです。

「さあ、中へお入り」

彼は手を取り、わたしを優しく招き入れました。背中で扉が音をたてて閉まりました。

天井は低く、塔の先端のガラス以外窓はなく、寒々として埃っぽい部屋でした。床を踏みしめるたび木と木の継目がきしみ、所々頭を出した釘にヒールが引っ掛かりました。天井からぶら下った電球は部屋全体を照らすには弱すぎ、風もないのに微かに揺れていました。

わたしはまず時計に近づいてみました。それは下から見上げていたよりも、ずっと巨大でした。機械類と文字盤の間にすきまがあって、そこから矢印形の針に触れることができました。矢印の出っ張りに足を掛け寝転がったとしても、びくともしないくらいの針です。凝った模様にデザインされたローマ数字も目の前にありました。〝Ⅻ〟一つでわたしの頭の五つぶんはあったでしょう。

下をのぞくと教会の庭が小さく見えました。地面はめまいがするくらい、はるかかなたでした。途切れることなく機械がギシギシ音を立て、油の匂いが漂っていました。

その真上に鐘が取り付けられていました。仕組みはよく分りませんが、決まった時間に自動的に鳴るよう、時計とうまい具合いに連結されていました。昔はたぶん金色に光っていたのでしょうけれど、今ではすっかりねずみ色にくすんでいました。けれどさすがにあれだけの音を出すだけのことはあって、どっしりと分厚く、威厳がありました。吊した天井が重さに耐えかねて崩れ落ちてくるのではないかと、心配になるくらいでした。

「さあ、ここに来て坐って」

彼は中央にあるテーブルと椅子を指差しました。それはこの部屋にある唯一の家具で、古くさく質素なものでした。でも埃はきれいに拭き取られているようでした。

「気に入ったかい？」

そう言いながら彼は、積み上げられたタイプライターの山の上に、わたしの壊れた機械を無造作に置きました。山の形が少し崩れ、耳障りな音がしました。

気に入るも気に入らないも、ここへ来たのはタイプライターを修理するためなのに、どうしてそんなことを聞くのだろうと思いながら、わたしは腰掛けました。

彼は上機嫌でした。微笑みをたやさず、優しさにあふれ、いつになく気分が高まっている様子でした。

「どう？」

彼はわたしから部屋の感想をどうしても聞き出したいようでした。しかしわたしは彼を見つめ、微笑んでうなずくしかありません。

「絶対、気に入ってもらえると思っていたんだ」

彼は満足そうでした。

タイプライターがないと、どうも落ち着きません。手元のあたりがアンバランスなのです。初めて声を失ったと悟った時の心細さより、タイプライターを取り上げられた今の心細さの方が、わたしを不安にしました。

『どうして彼は、早く修理に取りかかってくれないのかしら』

わたしはそう胸の中でつぶやきました。でもそれを伝える手段がありません。どこかに筆記用具と紙がないかと見回してみましたが、どこにも見当りません。やはり家から持って来るべきだったと後悔しました。家を出る時彼が、

「すぐ修理できるから、そんなものはいらないよ」

と言ってわたしのポケットの中のボールペンとメモ用紙を引き抜いてしまったのです。

わたしは彼の肩をつつき、後ろに置き去りにされたままの自分のタイプライターを指差しました。しかし彼は振り向こうともせず、内ポケットからストップウォッチを取り出し、ベルベットの布で磨き始めました。言いたいことが伝わらなかったのか、

それとも、すぐ修理できるのだから焦るなということなのか、分りませんでした。

下の方で誰かの話し声がしました。子供の笑い声も聞こえます。教会に人が集まっているようです。合唱の練習かバザーでもあるのでしょうか。教会は同じ敷地のすぐ隣だというのに、どこか手の届かない遠くの町のざわめきのように聞こえます。

いくら待っても、彼はストップウォッチを磨く手を止めようとしません。そんな小さなものに、よくそれだけの時間が掛けられるものだと、わたしは不思議に思いました。彼の指はボタンの溝一つ一つ、鎖の継目一つ一つ、裏に彫られたマーク一つ一つ、すべてを見逃しませんでした。

「今日は中級クラスのテストがあるから、念入りに磨き上げておかなくちゃならないんだ。そういえば君は最初の頃、このスピードテストが苦手だったね。いつもひどい原稿を打ってた」

うつむいたまま彼は言いました。顔をこちらへ向けてくれなければ、首を振っても、指を差しても、唇を噛んでも、微笑んでも仕方ありませんから、わたしは無表情のままでいました。

わたしは改めて部屋を見回してみました。時計の機械類でふさがれていないところの壁はほとんどすべて、タイプライターがわたしの背丈くらいに積み上げられていました。いったい何台あるのでしょう。見当もつきません。これほどたくさんのタイプライターを一度に見たのは生まれて初めてです。

いろいろな型のものがあります。がっしりとして重そうなもの、おもちゃのように華奢なもの、キーが四角いものの楕円のもの、木の台がついているもの、高級そうなもの、粗末なもの……。それらが好き勝手な方向を向きながら、すきまなくぴったり重なり合っていました。わたしの機械は彼がさっき置いたままの状態でじっとしていました。山の下の方にあるのは、押しつぶされてレバーやカバーが変形していました。形は無事でも、ほとんどは錆つき埃をかぶっていました。

これらはみんな修理を待っているのだろうか。それにしては数が多すぎる。役に立たないのは捨ててしまえばいいのに。と思いながらわたしは立ち上がり、山に近づきました。その時ふと、あることを思いつきました。なぜそんな簡単なことに今まで気づかなかったのだろう。どうかしている。あまりにたくさんのタイプライターを一度に見せられて、ぼーっとしてしまったんだわ。そうよ、この中の一台を使えばいいんだ。より取りみどりじゃないの。そうすればいつものように彼と話せるわ。

わたしはできるだけ新しく傷のない一台を選びました。でもそれはいくら強く押してもキーが動きませんでした。その隣にあるのは、インクリボンがくしゃくしゃに絡みついていました。次に手に取ったのは、活字の半分がつぶれていました。もう一台はローラーがはずれていました。その次は……。何台試しても同じでした。どれもこれも、使いものになりませんでした。それでもあきらめきれずに、わたしは山の中からどうにかしてまともなのを引っ張り出そうとしました。けれど少しでも無理をすると、ガラガラと音を立てて山が崩れそうになりました。

「いくらやっても無駄だよ」

彼が言いました。相変わらずストップウォッチを見つめたままです。

「ここにあるのは一台残らず、一字だって打てないよ」

その時わたしはもう一つの簡単なことに気づきました。ここには紙がないのです。タイプ用紙はもちろん、メモの一枚さえないのです。やっきになって壊れていないタイプライターを探したところで、どうにもならないのです。

言葉を吐き出す方法が何もないと分ると、だんだんそれらの言葉が増殖し合いながら胸をふさいでくるようで、息苦しくなってきました。

『早く直して』

無意識のうちに指が、HAYAKU NAOSHITE、と動いていました。けれど叩くべきキーもなく、指は頼りなげに宙を泳ぐばかりです。我慢できずにわたしは、自分の機械をもう一度彼の前に持っていきました。

『どうして直してくれないの。どこが悪いの。あなたに言葉を伝えられないと、不安でたまらないの』

わたしは彼の肩をつかみ、精一杯の表情で気持を伝えようとしました。

彼は手をとめ一つ長い息を吐いてから、ストップウォッチをベルベットで包み、テーブルに置きました。

「もう二度と、君の声は戻ってこないよ」

彼がどうしてそんなことを言うのか、わたしには分りませんでした。今問題なのは声ではなくタイプライターなのです。

『これはもう直らないの？』

わたしはでたらめにキーを叩きました。相変わらず活字のレバーは一ミリも持ち上がりません。

「君の声はこのタイプライターに全部封じ込められたんだ。これは壊れたんじゃない。役目を終えて封印されただけだ」

フウイン、フウイン、フウイン……。その言葉の響きだけがいつまでもわたしの中で渦巻いていました。

「見てごらん。見事な眺めだと思わないかい。ここに積み上げられたもの全部が声なんだ。もう二度と空気を震わせることもできず、ただじっとうずくまって、痩せ衰えてゆくのを待つばかりの声の山だよ。そして今日、君の声が仲間入りしたんだ」

彼は片手でタイプライターを持ち上げ、もう一度さっきと同じ場所へ放り投げました。固いものと固いものがぶつかり合う、鈍い音がしました。わたしの声の逃げ道が、分厚い扉で閉ざされた音のように聞こえました。

『なぜ？　なぜそんなことをするの？』

わたしは唇だけを動かしました。

「ばかだなあ。もう喋る努力なんてしなくていいんだよ」

彼は左手でわたしの唇をふさぎました。ひんやりした手のひらでした。わずかに金属のにおいがしたように思いました。ストップウォッチのにおいだったのでしょうか。

「自分が声を持っていたなんてことは、忘れてしまうんだ。もちろん最初のうちは慣れないから戸惑うかもしれない。さっきみたいに唇をぱくぱくさせたり、タイプライターに頼ろうとしたり、メモ用紙を探したり。でもすぐに、そんな行為がいかに空《むな》しいものであるか理解できるようになるよ。君は喋る必要なんてないんだ。言葉を発する必要なんてないんだよ。大丈夫。心配はいらないさ。これでようやく君は、僕だけのものになったんだからね」

彼は唇をふさいでいた指を頬にはわせ、あごに滑らせ、そのまま真っすぐ喉に下ろしました。そして喉のくぼみの一つ一つを時間をかけて撫でました。まるで声が本当に失われたかどうか、確かめているかのようでした。

わたしは思い切り大きな声で叫びたい気持でした。彼を振り払い、ここから逃げ出したい気持でした。でも実際は、ただじっと身体を固くしているだけでした。彼の指の感触が針金のようにわたしをぐるぐる巻きにしていたからです。

「どうして僕がタイプの教師になったか、分るかい?」

喉に触れたまま彼が言いました。

『そんなこと分らない。わたしには何にも分らない』

わたしは何度も首を横に振りました。けれど彼の手は喉から離れませんでした。

「教室では君たちの指は僕の教えた通りに動く。Tは左手の人差し指を右斜め上に、Iは右手の中指を真上に、Qは左手の小指を左斜め上に、ピリオドは右手の薬指を右斜め下に……。すべての動きに決まりがある。生徒たちはその規則を一生懸命覚えようとする。好き勝手に動くことは許されない。自分の都合に合わせて規則をアレンジしたり、新しい考えを取り入れたりすることはできない。僕の前に坐っている女性の誰もが、僕の指示した通りの順番と方向に指を動かすしかないんだ。もし一ヵ所でも指示を守らなかったら、僕は好きなやり方で彼女を罰することができる。間違えたその一字だけを千回打たせることも、悪い例題として教室に張り出し恥をかかせることもできる。僕の自由だ。僕の前で君たちの指は無力なんだ」

『何を言ってるの？　わたしはただあなたに、タイプを教わっただけよ。それだけのことじゃないの』

「タイプを打つのに声は不必要だ」

彼は喉に当てた手に力を込めました。指先が皮膚に食い込んできました。まだ残っているかもしれない声のかけらを、絞り出すつもりなのでしょうか。

「教室ではみんな無口だ。キーを叩く間お喋りする生徒なんていない。指だけに神経を集中させていればいいんだ。指には規則があるけど、声にはない。それが最も僕の心を乱す点だ。タイプの音だけが響く中、少しでも正確に一字でも多く僕の命令に従おうと、指がけなげに動き続けている……。すばらしい風景だとは思わないかい？　ところが、授業の終わりがくる。指がキーから離れる。するともう君は好き勝手なことを喋り始める。帰りにケーキでも食べたい気分ね。おいしいお店を見つけたの。そうだ、今度の土曜日、暇かしら。久しぶりに映画でもどう？　……うんざりだ。さっきまで従順だった指はまとまりを失い、バッグのファスナーを閉めたり、髪飾りを直したり、僕の腕に絡みついたりするんだ」

『そんなこと当たり前よ。わたしは自分の喋りたいことを喋るし、動かしたいように指を動かすわ。あなたが命令できるのは、タイプ教室の中だけよ』

「君の声を消すことができてうれしいよ。知っているかい？　触角をナイフで切り落とすと、昆虫はとたんにおとなしくなるんだ。おどおどして、うずくまって、えさも取れなくなってしまう。それと同じだよ。声をなくしただけで、もう君は自分をちゃんと形づくってゆくことができなくなるんだ。でも心配しなくていいよ。君はずっとここにいるんだ。タイプライターに閉じ込められて痩せ衰えた声たちの中で暮すんだ。これからは僕が付きっきりで君を制御してあげるからね。難しいことじゃない。

タイプを覚えるのと、同じようなものさ」

ようやく彼は手を放してくれました。わたしはテーブルにうつぶし、一度大きく息を吸い込みました。喉がずきずき痛みました。

「そろそろ中級クラスの始まる時間だ。下へ降りるよ」

彼はストップウォッチを内ポケットにしまいました。

「今日のテストの原稿は医学論文なんだ。なかなかの難問だよ。楽しみだ。じゃあ、おとなしく待っているんだよ」

彼は扉を閉めました。頑丈そうな鍵の掛かる音がして、そのあと彼の足音が遠ざかってゆきました。わたしは一人きりになりました。…………

とうとう小説の中の彼女も閉じ込められてしまったわ、と思いながらわたしはその日書いた分の原稿用紙を束ね、上に文鎮を置いてから、電気スタンドのスイッチを切った。彼と彼女はもっとありふれた温かい愛情で結ばれ、声を探すために二人でタイプ工場や、岬の灯台や、病理学教室の冷凍庫や、文房具屋さんの倉庫を旅して歩くはずだったのに、いつのまにかこんなことになってしまった。しかし、書き始める前とあとで話が思いもしない方向にそれてしまうのはよくあることなので、気にせずそのまま眠った。

次の日、目が覚めてみたら、カレンダーが消滅していた。

家中のカレンダーを全部集めても三つか四つしかなかった。どれもどこかの会社の宣伝用か商店街の景品で、特別思い入れのあるものではなかった。カレンダーならR

氏も前回の写真の時のように、とやかくは言わないだろう。考えてみればこんなもの、ただの数字の連なりにしか過ぎないのだ。もちろん最初は不便なことも起きるだろうけれど、日にちを測る方法なら他にいくらでも見つかるはずだ。

わたしは庭の焼却炉でカレンダーを燃やした。それはたやすく燃えつき、あとには渦巻き状の針金が三本残った。

焼却炉の底にはたくさんの灰が積もっていた。その固まりは柔らかく、ひっかき棒でつつくとすぐに粉になってふわふわと舞い上がった。灰を見ていると、消滅なんて秘密警察が考えているほど大げさなものではないという気がしてくる。こうして火をつけてしまえば、たいていのものは消えてしまう。そして元の形が何であろうとそんなことにはお構いなく、灰になってただ風に流されてゆくだけなのだ。

まわりの家々の庭からも煙が立ち上っていた。それは低く垂れこめた雲の中に吸い込まれていった。雪は止んでいたが、相変わらず冷え込みの厳しい朝だった。子供たちは厚手のコートの上から、窮屈そうにランドセルを背負っていた。隣の犬は小屋から頭だけ出し、眠そうな目で雪に鼻を押しつけていた。前の道では近所の人たちが集まって立ち話をしていた。

「この頃、おじいさんを見かけないが、元気にしているかい？」

元帽子職人のおじさんが塀越しに声を掛けてきた。

「ええ、ちょっと体調を崩していたんですけど、もう元気になりました」

秘密警察に連行されたことを知っているのかと、びくっとしたが、そういうわけではなさそうだった。

「こう毎日寒い日が続いちゃあ、誰だって参るよなあ」

「そうですよ。そのうえ最近じゃあ、マーケットの品ぞろえが悪くなって、何を買うにも行列しなくちゃならないでしょ。雪の上に三十分も並んでたら、身体の芯まで凍えてしまいますよ」

斜め向かいのおばさんが言った。

「三日ほど前に孫が扁桃腺をはらして、プリンが食べたいって言うもんだから、あちこち探し回ったんだけど、どこにも置いてなかったよ」

役場に勤めている西隣のおじいさんが言った。

「プリンなんて今じゃあ高級品ですよ。寒さで鶏が卵を生まないの。きのう一時間並んでようやく手に入った卵が、たったの四個なんだから」

「わたしはカリフラワー一房買うのに八百屋さんを五軒回りました。しかも、しなびて茶色になったようなのしか残っていませんでした」

「肉屋のショーケースは日に日にすきまが多くなるね。前は天井が見えないくらいソーセージをぶらさげていたのに、この頃は一本か二本だ。それも十時半には売り切れてる」

みんなが順番に、食料品で苦労した話をした。

「食べるものだけじゃないよ。ストーブの燃料も心細くなってきたよ。この前うっかり夜に燃料を切らしちゃって、もう寒くて我慢できないし、おまけに膝も痛んできたから、仕方なくお隣に一晩のぶんだけ分けてもらえないかってお願いしたんだけど、にべもなく断られちゃいましたよ」

二軒先のおばあさんが言った。

「ああ、あの家なんかに頼んじゃ駄目だよ。道ですれ違っても知らんぷりだし、町内会費を集めに行っても無愛想だし、何考えているんだか分りゃあしないんだから」

うちの東隣の、犬を飼っている家のことを言っているのだ。わたしもよくは知らないが、子供のいない三十代後半の共働きの夫婦が住んでいた。

それから話題は、その夫婦の悪口に移っていった。わたしは早く家の中に戻りたかったが、きっかけがつかめないまま、塀の上に積もった雪をひっかき棒で落としながら、適当にあいづちを打っていた。悪口の気配を察したかのように、途中で犬が二、三度吠えた。

「それにしても……」

元帽子職人のおじさんが言った。

「いつになったら春が来るんだろうねえ」

みんなが同時にうなずいた。

「もしかしたら、もう来ないんじゃないだろうか」

膝の悪いおばあさんがつぶやいた。

「えっ？」

誰ともなく声が漏れた。おじさんはジャンパーのファスナーを一番上まで引き上げ、わたしはひっかき棒を握り直した。

「いつもの年なら、そろそろ季節風の向きが変わって、木の芽がふくらみだして、海の色が明るくなる頃だよ。それが今年はまだ雪がこんなに残っているんだ。どうしたってておかしいよ」

「でも、三十年に一回くらい、こういう異常気象の年だってあるんじゃないかい？」

「いや、そんな単純なことじゃないよ。だって考えてもみてごらん。カレンダーが消滅したってことは、月の終わりに一枚びりびりっと破ることができないということだ。つまりいくら待ったって、わたしたちにもう新しい月は来ない。春は来ないんだよ」

おばあさんは毛糸のサポーターの上から膝を撫でた。

「じゃあ、これからいったい、どうなるんだい？」

「春が来ないってことは、夏も来ないってこと？　畑が雪に埋まったままで、どうやって作物を育てたらいいんだろう？」

「ずっと寒いままだなんて、うんざりだなあ。今だって燃料が足りないっていうのに」

みんな口々に不安を並べ立てた。一段と冷たい風が道の向こうから吹き込んできた。泥で汚れた車が一台、のろのろと通り過ぎていった。

「大丈夫だよ。そんなの考えすぎだよ。カレンダーなんてただの紙切れじゃないか。もうちょっとの辛抱さ。大丈夫、大丈夫」

自分に言い聞かせるように、元帽子職人のおじさんは繰り返した。

「そうだよ。そうだよ」

みんなも同調した。

しかし結局、膝の悪いおばあさんの言ったとおりになった。いくら待っても春は来なかった。わたしたちはカレンダーの灰と一緒に、雪の中に閉じ込められたのだ。

16

隠し部屋でおじいさんの誕生祝いをすることになった。

「カレンダーが消えてしまって、自分の生まれた日がいつだったかなんてこと、思い出しようもないんですから、どうぞそんなお気遣いはなさらないで下さいまし」

と、おじいさんは遠慮したが、我が家で誕生祝いをするのはわたしが生まれる前からの習わしだった。日付は思い出せなくても、毎年桜がわずかに開き始める季節だったことは確かで、そろそろそういう時期が近づいてきたという予感は間違いなくするのだった。それに、味気ない隠し部屋の生活にちょっとした楽しみをもたらすのは、R氏のためにもなることだった。

わたしは一週間がかりで市場へ通い、ご馳走の材料を買いそろえた。近所の人たちが噂するとおり、どのお店でも商品の陳列棚は淋しく、あちこちに行列ができていた。少しでも贅沢なもの、質のいいもの、と思うとますます手に入りにくかった。それでも根気強く、わたしは市場の隅々を歩き回った。

八百屋さんの店先に『明日朝九時、トマト二十キロ、アスパラガス十五キロ、入荷予定』と貼り紙がしてあった。トマトとアスパラなんて、もう何ヵ月も目にしたことがなかった。それらが手に入ったら、新鮮な野菜サラダを作ることができる。わたしは次の日、二時間も前にその店へ走って行ったが、もうかなりの行列ができていた。順番が回ってくるかどうか気が気でなく、何度も先頭からの人数を数えてみた。ようやく自分の番が来た時は、段ボールの底にほんのわずか残っているだけだった。しかも、トマトは小さくて青く、アスパラガスは穂先が傷んでいた。それでも、同じ時間だけ並んで何も買えなかった人に比べれば幸運だった。

市場中の八百屋さんを全部回り、ほかに手に入ったのは、血をきれいにする青菜が一束、名前の分らないひょろひょろとした茸《きのこ》、虫食いの目立つ豆が一握り、赤と青のピーマンが三個ずつ、そして葉のしおれかけたセロリが一株だった。

けれどセロリは物乞いのおばあさんにあげてしまった。

「失礼ですけどお嬢さん、その紙袋からのぞいている葉っぱは、セロリじゃあないでしょうか。もしよかったら、分けていただけませんでしょうか」

その人は丁寧な口振りで近づいてきた。

「雪道で転んで、財布を落としてしまい、途方に暮れております。こんな大雪じゃあ、年寄は難儀いたします。このとおり、籠の中は空っぽなんでございます」

おばあさんはビニールの紐で編んだ買物籠を、わたしの目の前に差し出した。確かに何も入っていなかった。もちろん無視して通りすぎることもできたのだけれど、なぜかその買物籠の空洞がもの悲しく見えて、わたしはセロリをそこへ押し込んでしまったのだ。

次の日もその次の日も、同じおばあさんが市場の真ん中で、誰かの目の前に空の買物籠を差し出しているのを見かけた。わたしはもう一度セロリを探したが、どのお店にも売っていなかった。

いつ行っても市場は人で一杯だった。店と店の間の路地には、野菜の切れ端や魚の鱗やジュースの王冠やビニール袋の混ざり合った雪が積み上げられていた。人々は手に入れた品物を落とさないようにしっかりつかみ、何か他にもっといいものがないかと目を光らせて歩いていた。あちこちの店先で笑い声と小さないさかいが飛びかっていた。

他にもいろいろ欲しいものがあった。ケーキを焼くためのバター、ワイン、香辛料、フルーツポンチに入れる果物、お花、レースのテーブルクロス、新品のナプキン……。でもそのうちの半分も買えなかった。一番大切なプレゼントのために、お金を残しておかなければならなかったからだ。

肉と魚は楽に手に入った。店の主人が二人ともおじいさんの友人なのだ。肉屋さんは、

「一番上等の、柔らかい鳥肉を取っておいたよ」

と言って店の奥から包みを持ってきてくれた。贈り物のように紐が蝶々結びになっていた。

魚屋さんはバケツの中の活きた魚から、好きなのを一匹選ばせてくれた。わたしは長い時間迷って、背びれに斑点模様のついた四十センチくらいの大きさの魚を選んだ。

「お嬢さん目が高いね。こいつは身が引き締まっておいしいよ。これほどのが釣れる日は滅多にないんだ。運がよかったねえ」

そう言いながら魚屋さんは、暴れる魚をまな板の上にのせ、すりこ木のような棒で頭を一回ボンとなぐり、気絶させてから手際よく鱗と内臓を取った。わたしはそれを

大事に胸に抱えて帰った。

その日おじいさんは約束の時間ぴったりにやって来た。一着しか持っていない背広を着込み、ストライプのネクタイを締め、髪は整髪料できれいに撫で付けていた。

「来てくれてうれしいわ。さあ、どうぞ上がって」

おじいさんはネクタイの結び具合いが気になるのか、襟元にもそもそ手をやりながら、どうも、どうもとお辞儀をした。

隠し部屋の梯子を降りたところで、おじいさんは驚きの声を上げた。

「これはまあ、なんとすばらしい……」

「いくら狭くても、飾り立てればどうにか形になるものでしょ？　Rさんと一緒に用意したのよ」

わたしは自慢げに言った。

とにかく誕生パーティーに関係ないものは全部棚の上にしまい、その棚とベッドの間に折畳み式の細長い坐り机を運び込んだ。もうそれで、ほとんどすべてのスペースがふさがってしまった。机にはすでに料理が並び、湯気が立ち上っていた。お皿の間にはあちこちの道端で摘《つ》んできた野草が飾られていた。テーブルクロスは使い古したものだったので、できるだけたくさんお皿を並べて染みを隠すようにした。ナイフとフォーク、グラス、ナプキンは、それぞれが一番美しく見えるように並べられていた。

「さあ、坐って。おじいさんの席はこっちなの」

三人がそれぞれの位置に移動するのは大変だった。わずかなすきまに爪先を立て、料理や花にぶつからないよう、慎重に身体を動かさなければいけなかった。R氏が手を取って誘導してくれ、どうにかおじいさんとわたしはベッドの上、R氏は一つしかない椅子に腰掛けることができた。

ワインはR氏が開けた。それは傷だらけの古いガラス瓶に詰められているので、濁った石けん水のように見えた。金物屋さんが裏庭で密造している、いかがわしいワインしか手に入らなかったのだ。けれどグラスに注いでみると、天井の明かりを受け、綺麗な薄ピンク色に光ったのでほっとした。

「それじゃあ、乾杯しましょう」

ほんの少し手を持ち上げるだけで、三つのグラスは触れ合うほど近くに寄り添うことができた。

「おじいさん、お誕生日おめでとう」

わたしとR氏が声をそろえて言った。

「お二人のご無事を祈って」

おじいさんが付け加えた。

「乾杯」

わたしたちは小さくグラスを鳴らした。

三人ともこんなにうきうきするのは久しぶりだった。R氏はいつもより饒舌だったし、おじいさんはずっと目を細めていたし、わたしは一口のワインですぐに顔がほてって気持よくなった。みんなここがどういう場所なのか、忘れてしまったかのようだった。それでも時々、思わず大きな笑い声が上がったりすると、あわてて顔を見合わせ、口を手のひらで覆った。

魚を分けるだけでも大騒ぎだった。それは酒蒸しにされ、回りを青菜に彩《いろど》られ、楕円の大皿に横たわっていた。

「うまくできるかなあ。わたし不器用だから、きっとぐちゃぐちゃにしてしまうわ。代わってくれないかしら?」

「駄目だよ。メインディッシュを切り分けるのはホステスの役目なんだから」

「それにしても、立派な魚でございますねえ」

「そうでしょ？　背びれにきれいな斑点模様があったのに、火を通したら消えてしまったわ」

「この頭のてっぺんのところが少しへこんでいるね」

「魚屋さんが棒で叩いて気絶させた跡よ。ついさっきまで活きていたんだから、美味しくないはずないわ。セロリの葉っぱを香りづけに使えれば、もっと美味しくできたはずなんだけど」

「さあ、おじいさんに柔らかい背中のところの身をたくさん取ってあげて」

「ええ、分ってるわ。おじいさん、骨に気をつけてね」

「はい、ありがとうございます」

　会話は途切れることがなかった。三人の声や、食器のぶつかる音や、ワインを注ぐ音や、ベッドが軋《きし》む音は、どこにも逃げられないまま全部が混ざり合って、隠し部屋に満ちていった。

　魚のほかには、豆のスープ、生野菜のサラダ、茸のソテー、チキンピラフが並んでいた。どれも質素な料理で、量もたくさんはなかった。R氏とわたしはおじいさんのお皿が空になっていないか常に気を配り、一番美味しいところを選り分けるようにした。おじいさんは一口一口、時間をかけておがむように飲み込んだ。

料理が全部なくなると、お皿を机の下にしまい、代わりにケーキを取り出した。

「ごめんなさい。こんな小さいのしか焼けなかったの」

わたしはそれをおじいさんの前に置いた。片手にのるくらいの大きさで、表面を飾る生クリームもチョコレートも苺もない、みすぼらしいケーキだった。

「とんでもございません。これほどありがたいケーキは、ほかに世の中のどこにもございません」

そう言っておじいさんは、お皿を一回転させながらケーキを眺めた。

「ろうそくを立てよう」

R氏は用意しておいた細いろうそくをポケットから取り出し、人差し指と親指で慎重に突き立てていった。乱暴に扱うと、すぐに崩れてしまいそうだった。卵もバターも牛乳も、お料理の本に出ている分量よりずっと少ないので、弾力のないぼろぼろとしたケーキになってしまったからだ。

「電気を消すよ」

R氏はマッチで全部のろうそくに火をつけると、腕をのばし電球のスイッチを切った。あたりが暗くなると、わたしたちは無意識のうちに更に身体を寄せ合った。頬が温かくなるくらい近くに炎があった。

わたしたちの後ろには暗闇が広がっていた。三人を包み隠す布のような、柔らかい闇だった。外の世界の音も寒さも風も、何一つ伝わってこなかった。ただわたしたちの息が、炎を揺らしているだけだった。

「さあ、吹き消して」

わたしは言った。

「はい」

おじいさんはろうそくとケーキが一緒にどこかへ飛んでいってしまうのを心配しているかのように、そろそろと優しく息を吹きかけた。

「おめでとう」

「おめでとう」

わたしとR氏は拍手をした。

「これはね、ささやかなプレゼントなの。受け取ってもらえるかしら」

R氏が電球のスイッチを入れている間に、わたしはベッドカバーの下に隠しておいたプレゼントを取り出した。それは雑貨屋さんで見つけた、石けん受けとかみそり立てとパウダーが一緒になった、陶器製の髭剃りセットだった。

「まあなんと、プレゼントまで用意していただいたとは……。もったいないことでございます」

おじいさんはわたしから何かプレゼントされる時のいつもの癖で、それを神棚へ供えるように両手で捧げ持った。

「へえ、なかなかおしゃれだねえ」

R氏が言った。

「フェリーの洗面台に置いて、毎朝使ってもらえるとうれしいわ」

「もちろんです。大切に使わせていただきます。ところでお嬢さま。こちらにあるこのフワフワとしたものは、いったい何でございますか?」

おじいさんはパウダーをつけるパフをつまみ上げ、不思議そうに見つめた。

「髭剃りあとにこの粉をつけておくと、かみそりまけしないの。ほら、こうして使うの」

わたしがおじいさんのあごをパフで軽く叩くと、彼はまつげがまぶたの中に隠れるくらいきつく目をつむり、くすぐったそうに唇をくねらせた。

「これはなんとも、気持のいいものでございますなあ」

パフの感触がいつまでも消えないのか、おじいさんは何度もあごを撫でた。R氏は笑いながら、ろうそくをケーキから引き抜いた。

「僕からもプレゼントがあるんだ」

ほんの三口でケーキを食べてしまったあと、一杯ずつしかない紅茶を時間をかけてすすっている時にR氏が言った。

「まあ、なんと。あなたさまは今、大変な境遇にいらっしゃるのですから、どうぞこんな年寄りのことでお気を煩わせないで下さいまし」

おじいさんは恐縮して言った。

「いや、僕もどうにかしておじいさんに感謝の気持を伝えたいんです。もちろん、たいしたものが用意できるわけじゃないんだけど……」

彼が椅子を半回転させ机の引き出しから取り出したのは、ちょうどわたしが焼いたケーキと同じくらいの大きさの、木の箱だった。ほーっと、おじいさんは声をもらした。わたしたちは目の前に置かれたそれを、注意深く観察した。

全体にこげ茶色の塗料で色付けされ、菱形《ひしがた》を組み合わせた幾何学模様が彫刻されていた。底には猫の爪のような小さな足が四本ついていた。蝶番《ちょうつがい》で留められた蓋の真ん中にはブルーのガラス玉が一個埋め込まれており、見る角度によって光り具合いが微妙に変化した。特別目を引くデザインではなかったが、手に取って蓋を開けてみたくなるような親しみを、どことなく感じさせる箱だった。

「僕が昔から持っていたものです。ネクタイピンやカフスボタンをしまうのに使っていました。新品じゃなくて申し訳ありません。でも今では、どんな店を探したって手に入りません。そういう種類の箱なんです」

そう言いながらR氏は蓋を開けた。その瞬間、彼の両手から暖かい光が射したような錯覚をおぼえた。わたしとおじいさんは同時に顔を見合わせ、息を飲んだ。蝶番が短く軋んだあと突然に、箱の中から音楽が聞こえてきたのだ。

しかしそれを音楽と名付けていいものかどうか、わたしにはよく分からなかった。箱の内側はフエルト生地で覆われ、蓋の裏側は鏡になっていたが、それ以外何の仕掛けも見当らなかった。レコードが回っているわけでも、楽器が隠されているわけでもなかった。なのに箱の内側からメロディーが流れてくるのだった。

それは子守歌か、古い映画の挿入歌か、宗教音楽のようだった。母が時折口ずさんでいた気もするが、はっきりと思い出すことはできなかった。音色は弦楽器とも金管楽器とも違う、今まで聞いたことのない種類のものだった。素朴だけれど味わいがあり、つぶやくようでありながら、弱々しさはなかった。じっと耳を傾けているうち、消滅のたびごとにあらゆるものを飲み込んでしまう心の奥の底無し沼が、静かにかき回されているような感触がわき上がってきた。

「一体この音は、どこから聞こえているのですか？」

おじいさんが先に口を開いた。確かにそれが一番の不思議だった。

「箱が奏でているんですよ」

「でもこれは、ただじっとたたずんでいるだけの箱だわ。誰も手を触れていないし、どこも動いていない。なのにどうしてなの？　手品か何かなの？」

わたしは尋ねた。けれどR氏は黙って微笑むだけだった。

そのうちにだんだん、リズムがゆっくりになってきた。バランスが危うげになり、音が一つ一つ途切れ途切れにこぼれ落ちてくるようになった。おじいさんは心細そうに首を傾《かし》げ、鏡を覗き込んだ。とうとうメロディーの途中で、最後の音がプツンと鳴り止むと、隠し部屋には元の静けさが訪れた。

「壊れてしまったのでございましょうか」

心配げにおじいさんがつぶやいた。

「いいえ、大丈夫ですよ」

R氏は箱を引っ繰り返し、底についているねじをギリギリと三度回した。するとたんに、前よりもずっと元気よく音楽が流れだした。

「まあ……」

わたしとおじいさんはびっくりして同時に声を上げた。

「魔術のようでございますねえ。こんなすばらしいものを、本当に頂戴してよろしいのでしょうか？」

自分がさわってしまったら魔法が消えてしまうかもしれないと思ったのか、おじいさんは箱の近くにそろそろと手を近付けては、どこにも触れずにまた膝の上にもどした。そんなことを何度か繰り返していた。

「魔術だなんて大げさなものじゃありませんよ。これはオルゴールです」

R氏が言った。

「オル……」

「……ゴール？」

わたしとおじいさんはその言葉を半分ずつ発音した。

「ええ、そうです」

「とてもかわいらしい響きだわ」

「珍しい花か動物の名前のようでございますねえ」

その言葉を覚えるために、わたしたちは何度か胸の中でオルゴール、オルゴールとつぶやいてみなければならなかった。

「ぜんまい仕掛けでひとりでに音楽を奏でる装飾品です。思い出しませんか。これを見ても、何もよみがえってきませんか。たぶんこの家にも一個か二個はあったはずです。飾り棚か引き出しか鏡台の片隅にね。そして時折、気がついた時にぜんまいを巻くんです。するとひとときき、懐かしいメロディーが繰り返し流れてくるんです」

わたしはどうにかしてR氏に満足してもらえるような返事をしたいと思ったけれど、いくら気持を集中させても、目の前にあるのはただの不可思議な箱にしか見えなかった。

「つまりこれは、もう既に消滅したものなのでございますね」

おじいさんが言った。

「そうです。ずいぶん昔の話です。自分が普通の人たちと違って何も失わない人間だと気づいたのは、いつの頃だったんでしょう。よく覚えていませんが、たぶんオルゴールの消滅の頃だったと思います。僕は自分の秘密を誰にも喋りませんでした。本能的に黙っておくべきことだと感じ取っていたのです。そして消滅したものをできるだけ隠しておこうとしました。どうしても簡単にうち捨ててしまうことができなかったんです。ものに触れるその感触で、自分の心の確かさを味わっていたかったんです。僕が最初に隠したのが、このオルゴールでした。スポーツバッグの底をほどいて、中に縫い込んだんです」

　R氏は人差し指で眼鏡の縁を持ち上げた。空《から》になったケーキ皿とティーカップが箱の回りを取り囲んでいた。

「じゃあなおさら、そんな大事なものをいただくわけにはまいりません」

「いいえ。おじいさんに差し上げるとしたら、僕がこうして隠し持っているものの中から何か一つ選ぶのが、一番いいと思うんです。もちろん、おじいさんたちが僕のためにおかしてくれた危険の数々は、こんなちっぽけな品物で償えるものじゃありません。よく分っているつもりです。けれど少しでも、お二人の心が衰弱していくのを食い止める力になれたらと、僕は願っているんです。そのためにどうしたらいいのか、方法は僕にも見当がつきません。ただこうして、消滅したものを手にして、感触や重さや匂いや音を感じ取ることが、何かいい作用を及ぼすんじゃないかと思ったのです」

　R氏はもう一度箱を引っ繰り返し、ねじを巻き直した。それはまた最初からメロディーを奏で始めた。鏡におじいさんのネクタイの結び目とわたしの左耳が映っているのが見えた。

「やっぱり、わたしたちの心は衰弱しているのかしら」

わたしはR氏に視線を移した。

「衰弱という言葉が適切かどうかは分らないけれど、ある方向へ向かって変質し続けていることだけは確かだね。しかもそれは容易に逆戻りできない変質だ。僕のような立場の人間から見れば、その方向の行き止まりがどうなっているのか、とても心配だ」

R氏はティーカップの把手を右にやったり左にやったりした。おじいさんは相変わらず箱を見つめていた。

「行き止まり……ねえ」

わたしは独り言を言った。そういうことについて、自分でも考えてみたことがないわけではなかった。最後、終わり、果て、というような言葉で、心の行き先を推し量ろうと試みたことが何度かあった。でもいつもうまくいかなかった。心の底無し沼に身体を浸すと、すべての感覚が麻痺して息苦しくなってしまうので、長くその問題を考え続けることはとてもできない。おじいさんに話しても彼はただ、大丈夫でございますよ、と繰り返すばかりだ。

「それにしても、消えてなくなってしまったものを、こうして目の前にしていると、何だか妙な気分になってくるわ」

わたしは言った。

「だってこれは、本当はもう存在していないはずのものなんでしょう？　なのにわたしたちはこうして、箱の形を眺めたり、音楽を聴いたりしている。オ、ル、ゴー、ル、なんて名前を口にしたりしている。不思議だと思わない？」

「不思議なことなんかないさ。オルゴールは僕たちの前に確かに存在しているんだ。消滅の前もあとも、変わらず音楽を奏で続けている。巻いたぜんまいの長さと同じ分のメロディーを忠実に繰り返している。オルゴールの役目はずっとずっと、ただそれだけだ。変化したのはみんなの心の方なんだ」

「ええ、よく分っているわ。オルゴールが消滅したのは、オルゴールのせいなんかじゃないってことをね。でも、どうしようもないのよ。消滅したものが目の前にあると、ひどく心がざわつくの。静かな沼に突然、何かとげとげした固いものが投げ込まれたような感じなの。さざなみが立って、底の方で渦が巻いて、泥がわき上ってくるの。だからみんな仕方なく、消滅したものを燃やしたり、川へ流したり、土へ埋めたりして、できるだけ自分から遠ざけようとするのよ」

「オルゴールの音色を聴くのは、そんなに苦痛かな？」

R氏は背中を丸め、両手を膝の上で組んだ。

「いいえ。苦痛だなんてとんでもございません。ありがたく頂戴いたします」

あわてておじいさんが言った。

「そういう心のざわつきは、たぶん慣れることで治まってくると思うんだ。オルゴールの音色は心を鎮めるのにうってつけだよ。だからおじいさん、一日に一度でいいんです。フェリーの一番奥まった部屋で、誰にも気づかれないように、そっとぜんまいを巻いて下さい。そのうちにきっと、この音色を受け入れることができるようになると思うんです。お願いします」

R氏は組んだ両手の上に、額《ひたい》をのせた。

「もちろんですとも。大切にさせていただきます。洗面台の戸棚にしまいましょう。あそこなら歯磨粉の缶やら整髪料の瓶やら石けんやらが置いてありますから、一つくらいこういう箱が紛れ込んでいても怪しまれることはないでしょう。お嬢さまにいただいた髭剃りセットで朝髭を剃る時と、夜歯を磨く時に蓋を開けることにいたします。音楽を聴きながら洗面台に立つなんて、優雅ではございませんか。この歳になってまだ誕生日をお祝いしていただけるなんて、本当に私は幸せ者でございます」

おじいさんは泣いているのか笑っているのか分らない表情で、顔中を皺だらけにした。

わたしはおじいさんの背中に掌《てのひら》を当てた。

「とてもいい誕生パーティーだったわ」

「ああ。僕もこんなに楽しいパーティーは初めてだったよ。さあ、おじいさん。オルゴールを受け取って下さい」

R氏は手をのばし、箱をおじいさんの目の前に滑らせた。音色は隠し部屋の壁に弾け、三人の回りを舞っていた。おじいさんは少しでも余計な力を入れて壊してしまったら大変というふうに、両手で優しく蓋を閉めた。また蝶番がきしみ、音楽はふっと息を止めるようにしてやんだ。

その瞬間、玄関のベルがけたたましく鳴った。

17

思わずわたしはおじいさんの腕につかまり、身体を固くした。おじいさんは膝の上にオルゴールをのせたまま、もう片方の腕で肩を抱いてくれた。R氏はぴくりとも動かず、ただ宙を見つめていた。

その間ベルは、休みなく鳴り続けていた。扉をこぶしで叩く音も聞こえた。

「記憶狩りだわ」

わたしはつぶやいた。自分の声ではないみたいに震えていた。

「玄関の鍵は？」

おじいさんが尋ねた。

「締めてある」

「とにかく、玄関を開けましょう」

「このまま居留守を使った方がいいんじゃないかしら」

「いいえ。奴らは扉をぶち壊したって入ってきますよ。そうしたら余計に疑われます。そ知らぬ振りをして奴らを中へ入れて、好きなだけ調べさせるんです。大丈夫ですよ。うまくいきます」

おじいさんは力を込めて言った。

「申し訳ございませんが、しばらくこれは、ここへ避難させておいて下さいまし」

そう言っておじいさんは、オルゴールをテーブルに戻した。R氏は無言でうなずいた。

「さあ、お嬢さま、急ぎましょう」

わたしたちは手を握り合い、ベッドから梯子までの数歩を、もつれるように歩いた。

「ご心配はいりません。あとで必ず、大事な誕生日のプレゼントを取りにまいります」

梯子の途中でおじいさんはR氏に言った。彼はただうなずくばかりだった。

わたしたち二人以外の手によって、この扉が開けられることのありませんように、と祈りながら、わたしは隠し部屋の出入口を閉じた。

「秘密警察だ。捜索がすむまで、家の中のものには一切手を触れるな。二人とも両手を後ろで組むんだ。話も厳禁だ。これからはすべて我々の命令に従ってもらう。従わない場合は、すぐに逮捕する用意ができている」

彼らは全部で五、六人いた。あちこちの家の玄関で、もう何度も繰り返した台詞《せりふ》なのだろう。中の一人が早口でそう告げると、一斉に上がり込んできた。外はかなり雪が降っていた。近所の家々の前にも、深緑色のトラックが停まっているのが見えた。夜の静けさの中で、おさえようもなく張りつめたものが漂っていた。

彼らのやり方は相変わらずだった。効率的で、徹底的で、系統的で、無感情だった。台所、ダイニング、応接間、お風呂場、地下室と、どんどん捜索は続いていった。彼らはブーツもコートも身につけたままだった。あらかじめ役割分担されたとおりに、ある者は家具を動かし、ある者は壁を調べ、ある者は引き出しをひっかき回していた。ブーツについた雪が溶け、床にしみができていた。

わたしたちは言われた通りに手を後ろで組み、縁側の柱の陰に立っていた。彼らは自分の持ち場に集中しているようで、決してわたしたちのことも見過ごしてはいなかったので、下手にめくばせしたり身体を触れ合ったりすることもできなかった。慌てて隠し部屋を出たせいでおじいさんのネクタイは曲がっていたが、目は真っすぐに前を見据えていた。わたしは気持を落ち着けるために、さっきまで聴いていたオルゴールのメロディーを、声を出さずによみがえらせてみた。ほんの短い時間耳にしただけなのに、最初から最後まで全部思い出すことができた。

「おまえは何者だ。何の用事でここにいるんだ」

リーダーらしい男がおじいさんを指差した。

「私はここのお宅の雑用を任されている者でございます。親戚同様に出入りさせていただいております」

一呼吸おいて、おじいさんはしっかりした口調で答えた。男はおじいさんの頭から爪先までを眺めてから、捜索に戻った。

「流しが汚れてるなあ。料理の最中だったのか?」

台所を調べていた男がこちらに向き直って言った。

そこにはパーティーの準備をした時の鍋やフライパンやボウルや泡立て器が、山積みになっていた。確かに女性の一人暮らしの台所にしては、雑然としすぎていた。そのうえまだ隠し部屋の後片付けがすんでいないので、汚れた食器の類は何一つない。

食卓の上にも食事をした跡は残っていない。その不自然さに秘密警察は気づいたのだろうか。胸の中でつぶやいているメロディーのスピードが、どんどん早まっていくのが分った。

「はい」

はっきり答えたつもりだったが、弱々しく息がもれただけだった。おじいさんが身体を半歩寄せてくれた。

「一週間分の料理を作って、冷凍保存していたのです」

そんなでたらめがよく浮かんだものだと思いながら、わたしは付け加えた。そうだ。三人分の食器が流しにあれば、余計怪しまれるところだったのだ。だからびくびくなんかせずに、この幸運を喜ぶべきなんだ。わたしは自分に言い聞かせた。

男は青菜をゆでた鍋と、ケーキの生地を混ぜたボウルを持ち上げてちらっと見やったあと、流し台の前を離れて収納棚に捜索場所を移した。わたしはほっとして、唾を飲み込んだ。

「次は二階だ」

リーダーが合図すると、彼らは素早く一列に集合し階段を昇っていった。わたしたちも後ろから続いた。

このざわめきや足音が彼の耳には届いているのだろうか。わたしは思った。彼はたぶん、身体を小さくしていればいるほど安全なんだとでもいうように、背中を丸め、両膝を抱えているだろう。椅子とベッドは軋んで音を立てるから、床に座り込んでいるはずだ。吐いた息が外へもれないように、細く細く呼吸しているに違いない。そしてそばではオルゴールが彼を見守っているのだ。

部屋数が少ないぶんだけ、二階の捜索の方が念入りだった。ことさら乱暴な音を立てたり、何かを持ち上げて電気に透かしてみたり、武器を留めた金具に手をやったり、そんな彼らの仕草一つ一つに重大な意味が隠れているような気がして、息苦しかった。

わたしたちは北側の廊下の窓にもたれていた。後ろに組んだ腕がだんだんだるくなってきた。窓の下の川は夜に紛れ込んで、流れは見えなかった。近所の家も全部、記憶狩りの最中らしく、家中の電気がともっていた。おじいさんが一つ、小さな咳をした。

半開きになったドアのすきまから、仕事部屋の様子が見えた。一人は本箱の本を全部引っ張りだし、背板と壁の間を懐中電灯で照らしていた。一人はベッドのマットレスを持ち上げ、カバーを取り外そうとしていた。一人は仕事机の引き出しに詰まった原稿用紙に目を通していた。仕立てのかっちりした、毛足の長いロングコートのせいで、彼らはみんな大きく見えた。すべてのものを上から見下ろすような威圧感があった。

「これは何だ？」

原稿用紙の束をつかんだ男が言った。仕事机に興味を持たれるのは危険だった。辞書の後ろにスピーカーを隠しているからだ。

「小説です」

わたしはドアのすきまに向かって答えた。

「小説？」

男は卑しい言葉を口にするような口調でそう言うと、鼻を鳴らして原稿用紙を床に投げた。それはばらばらに飛び散った。たぶん彼は生まれてから一度も小説というものを読んだことがないし、これから死ぬまでもずっと読まないで生きて行く種類の人間なのだろう。その方がずっと好都合だった。彼は原稿用紙に興味を失うのと同時に、辞書からも離れていった。

たくさんのブーツが絨毯を踏み付けていた。十分に脂を塗って磨き上げられた、脱ぐのに時間のかかりそうな、重々しいブーツだった。その時わたしは、重大なことに気づいた。絨毯の角が、ほんの少しだけれどめくれているのだ。

最後、出入口の板を閉じて絨毯をかぶせたのはわたしだ。いくらあわてていたとは言え、どうしてもっときちんと元に戻しておかなかったのだろう。もし彼らがめくれに気づき、それをちょっとでも持ち上げたら、そこにはすぐ隠し部屋への通路が現われるのだ。

わたしはもう、そのめくれから目が離せなくなってしまった。余計彼らに気づかれる危険があると分っていても、どうしようもなかった。おじいさんは気づいているのだろうか。わたしは横目で隣をうかがった。おじいさんは夜の一番果てを見通すような目で、ただ遠くを見つめているだけだった。

ブーツが何度も、めくれた絨毯の上を行き来した。めくれはほんの四センチか五センチくらいのもので、普段なら気にもとめないのだろうが、今は目の前の風景でそこだけがくっきりと切り取られ、視界をふさいでいた。数センチとはいっても、床から持ち上がったその状態が、親指と人差し指でつまんで引きはがすのにちょうどいい形をしていた。

「これは何だ」

突然、一人の秘密警察が声を掛けた。絨毯のことを気づかれたのだと思い、わたしはとっさに意味もなく、両手で口を覆った。

「これはどういうことなんだ」

男は大股でこちらに近づいてきた。わたしはオルゴールのメロディーを、ぜんまいが切れるくらいの勢いでつぶやいた。そうしないと、悲鳴を上げてしまいそうだったからだ。

「両手は後ろで組むんだ」

男はよく響く、太い声で命令した。わたしは震えそうになる両手を握りしめながら、そろそろと後ろに回した。

「どうしてこんなものが残っているんだ」

男は何か小さくて四角いものを、目の前に差し出した。わたしはまばたきした。それはハンドバッグに入れたままにしていた手帳だった。

「別に深い理由はありません」

オルゴールの音楽を途中でやめにして、わたしは答えた。

「忘れていただけです。ほとんど使っていなかったから……」

男が問い質《ただ》しているのは、手帳についてなんだ。絨毯に気づいたわけじゃないんだ。わたしは自分に言い聞かせた。あの手帳なら問題ない。大したことは何も書いてない。せいぜいクリーニングの仕上がり日か、町内の溝掃除の日か、歯医者の予約が書き込んであるくらいのものだ。

「カレンダーが消滅したということは、曜日も日付も我々には必要なくなったということだ。消え去ったものをいつまでも持っていたらどんなことになるか、よく知っているはずだ」

男はパラパラとページをめくっていたが、内容には興味がわかない様子だった。

「こんなものは一刻も早く処分しなくちゃならん」

そう言うと男は、コートのポケットからライターを取り出し、手帳に火をつけて北側の窓から川に向かって放り投げた。男の両足の隙間から、絨毯が見えた。手帳は花火のように火の粉を撒き散らしながら回転し、川の流れに飲み込まれていった。火の粉が描いた曲線は、しばらく消えずに闇の中に残っていた。遠くで短く、水の弾ける音がした。

その瞬間、まるで手帳の落ちる音を合図にすることが最初から決まっていたかのように、リーダー格の男が「やめ」と声を上げた。彼らは素早く持ち場を離れ、一列に集合して階段を降りていった。そして一言のあいさつもなく、戸棚一つ、引き出し一つ元に戻さないまま、ただ腰に付けた武器だけをカチカチと鳴らしながら玄関から出て行った。わたしは我慢できずにおじいさんの胸にもたれかかった。

「もう大丈夫でございますよ」

おじいさんは微笑みながらつぶやいた。絨毯のめくれはそのままひっそりと、彼らを見送っていた。

外に出ると、記憶狩りを終えた秘密警察たちが続々とトラックに乗り込み、引き上げるところだった。近所の人たちも皆、門柱の陰から様子をうかがっていた。雪が頬や首筋や手の甲に当たって冷たかったが、寒さは感じなかった。身体にまだ残っている緊張と恐ろしさのせいで、寒さを感じる余裕がないのだった。

トラックのヘッドライトと街灯と雪が、闇を照らしていた。これだけ大勢の人間が集まっているというのに、あたりは静けさに包まれていた。雪が夜の空気と触れ合う音さえ、聞こえてきそうな気がした。

その時、東隣の家から出てくる三つの影が見えた。表情までは分からなかったが、三人とも背中を丸め、力なく雪を踏みしめていた。後ろから秘密警察たちが彼らを急《せ》き立てていた。武器が鈍く光っていた。

「ちっとも気がつかなかったよ。あの家に人がかくまわれてたなんて」

元帽子職人のおじさんが独り言を言った。

「何でも、ああいう人たちを援助する秘密のグループで、夫婦一緒に活動していたらしいよ」

「近所付き合いしなかったのは、このためだったのかもしれないねえ」

「見てごらんよ。まだほんの子供じゃないか」

「気の毒に……」

みんなの噂していている声が、途切れ途切れに聞こえてきた。

わたしとおじいさんは手をつなぎ、彼らが幌つきトラックの荷台に押し込められるのを黙って見ていた。確かに、夫婦の間に抱えられるようにして挟まれているのは、十五、六歳の少年だった。身体つきはしっかりしていたが、房飾りのついた毛糸のマフラーに子供っぽさが残っていた。

幌が下ろされ、トラックは列をなして走り去っていった。近所の人たちも家の中へ引き上げていった。わたしとおじいさんだけがかたく手を握り合ったまま、いつまでも闇の向こうを見つめていた。一人ぼっちにされた隣の犬が、雪に顔をこすりつけながら鼻を鳴らしていた。

その夜、わたしは隠し部屋で泣いた。こんなにも長い時間、休みなく涙を流し続けたのは生まれて初めてだった。結局彼は無事だったのだから、本当なら喜ばなければいけないのに、なぜかわたしの感情は押さえようもなく、思いもよらない方向に引きずられてゆくのだった。

しかし、泣くという言葉が適切なのかどうかはよく分からなかった。決して悲しいわけではなかった。緊張が解けて安堵しているわけでもなかった。ただ彼をかくまって以来ずっと胸を漂っていたいろいろな思いが、涙に姿を変えて流れ出してきただけだ。それを止める方法は一つもなかった。歯をくいしばっても、こんなみっともない姿を彼に見せるべきじゃないと自分に言い聞かせても、彼が優しい言葉で慰めてくれても、無駄だった。わたしは流れてゆく涙のそばで、じっとうずくまっていることしかできなかった。

「隠し部屋が狭いことを、こんなにもありがたいと思ったことはなかったわ」

ベッドにうつぶしたままわたしは言った。

「どうして?」

彼は傍らに腰掛け、少しでもわたしの気分を鎮める役に立てればというふうに、髪を撫でたり、背中をさすったりしてくれた。

「だって、狭ければ狭いほどお互いを近くに感じることができるもの。今日みたいに、どうしても一人でいられない夜には、この狭さが安らぎを与えてくれるわ」

頬に当たるベッドカバーが、生暖かく湿っていた。パーティーに使った折畳み式のテーブルもお皿も片付けられ、部屋はすっかり元通りになっていた。ただ微かにケーキの甘い匂いが残っている気がした。

「好きなだけここにいるといいよ。一晩に二回も記憶狩りがやって来ることは、まずないだろうからね」

彼は身体を傾け、わたしの顔をのぞき込むようにしながら言った。

「ごめんなさい。本当ならわたしがあなたを慰めてあげなければいけないのに」

「いや、いいんだ。君の方が何倍も怖い思いをしたんだからね。僕はただ、ここでじっとしていただけさ」

「秘密警察たちが何度も何度も、しつこく隠し部屋の上を行き来したの。彼らの足音が伝わってきたでしょ？」

「ああ」

彼はうなずいた。

「絨毯の端が、ほんの少しだけれどめくれていたの。おじいさんと一緒にここを出る時、あわてていたからきちんと元に戻していなかったの。それを発見されたらもう終わりだと思ったわ。ちょうど絨毯をはぐって、下をのぞいてみたくなるような具合いにめくれていたんだもの。こんなちっぽけな絨毯に、人一人の運命がかかっているなんて、むごすぎるわ。わたし、飛んでいってそこのところを思い切り踏み付けたい衝動にかられたの。絨毯が床に張りついてしまうくらいきつく、踏んで踏んで踏みしめたかった。でももちろん、そんなことできるはずがなかった。ただ濡れた兎みたいに、おどおどしているだけだったの」

　喋っている間もずっと涙は流れ続けていた。こんなにも泣いているのに、どうしてすらすらと途切れなく喋れるのか不思議だった。感情と涙と言葉の三つが、わたしの手の届かないところでそれぞればらばらに、あふれ出てくるのだった。

「知らなかった。君にそんな思いをさせていたなんて……」

　彼は足元の電気ストーブに視線を落とした。

「いいえ。あなたを責めているわけじゃないのよ。そんな醜い気持のために泣いているんじゃないの。信じて。記憶狩りが怖いんだったら、最初からあなたをかくまったりしないわ。でもどうしてわたし、泣いているのかしら。分らないの。自分でも説明がつかないの。だから余計にどうしようもないの」

　わたしはシーツから顔を上げ、額に掛かった髪の毛をかき上げた。

「説明がつかないものを、無理につける必要なんてないさ。そうじゃなくても君とおじいさんは、僕のためにいつも窮屈な思いをしているんだ。ここにいる時くらい、思う存分好き勝手に振る舞えばいい」

「もしかしたら、わけもなくこんなに泣いてしまうのは、わたしの心が自分でも救いようがないくらいに衰弱してしまった証拠かもしれないわ」

「そんなことはないさ。むしろその反対だよ。心が精一杯自分の存在を主張しているんだ。どんなにたくさんの種類の記憶を秘密警察が持ち去ったって、心をゼロにすることはできないんだ」

「そうかしら……」

わたしはR氏を見つめた。身体をほんの少し傾けるだけで、たやすく彼に触れることができそうだった。彼は手を持ち上げ、わたしの目元の涙を指先でぬぐった。熱い指先だった。こぼれた涙が甲を伝ってゆくのが見えた。そのまま彼はわたしを抱き寄せた。

静かな夜が戻っていた。ついさっき、玄関のベルが鳴り響き、乱暴な足音がこの上を踏み荒らしていたのが嘘のようだった。今はただ彼の鼓動が、セーターの編目から伝わってくるだけだった。

彼は決して力を入れず、何か柔らかいものを包むように、両手をわたしの背中に回していた。ようやくわたしは泣き止むことができた。市場での買物や、気絶した魚や、ケーキに立てたろうそくの炎や、オルゴールや、燃え落ちた手帳や、何もかもが遠い昔の出来事のような気がした。彼とこうしている今の時間だけが、どこにも流れ去らずにいつまでも、二人の回りを渦巻いていた。

『この鼓動の向こう側に、わたしがなくしてしまった記憶がたくさん詰め込まれているのかしら』

彼の胸に頰を押しつけながらわたしは思った。できることならそれらを一つ一つ全部取り出して、目の前に並べてみたいと思った。きっと彼の中で記憶は、触れたとたん指先がしっとり色づくくらいにみずみずしく、呼吸しているに違いない。わたしが持っている微かな記憶、波に飲まれてゆくしおれた花びらや、焼却炉の底にたまった灰とは、比べものにならないだろう。

わたしは目を閉じた。まつげがセーターの毛糸とこすれ合った。

「東隣の家の人がね、幌つきトラックに乗せられて、連れて行かれたのよ」

わたしはつぶやいた。

「かくまわれていたのはまだあどけない少年だったわ。いつ頃から隠れていたのかしら。こんな近くに、あなたと同じように息をひそめていた人がいたなんて、全然気づかなかった」

「その少年は、どこへ連れて行かれたんだろう」

彼の声がわたしの髪の毛に吸い込まれてゆくのが分った。

「わたしもそれを知りたいと思ったわ。だからトラックのテールランプが見えなくなってもまだ、闇の向こうに目をこらしていたの。コートも着ないで、手袋もしないで、顔に雪が降りかかってもお構いなしに、じっとしていたの。長い時間そうしていれば、いつかは記憶の行き先が見えてくるとでもいうみたいにね」

彼はわたしの両肩をつかみ、二人の間にわずかなすきまを作ると、そこへ視線を滑り込ませた。

『でもね、いつまで待っても何も見えなかったの』

わたしはそう言おうとしたが、彼が唇をふさいだので、声にすることはできなかった。

18

時計塔に閉じ込められてから、いったい何日くらい過ぎたのでしょう。わたしには見当もつきません。

もちろんここには巨大な時計があるのですから、時間はいつでも好きな時に知ることができます。毎日二回、午前十一時と午後五時には鐘も鳴ります。最初の頃は朝が来るたびに椅子の足に爪で傷をつけ、日にちを数えていたのですが、今ではもうわけが分らなくなってしまいました。元々椅子は傷だらけだったので、だんだんとどれが自分でつけたものなのか判別できなくなってきたのです。

今日が何月何日の何曜日なのか、そんなこととは関係なくただ一日分の時間が、繰り返し冷淡に流れてゆくだけです。しかし、無数の声の死骸に囲まれ、彼の思い通りに囚われている今のわたしには、それで十分なのかもしれません。日にちや曜日が分ったところで、それが何の役に立つでしょう。

最初はただタイプライターと、時計の機械類だけしか目に入らなかったのですが、しばらくするうちにこの部屋の細かいところが見えてきました。

西側の壁の真ん中あたりで、タイプライターの山が極端に低くなっています。そこをまたぐとドアがあり、向こうは簡単な洗面所とトイレになっています。蛇口の上には小さな窓もついています。わたしは時々洗面台によじのぼり、窓を開けて外の景色を眺めます。家々の屋根と、畑と、細い川と、公園が見えます。町で一番高い建物はこの時計塔なので、わたしより上には何もありません。空が広がっているだけです。こうしてひととき外の空気を吸い込むのは気持のいいことです。ただ洗面台はわたしの体重を支えるほど丈夫にはできていないらしく、ホウロウとタイルの継目にひびが入り、水が漏れるようになってしまいました。

もう一つの発見はテーブルの引き出しの中身です。といっても、例えばドアの鍵を壊すためのハンマーのような、特別注目すべきものが見つかったわけではありません。知恵の輪、押しピン、メンソールのチューブ、チョコレートの空缶、煙草一箱、爪楊枝、貝殻、指サック、体温計、眼鏡のケース……そんなところです。けれど、ちっぽけなものでもないよりはましです。生活のアクセントになってくれることは確かです。

これらの品物がどういう経緯でここにたどり着いたのか、わたしは想像を巡らせてみます。昔、時計がまだ自動ではなかった頃、この部屋には時計守《もり》のおじいさんが住んでいたに違いありません。ぜんまいを巻き、油をさし、決まった時間になると鐘を鳴らすのが仕事です。暇な時には教会の手伝いをしたかもしれません。身寄りのない、無口でまじめなおじいさんです。煙草と眼鏡のケースは、おそらく彼の持ち物だったのでしょう。煙草はまだ数本残っていますが、香りはほとんど抜けています。最近見かけない、古風なデザインのパッケージです。眼鏡のケースは布製で、すっかりすり切れています。おじいさんはこの部屋で死んでいったのではないでしょうか。

あるいはわたしは、知恵の輪で遊びます。何も考えず、ただ銀色の輪だけを見つめて過ごします。何であれ、指先が道具に触れているというのは、精神状態を健全にします。タイプライターを取り上げられた時の指の不安を思い出せば、知恵の輪でも文句は言えません。しかし、指が輪のつながり具合いを覚えてしまい、それを解くまでの時間がだんだんと短くなっているのが悩みの種です。

メンソールも役に立ちます。こめかみや、鼻の下や、首筋にそれを塗るのです。ひりひりする匂いをかいでいると、気分が高まってくるのが分ります。興奮するというのではなく、神経の一部が磨ぎすまされてゆくような、ひんやりした風が身体の中を吹き抜けてゆくような気分になれるのです。それはメンソールが蒸発してしまうまで、数十分は続きます。チューブの中身は既に半分ほどなくなっているので、わたしは少しずつ大事に使っています。

もう一つ部屋の印象を変えたものにベッドがあります。彼が運び入れたのです。折畳み式のソファーのような簡易ベッドですが、それでも時計塔の細く曲がりくねった階段を運び上げるのは大変だったはずです。彼がそれを抱えてやって来た時、身体はマットレスに隠れてほとんど見えませんでしたし、足のパイプは引きずられて塗料が剝げていました。彼の手のひらは赤く染まり、肩は上下し、額には汗が浮かんでいました。彼の肉体が疲れた表情を見せるのは滅多にないことなので、わたしは戸惑いました。彼はいつでも自分を制御しているのです。洋服も髪の毛も指の動かし方も喋る言葉も、すべてを自分の意志で取り仕切っているのです。汗を見せるなどというのは、きっと彼の思惑には入っていないはずです。

しかし、そうまでしてもベッドを運び入れる価値はあったのです。そのベッドの上で、彼はわたしにさまざまなことをしたのですから。

ここでは鐘の響きは、町で聞いていた時よりももっと恐ろしさをましてわたしに迫ってきます。手でさわれるくらい近くに鐘があるのですから当然です。十一時と五時が近くなると、わたしは部屋の隅にうずくまり、両膝の上に顔を押し当てます。目をつぶり、息も止めます。できるだけ感覚をふさいでおいた方が、衝撃が少ないのではないかと思うからです。でも最後の一秒がカチリと動き、鐘つき棒が左右に揺れだすと、そんなささやかな抵抗は何の意味もないと思い知らされるのです。

鐘の音は天井を這い、壁にぶつかり、床板を震わせ、どこへも流れ去らないまま、長い時間部屋中を埋めつくします。振り払おうとして身体を揺すっても、何にもなりません。波のようにしつこくわたしに覆いかぶさってきます。

ここへ連れてこられた最初の日、五時の鐘が鳴った時、わたしはタイプライターが一斉に悲鳴を上げたのではないかと錯覚しました。タイプライターに閉じ込められた声が泣き叫んでいるように聞こえたのです。実際、これだけのキーが全部一遍に活字を打ちつけたら、鐘に負けないすさまじい音がすることでしょう。

今では自分のタイプライターがどれだったか、分らなくなってしまいました。最初の頃はまだ、レバーの金属の輝きやカバーのつややかさで新しさを保っていたのですが、次第に埃がたまり、色合いがくすんできて、他の機械と見分けがつかなくなりました。もうすっかり山の中に溶け込んでいます。

本当に彼が言うとおり、ここにあるタイプライターの一つ一つに、それぞれ誰かの声が閉じ込められているのでしょうか。肉体と同じように声も衰えてゆくとすれば、山の下の方で押しつぶされているもののほとんどは、息絶えて干涸《ひから》びているかもしれません。

ある時わたしは自分の声がどんなだったか、もう思い出せないことに気づいて唖然としました。なくした期間の何倍もの時間、ずっと聞き続けてきた自分の声を、こんなにも簡単に忘れてしまうなんて思いもしなかったからです。

世の中が引っくり返ったって、これは絶対にわたし一人の所有物なんだと信じている物でも、実は案外あっさり自分から離れていってしまうのかもしれません。身体をばらばらにし、他の人のと混ぜ合わせて並べ、「さあ、自分の左の目玉を探しなさい」と言われても、きっと正解するのは難しいでしょう。それと同じことです。わたしの声は今頃、タイプライターの奥のレバーのすきまに、ひっそりうずくまっていることでしょう。

彼は思う存分、わたしを好きなように扱います。文字通り〝好きなように〟です。

食事は彼が運びます。タイプ教室の裏側にある湯沸かし室で、作っている様子です。豪華ではありませんが、きちんとした内容のものです。シチューやグラタンや煮込みや、どろどろした料理が多いようです。

彼はお盆をテーブルの上に置くとわたしの向かいに坐り、片方の手のひらで顎を包みながら、じっとこちらを見つめています。彼は一切何も口に入れません。食べるのはわたし一人です。

そういう食事の仕方には今でも慣れることができません。音楽も笑いも会話もなく、一瞬でさえ離れることのない彼の視線にさらされながら食べ物を飲み込むのは、神経のすり減る作業です。食欲もわきません。食べ物の破片が喉を落ちてゆき、肋骨のあたりで引っ掛かり、苦労しながら胃袋へたどり着く様子が目に浮かびます。いつも半分ほどでうんざりするのですが、無理をして全部食べます。そうしないと、残った料理で彼がまたどんなことをわたしに仕掛けてくるか分らないからです。

「唇にソースがついているよ」

時折彼は話し掛けてきます。あわててわたしは唇をなめます。ナプキンなどないので仕方ありません。

「もっと右だよ」

彼は言います。

「もっと上」

こうして彼は隅から隅までわたしに唇をなめさせます。

「さあ、続きをどうぞ」

彼は高級レストランのボーイのような優雅な仕草をします。わたしはまた、パンを小さくちぎり、のろのろと肉を切り分け、水を飲み、合間に上目使いで彼の様子をうかがいます。

夜、彼はわたしを裸にし、明かりの真下に立たせ、お湯で身体を拭きます。バケツで運ばれてくるお湯はとても熱く、湯気が部屋を漂います。その湯気がすっかり消えてしまうくらい長い時間、丁寧に、彼は身体を拭き続けます。ストップウォッチを磨く手つきに似ています。

人の身体はこれほどまでにたくさんの部分から出来上がっているのかと、わたしは驚いてしまいます。この作業には果てがないかのようです。まぶた、髪の生え際、耳の裏、鎖骨、脇の下、乳首、腹、腰骨のくぼみ、太もも、ふくらはぎ、指の間……。彼はどんなささいな箇所もおろそかにしません。疲れも汗も見せず、表情も変えず、わたしの身体のすべてに触れます。

それが終わったあと、どの服を着るかはもちろん彼が決めます。たいていはどんな洋品店でも見たことがないような、奇妙なスタイルの服です。服と名付けていいのかどうかさえ疑問です。

まず、素材からして変っています。ビニールや、紙や、金属や、木の葉や、果物の皮などでできているのです。乱暴に扱うとすぐに身体からはがれ落ちたり、皮膚を傷つけたり、胸を締めつけたりします。だから用心深くゆっくりと、身にまとっていかなければなりません。

それらの衣類は自分で作るのだと、ある日彼は告白しました。まずイメージを思い浮かべ、スケッチブックにデッサンし、型紙を取り、材料をあちこちから拾ってくるのだと。その時わたしは、自分でも説明のつかない理不尽な感想を持ちました。服を作っている彼の指先は、さぞかし美しいことだろう。そんなふうに思ったのです。彼の指が針に糸を通したり、はさみで果物の皮を切ったりするのを想像するのは、タイプを打つ姿を想像するのと同じくらい魅惑的でした。

奇妙な形の衣服に身体を収めるため、肩をすぼめ、足を折り畳み、腰をくねらせて苦心しているわたしのそばで、彼は満足気に微笑んでいます。すっかり冷めてしまったバケツのお湯に、天井の明かりが映っています。そして朝になると、衣服は使い古した雑巾のように丸まって、床に転がっています。

声の存在しない場所で繰り返される彼との日常は、やはり神経を緊張させます。閉じ込められていることより、声が出ないことの方がずっときつくわたしを縛りつけています。彼が言うとおり、声を奪われるのは肉体のまとまりを崩されるのと同じです。

時々彼は冷静な目つきで、

「声を出したいか？」

と聞きます。わたしは激しく首を横に振ります。うなずいたところでどうにもならないと分っているからです。それよりも横に振った方が、少しでも神経を鎮める運動になるのです。

最近、肉体がわたしの心から遠ざかってゆくのを感じます。首も両腕も乳首も胴体も両足も、手の届かない場所を漂っているかのようです。彼がそれらをもてあそぶのを、ただ見つめているしかありません。それも声を失ったせいです。肉体と心を結んでいた声が消えて、自分の感触も意志も言葉にすることができなくなったのです。どんどんわたしはバラバラにされてゆきます。

ここから逃げ出すことは可能でしょうか。そういうことを考えてみないわけでもありません。彼がドアを開けた瞬間、体当たりして階段を走り降りる。タイプライターで床を打ち鳴らし、教室の生徒に知らせる。タイプライターを分解し、その部品を窓から投げる。……どれも頼りない方法ばかりです。それにもし、外の世界へ出られたとして、わたしはうまくバラバラになった自分を元に戻すことができるでしょうか。

彼がタイプ教室で教えている間、わたしは時計の文字盤の後ろから外の様子をのぞき見します。教会の庭は手入れが行き届き、いつもどこかに花が咲いています。ここには大勢の人々が集まってきます。木陰でお喋りをしたり、ベンチに腰掛けて本を読んだり、子供たちがバドミントンをしたり、タイプ教室の生徒が自転車で走り抜けたりします。たまに誰かが時間を確かめようとして、時計塔を見上げますが、もちろんわたしに気づく人はいません。

耳をすませると彼らの話し声が聞こえてきますが、何を話しているのか内容までは分りません。最初の頃は、距離がありすぎて声がここまで届かないからだと思っていました。けれど本当はそうではなかったのです。彼らの言葉が理解できないだけだったのです。

　ある日彼が庭で生徒たちと談笑しているのを目にしました。遠くから見る彼はスマートで、理知的で、品がありました。彼を取り囲んだ生徒たちは皆、胸をどきどきさせている様子でした。彼が時計塔のてっぺんでどんなふうに変わるか、知っているのはわたし一人です。

「どんなに誘惑されたって、絶対にキーボードは見ちゃだめだよ。それが上達の一番のコツなんだ。キーは目じゃなくて指で探すものなんだ」

　タイプについて話しているようでした。彼の声がはっきりと聞こえました。風に乗り、文字盤のすきまから、まっすぐ耳に届いてきました。そのあと、ゆらゆら揺れるイヤリングをつけたショートヘアの女生徒が、彼に向かって何か言いました。

「…………」

　確かに声は聞こえましたが、意味は分りません。声が風に乗ったまま、時計塔を通り過ぎ、空へ吸い込まれていったような感じでした。

「目をつぶって、タイプライターを指でくまなく触ってみるといい。キーの位置はもちろん、レバーの形、ローラーの太さ、全体の輪郭を指で覚えるんだ」

　彼は昔わたしに教えたのと同じことを言っています。言葉の一つ一つが聞こえました。

「…………」

「…………」

「…………」

何人かの女生徒が順番に口を開きました。けれど何一つ、意味をなした言葉はありませんでした。

「今度から教室でキーボードに目をやったら、ペナルティを科すことにしよう」

彼が言いました。

「…………」

やはり同じです。生徒の言葉は聞き取れません。

「よし、それがいい。さっそく明日から始めよう」

彼は手を叩きました。彼女たちはいっせいに身をのけぞらせ、悲鳴とも笑いともつかない声を漏らしました。

その時はっきり分りました。わたしにはもう、彼の言葉しか理解できなくなってしまったのです。わたしにとって彼以外の外の世界の言葉は、調律の悪い楽器が好き勝手に鳴っているようにしか聞こえないのです。

このことはわたしの存在が退化している証拠でしょう。時計室で必要のないものは、どんどん消え去ってゆくのです。そうしていつしか、この場所にぴったりと納まるわたしになってゆくのでしょう。

今さら逃げ出しても、もう手遅れのような気がします。わたしの退化はもうかなり進んでいるようですから。ここから一歩外へ出たら最後、身体が粉々に砕《くだ》けてしまうかもしれません。

今、わたしを保ってくれているのは彼だけです。彼の指だけです。だからわたしは今晩も、彼の足音が塔を昇ってくるのを待っています。…………


記憶狩りの夜以来、わたしは隠し部屋に足を踏み入れていなかった。いつもと変わりなく、食事や水を運ぶ時に彼と顔を合わせてはいたが、梯子の上と下で他愛もない雑談を二言三言するだけだった。梯子を降りてゆくのに不自然でない口実を、あれこれ思い巡らせてみるのだが、結局何一つ口に出せないで、そのまま扉を閉じるのだった。

R氏は記憶狩りの衝撃があとになってからじわじわ利いてきた様子で、笑顔も弱々しく、食事も残すことが多かった。あの夜はあまりにもわたしの方が取り乱していたために、彼は自分の感情を放出するチャンスを逃してしまったのかもしれない。今頃になって、くすぶっていた痛みが疼き始めたようだった。扉を閉じる時わたしは途中で手をとめ、彼が何か言い残した言葉を思い出してくれるかもしれないと、重たい床板を抱えてひととき下をうかがうのだが、彼は背中を向けたまま無言で机の前に腰掛けるか、ベッドにもぐり込むかするだけだった。

彼が内鍵を外し、扉を持ち上げ、絨毯の下から身体をひきずり出してわたしに会いに来てくれる可能性はゼロなのだと思うと、たまらない気分になった。それはもちろん、彼の置かれている状況のせいなのだが、いくらそう自分に言い聞かせても、もしかしたらわたしに会いたくないからかもしれない、という思いにとらわれてしまうのだった。

あの夜について繰り返し思い起こせば起こすほど、一つ一つの出来事が現実から遠ざかってゆくようだった。数々の料理、ケーキ、鍋の山、プレゼント、ワイン、ブーツ、燃えた手帳、めくれた絨毯、三つの影、幌つきトラック、涙、……これらのことが全部、一晩のうちに自分にふりかかってきたとは信じられなかった。だからこそ、あのすさまじい一夜を無事にやり過ごすためには、彼と抱き合うしか他に方法はなかったのだ。わたしたちはただお互いを守るために、唯一残された逃げ場所へ隠れただけだ。と、わたしは自分を慰めた。

　その日書いた分の原稿用紙を脇に寄せ、わたしは辞書の後ろからスピーカーを取り出して耳に当てた。最初は何も聞こえなかったが、辛抱強く耳をすませているうちに、だんだん隠し部屋のささやかな気配が管を伝わってくるようになった。

　まず、水の弾ける音がした。それから彼の咳払いと、布のこすれる音と、換気扇のモーター音が聞こえた。わたしはじょうごを握り直し、もっと強く耳に押し当てた。

　彼は身体を洗っているのだ。夕方、いつもの一式、たらいとポット一杯のお湯とビニールシートとタオルを差し入れた時、彼は、

「ああ、今日はお風呂の日だったね。忘れていたよ」

と言った。

「お風呂なんて言うほど立派なものじゃなくて、ごめんなさいね」

　わたしは梯子の手すりに、たらいの底を軽く打ちつけた。

「カレンダーが消えても、君が予定をきちんと忘れないでいてくれるから助かるよ」

　彼は全部の道具を両手に抱えながら、そう言った。

　水の音はつぶやくように、途切れ途切れに聞こえてきた。彼がどんなやり方で身体を洗っているのか、もちろん見たことはないのだけれど、こうしてじょうごを手に持

っていると、彼の仕草が耳から伝わってくるようだった。

まず、床が濡れないようにビニールシートを敷く、彼はその上に裸であぐらを組む。脱いだ衣服はベッドに並べてある。たらいのお湯が冷めないうちに手際よくタオルを絞り、首から背中、肩、胸へと両手を這わせる。タオルが乾いたら、またお湯に浸す。外の空気から遠ざかっている皮膚は青白く、強くこするとすぐにタオルの縫い目の跡がついてしまう。彼は無表情に黙々と手を動かす。こぼれた水滴がビニールシートの上で光っている。……

わたしは彼の身体の輪郭を正確になぞることができた。筋肉の一つ一つがどんなふうに動き、関節がどんな角度に曲がり、血管がどんな模様で透けて見えるか、思い浮かべることができた。じょうごから聞こえてくる気配は頼りなくても、それが鼓膜から記憶へと伝わっていくうちに、感触がどんどん鮮明になってゆくのだった。

カーテンのすきまから、珍しく星が見えた。町中を覆っている雪も、夜の間だけは闇に塗り込められていた。時折、風が窓ガラスを鳴らした。わたしはゴムの管のねじれを直した。じょうごは掌の中で温かくなっていた。机の上の原稿用紙は文鎮をのせられ、きちんと束ねられていた。わたしにはそれが、隠し部屋へ降りてゆく唯一の正当な切符のように思えた。

たらいへお湯を注ぎ足す音が、細く長く聞こえてきた。

19

おじいさんの誕生パーティーから数週間が過ぎた。その間、ちょっとした事件がいくつか起きたが、記憶狩りに比べればたいした問題にはならなかった。

一つめの事件は、ある日の夕方、散歩の途中で農家のおばあさんと出会ったところから始まった。おばあさんは道端にござを広げ野菜を売っていた。種類は少なかったが、市場の八百屋さんより値段が安かったので、わたしはうれしくなってキャベツともやしとピーマンを袋に一杯持てるだけ買った。お金を手渡す時、不意におばあさんが顔を近づけ、

「安全な隠れ家を知りませんか？」

とささやいた。わたしは驚いて小銭を落としそうになった。聞き間違いをしたのか

と思い、もう一度、「えっ」と尋ね直した。

「誰か、かくまってくれる人を探しているんです」

こちらには視線を向けず、腰にぶらさげた袋にお金をしまいながら、おばあさんは確かにそう言った。わたしはあたりを見回したが、向かいの公園で子供が数人遊んでいるだけで、他に人影は見えなかった。

「秘密警察に追われているんですか」

買物の合間に世間話でもしているような振りをして、わたしは聞いた。おばあさんは黙ったままだった。余計なことは喋りたくないのだろう。

改めてわたしはおばあさんを観察してみた。身体つきはしっかりしていたが、着ているものはみすぼらしかった。古い着物をほどいて作り直したようなズボンはよれよれで、肩に掛けたショールは毛玉だらけで、運動靴の先には穴が開いていた。目尻には目やにがたまり、手はしもやけだらけで赤く腫れていた。どんなに注意深く考えてみても、見覚えのある顔ではなかった。

それにしても、なぜ見ず知らずの人間に、そんな重大なことを頼むのか。わたしの頭は混乱していた。わたしが秘密警察に密告したら、どうするつもりなのだろう。それだけ切羽詰まっているのだろうか。ならば、隠れ家は無理としても、何か手助けしてあげたい気もする。しかし、秘密警察の罠ということも考えられる。わざと哀れみを誘う格好をして、買物客から隠れ家の秘密を探り出そうとしているのだ。いかにも彼らが使いそうな汚い手だ。いや、もしかしたら、このおばあさんはわたしの家に隠し部屋があることを知っているのかもしれない。だから自分も何とかしてもらおうと、すがりついてきたのか……。けれど、その可能性は低い。わたしたちの秘密は絶対に漏れていないはずだ。秘密警察でさえ気づかなかったのだから。

一瞬のうちにさまざまな考えが頭を巡ったが、実際口からこぼれたのはごく短い一言だった。

「お力にはなれそうもありません」

わたしは野菜の袋を胸に引き寄せた。おばあさんはそれきり何も言わなかった。表情も変えず、腰に結んだ袋のお金を鳴らしながら、野菜を並べ替えていた。

「ごめんなさい」

そう言ってわたしは小走りにおばあさんのそばを離れた。

あとで赤いしもやけの手を思い出すたび胸が痛んだが、やはりあの場合、ああするしか仕方なかった。軽はずみに行動すれば、まずR氏に危険が及ぶからだ。それでもおばあさんのことが気掛かりで、わたしは毎日散歩の途中で同じ場所に立ち寄った。

野菜を買うこともあったし、黙って通り過ぎることもあった。相変わらずおばあさんは、ささやかに野菜を並べて商売していたが、わたしの顔を見ても何の反応も示さなかったし、隠れ家のことも口に出さなかった。あんな重大な問題を持ちかけておきながら、わたしのことなどすっかり忘れてしまったかのようだった。

一週間ほどして、ぷっつりおばあさんの姿は見えなくなった。売る野菜がなくなったのか、場所を変えたのか、隠れ家が見つかったのか、記憶狩りに会ったのか、確かめるすべはなかった。

もう一つの事件は、向かいの元帽子職人のおじさん夫婦を、一晩家に泊めたことだ。部屋の壁を全部塗り直すので、ペンキの匂いが消えるまで、一日だけ寝室を貸して欲しいという話だった。

もちろんわたしは一階の和室——隠し部屋から一番遠い部屋——を提供してあげた。たとえ一日でも、おじさんたちに気づかれないようにするには、わたしもR氏も神経をすり減らさなければいけないが、断る口実を見つけるのはもっと困難だったからだ。

「ペンキが乾くまで、どうしても一日か二日かかるんですよ。この寒さだと窓を開けて寝るわけにもいかないし。迷惑をかけて申し訳ないねえ」

と、おじさんは言った。

「どうぞご遠慮なく。うちは部屋もたくさん余っていますから」

わたしはできるだけ愛想のいい笑顔を作った。

その日わたしは早起きし、おじさんたちが来る前にサンドイッチと紅茶をたっぷりと用意して隠し部屋へ運んだ。

「今日は三食、これで我慢してね」

そうわたしが言うと、R氏は黙ってうなずいた。やはり彼も少し緊張していた。

「くれぐれも足音を立てないようにね。それからトイレの水も流さないでね」

わたしは同じせりふをくどいくらい繰り返し、明日まで開けることのできない扉を慎重に閉じた。

おじさん夫婦は気取りのないさっぱりとした人たちで、家の中を眺め回したり、あれこれプライベイトなことを尋ねたりはしなかった。昼間おばさんは和室にこもって編み物をしていた。おじさんが仕事から帰ってくると三人で晩ご飯を食べ、しばらく一緒にテレビを見ながら雑談したあと、二人は九時過ぎに布団に入った。

その間わたしの神経はずっと二階へ向けられていた。どんなささいな音でも、R氏には関係ない海鳴りや車のクラクションや風の音でも、いちいちびくびくし、二人の表情をそっとうかがった。けれど彼らは何の疑問も抱いていないようだった。まさかこの天井のすきまに、もう一人の人間が息をひそめているなんて、彼らには想像もできないのだろう。わたしでさえ時折、あの隠し部屋は夢に出てきた幻の場所ではないか、という錯覚に陥るのだから。

次の日、無事にペンキが乾き、彼らは自分たちの家へ戻っていった。お礼に小麦粉一袋といわしの油漬けの缶詰と、おじさんが作った丈夫な黒い傘をもらった。

これは事件とは言えないが、東隣の家に取り残された犬はわたしが飼うことになった。記憶狩りの次の日、秘密警察がトラックで乗りつけ、家財道具一切を運び出していったのだが、なぜか犬にだけは手を出さなかった。おかずの残りやミルクを垣根越しに差し入れてやりながら、しばらく様子を見ていたが、誰も引き取りに来ないようなので、一応町内会長さんに相談してからわたしが引き取った。

おじいさんに手伝ってもらって犬小屋をうちの庭に移し、鎖を結ぶための杭を打った。雪の上に転がっていた餌を入れるアルマイトのボウルも、隣から持ってきた。犬小屋の屋根にマジックで〝ドン〟と書いてあったので、わたしも彼をドンと呼ぶことにした。それがドン・ファンのドンなのか、ドン・キホーテのドンなのかはよく分からないが、彼は物静かで扱いやすい犬だった。わたしにもおじいさんにもすぐ慣れた。

茶色いぶちの雑種で、左の耳の先がほんの少し折れ曲がっていた。犬なのに好物は白身の魚で、鎖の継目をなめるのが癖だった。

昼間の一番暖かい時間に、散歩に連れてゆくのが日課に加わった。夜は冷えるので、玄関の片隅に古い毛布で寝床を作ってやった。元の飼い主のご夫婦と、かくまわれていた少年と、乾一家と、彼らの飼猫みぞれの代わりに、ドンをかわいがってやろうとわたしは思った。

そんな調子で無事に数週間が過ぎたあと、再び消滅がやってきた。もう慣れっこになっているつもりだったけれど、今度はそう簡単にはいかなかった。小説が消えてしまったのだ。

いつものとおり消滅は朝やって来たが、進行の具合いはゆっくりとしたものだった。午前中、町の様子に特別変化はなかった。

「うちには小説なんて一冊もないからねえ。楽なもんさ。でもお宅はさぞかし大変だろう。自分で小説を書いていたんだから。手伝えることがあったら、いつでも言っておくれよ。本ていうのは重たいからねえ」

家の前の道路に立ってあたりをうかがっていたわたしに、元帽子職人のおじさんが声を掛けた。

「ええ、ありがとうございます」

と、わたしは力なく答えるしかなかった。

もちろんR氏は小説を消してしまうことに大反対した。

「家中の本を全部、ここへ持って降りるんだ。もちろん君が今書いている原稿も」

彼は言った。

「そんなことをしたら、この部屋は本で埋まってしまうわ。あなたの居場所がなくなってしまう」

わたしは首を横に振った。

「僕の居場所なんて、身体一つ分あれば十分さ。ここへ隠しておけば、見つかる心配はないよ」

「でも、それでどうなるっていうの？　消滅してしまった本をため込んでおくことが、どんな役に立つの？」

彼はこめかみを押さえ、ため息をついた。消滅について話す時はいつもこうだ。いくら相手の言葉を理解しようと努めても、二人の心は小さな一点でさえ交わることがない。話せば話すほど淋しくなる。

「君は小説を書いてきた人間だよ。それが役に立つか立たないかで区分けできるようなものじゃないっていうことは、よく分っているはずだ」

「ええ、確かにそう。昨日まではね。でももう駄目なの。心の衰弱が進んでしまったの」

わたしはすいじゃくという言葉を、特別壊れやすい品物を差し出すように、丁寧に発音した。

「小説を失うのは、わたしにとっても辛いことだわ。あなたと自分の間をつなぐ大事な紐が、解かれてしまうような気分よ」

わたしは彼を見つめた。

「原稿は燃やしちゃいけない。君は小説を書き続けるんだ。そうすれば、紐は解けない」

彼は言った。

「そんなの無理だわ。もう小説は消えてしまったのよ。たとえ原稿や本を残したって、それはただの空き箱でしかないの。中身は空洞なの。どんなに目を凝らしても、耳をすましても、匂いをかいでも、何も姿をあらわさないわ。いったいわたしは、何を書いたらいいの？」

「焦ることはない。ゆっくり思い出していけばいいんだ。自分がどこから、どうやって言葉を探し出していたか、その道筋をね」

「自信がないわ。こうしている間にも、しょうせつ、っていう言葉がだんだん発音しづらくなってきたわ。消滅が浸透してきた証拠よ。そのうち何もかも忘れてしまう。思い出すなんて不可能よ」

わたしはうつむき、髪の毛の中に指を滑り込ませた。彼は下からのぞき込むようにして腰をかがめ、わたしの膝に両手をのせた。

「いや、大丈夫さ。消滅のたびに記憶は消えてゆくものだと思っているかもしれないけど、本当はそうじゃないんだ。ただ、光の届かない水の底を漂っているだけなんだ。だから、思い切って手を深く沈めれば、きっと何かが触れるはずだよ。それを光の当たる場所まですくい上げるんだ。僕はもう、君の心が衰えてゆくのをただ黙って見ているのには、耐えられない」

彼はわたしの手を取り、一本一本の指を温めていった。

「物語を書き続けたら、自分の心を守ることができるの？」

「そうだよ」

彼はうなずいた。息が指にかかった。

夕方になって消滅の進行は一気に早まった。図書館に火がつけられ、みんなの持ち寄った本が公園や畑や空き地で燃やされた。島中から立ち昇る炎と煙が雲に吸い込まれ、空を灰色に染めてゆくのが仕事部屋の窓から見えた。雪も煤《すす》を含んで薄汚れていた。

結局わたしは本箱から十冊ほどの本を選び出し、書きかけの原稿と一緒にR氏のところへ隠した。残りはおじいさんと手分けしてリヤカーに積み、どこかで燃やすことにした。全部を隠すのは物理的に無理だし、小説書きのわたしがこの消滅で何の動きも見せないのは、どう取り繕ってもおかしいからだ。

どれを残し、どれを処分するかの判断は難しかった。本を手に取っても、もはやそれがどんな内容だったか思い出せないのだ。しかし秘密警察が巡回にやって来るかもしれないので、愚図愚図してはいられなかった。仕方なく、大事な人たちからプレゼントしてもらった本と、表紙の絵がきれいなのを残すことにした。

五時半、もうほとんど陽が沈みかけた頃、わたしとおじいさんはリヤカーを引っ張って出発した。

『私は一緒に連れて行って下さらないのですか？』

とでも言いたげに、ドンが足元にすり寄ってきた。

「のんきに散歩に行くわけじゃないのよ。大事なご用があるの。お留守番をお願いね」

わたしはそう言ってドンを玄関の毛布の上に坐らせた。

他にも何人か、重そうな紙袋や風呂敷包みを抱えた人たちとすれ違った。道は所々凍りついていたり、雪の塊が落ちていたりして、リヤカーを引くのに骨が折れた。荷台に積んだ本はすぐにバラバラに崩れてしまったが、どうせ燃やしてしまうものなので構わず歩いた。

「お疲れになりましたら、遠慮なく休憩して下さいまし。荷台にお乗りになっても、結構でございますよ」

おじいさんが声を掛けた。

「ありがとう。でも大丈夫よ」

わたしは答えた。

バス通りを進み、市場の脇を通り抜け、中央公園までたどり着くと、町は異様な明るさと熱さに満ちていた。公園の真ん中で、積み上げられた本の山が、夜空に火の粉を撒き散らしながら燃えさかっていた。その回りを大勢の人たちが取り囲んでいた。木立の間には秘密警察の姿も見えた。

「これは……何とも……すごい眺めでございます」

おじいさんは独り言を言った。

炎は巨大な生き物のように、街灯よりも電信柱よりも高く、上へ上へとうねっていた。風が吹くと灰になったページの切れ端が一斉に舞い上がり、宙を漂った。あたりの雪はすっかり溶け、歩くたびに靴がぬかるみに取られた。オレンジ色の光が、滑り台やシーソーやベンチや公衆トイレの壁を照らしていた。炎の勢いに撒き散らされたかのように、月も星も見えなかった。ただ消滅してゆく小説の亡骸だけが、空を焦がしていた。

人々は頬を火照らせ、無口にその風景を見上げていた。火の粉が降り掛かっても払おうとせず、厳かな儀式を見守るようにたたずんでいた。

本の山はわたしの背丈以上あった。奥の方にはまだ火のついていないものもあったが、題名を読み取ることはできなかった。読み取れたとして、それが自分の知っている小説だったとして、何がどうなるわけでもないのに、わたしは一冊一冊の本に目を凝らした。消えてゆく最後の瞬間まで見つめていれば、ページの中の何かを記憶に残せるのではないかと思ったのだ。

箱に入ったもの、革張りのもの、分厚いの、小さいの、かわいいの、難しそうなの……さまざまな本があった。それらがすきまなく寄り添い、燃えてゆくのをじっと待っていた。時折、くぐもった音を立てて山が崩れ、そのたびに炎は形を変え、ますます勢いを増していった。

その時突然一人の若い女性が人垣から離れ、ベンチの上に立ち上がり、何かを叫び始めた。わたしとおじいさんはびっくりし、同時に顔を見合わせた。回りの何人かもその騒ぎに気づいて彼女を振り返った。

あまりにも必死で大きな声を張り上げているために、何を叫んでいるのか聞き取れなかった。興奮し、手を振り上げ、唾を飛ばし、怒っているのか泣いているのかよく分らない表情をしていた。

彼女は粗末なオーバーコートとチェック柄のスラックス姿で、長い髪を三つ編に束ね、頭に奇妙なものをのせていた。それは柔らかそうな布でできており、心持ち斜《なな》めに傾いた格好で、あたまのてっぺんにかぶさっていた。彼女が激しく身体を揺するたび、それが落ちるのではないかと心配だった。

「気がふれているのかしら」

わたしはおじいさんに小声で言った。

「さあ、どうでしょう。火を消すようにと主張しているようでございますよ」

おじいさんは腕組みをした。

「なぜ？」

「小説が消滅するのを、食い止めようとしていらっしゃるのです」

「じゃあ、つまり、あの人は……」

「記憶をなくすことのできないお方でございましょう。おいたわしいことです」

彼女の叫び声はだんだん悲鳴に近くなってきた。しかしもちろん、誰もその巨大な火の塊を消そうとはしなかった。ただ気の毒そうな目で彼女を見やるだけだった。

「こんなことをして、あの人つかまってしまうわ。すぐに逃げなきゃだめよ。どうにかしなくちゃ」

わたしはベンチに近寄ろうとしたが、すぐにおじいさんに止められた。

「お嬢さま、もう手遅れでございます」

木立の間からあらわれた三人の秘密警察が、彼女を引っ張り下ろした。彼女はベンチにしがみついて抵抗したが、何の役にも立たなかった。頭の上にのっていたものが、ぬかるみに落ちた。

「物語の記憶は、誰にも消せないわ」

秘密警察に引きずられてゆく彼女が最後に叫んだ言葉だけは、はっきりと聞き取ることができた。

人々はやりきれないというふうにため息をつき、また視線を前方に戻した。わたしは彼女が地面に残したものを見つめた。それは頭にのっていた時よりも元気なくしぼみ、泥で汚れていた。物語の記憶は、誰にも消せないわ、という彼女の声がいつまでも耳の奥で響いていた。

「そうだ。帽子よ」

わたしは不意に思い出した。

「向かいのおじさんが昔作っていた帽子よ。何年か前に消滅したの。彼女がしていたみたいに、頭の上にのせるものよ。ね？」

わたしはおじいさんを見上げたが、彼は首をかしげるだけだった。

その時、人垣から出てきた誰かが帽子を拾い上げ、泥を払い、黙って火の中へ放り投げた。それはくるくると回転しながら、手の届かない所へ落ちていった。

「さあお嬢さま、そろそろ取り掛かりましょうか」

おじいさんが言った。

「そうね」

帽子が落ちていった場所から視線を上げ、わたしは答えた。

わたしたちは水飲み場の横にリヤカーを止め、両手に持てるだけの本を抱えて火に近づこうとした。けれど熱風が身体を包み、火の粉がセーターや髪の毛を焦がすので、なかなかそばへは寄れなかった。

「危険でございますから、お嬢さまは下がっていらした方がよろしゅうございます。私にお任せ下さい」

「いいえ、大丈夫よ。とにかくこれ以上は近寄れないわ。ここから本を投げましょう」

わたしは一冊の本を——黄緑色の表紙に果物の絵が描かれていた——炎に向かって投げ込んだ。力一杯投げたつもりなのに、それは炎の中まではとても届かず、山の裾の方に落ちていった。おじいさんのはもう少し山の上に引っ掛かった。回りの人々はちらっとこちらを向くだけで、声も掛けず、表情も変えなかった。

わたしたちは次々と本を投げた。もういちいち表紙を眺めたり、ページをめくったりはしなかった。定められた仕事をこなすように、淡々と同じ動作を繰り返した。それでも一冊一冊が手を離れてゆく瞬間、記憶の空洞が深みを増してゆくようなわずかなきしみを感じた。

「本がこんなによく燃えるものだとは知らなかった」

わたしは言った。

「形は小さいですが、中にはびっしり紙が詰まっておりますからねえ」

手を休めずにおじいさんは言った。

ょうね」

「ページに書き込まれた言葉が全部消えてなくなるには、随分長い時間がかかるでしょうね」

「ご心配はいりません。明日になれば、無事終わりますよ」

おじいさんはポケットからタオルを取り出し、顔の汗と煤をぬぐった。

半分ほど焼いたところでわたしたちは中央公園をあとにし、再びリヤカーを引いて町を歩いた。熱い炎のそばで作業するのは結構疲れるので、もっと小さな火を探そうということになったのだ。

町は静かだった。消滅の時特有の、ざらりとした感触の空気の流れはあったが、騒々しさはなかった。秘密警察のトラック以外、車はほとんど走っていなかったし、人出は多くても余計なお喋りをする人はいなかった。ただ本の燃える音だけが、どこにいても聞こえてきた。

わたしたちは道順など関係なく、気の向くままに歩いた。荷台が軽くなった分、リヤカーは引っ張りやすくなった。電車通りを北へ折れ、役場の駐車場を横切り、住宅街へ入った。あちこちの空き地で消滅が進行していた。思ったとおりそれらの火は、どれも中央公園ほど大きくはなく、両手をかざして暖まるのにちょうどいい焚火という感じだった。

「申し訳ありませんが、ご一緒させていただいてもよろしいでしょうか」

そうお願いしてからわたしたちはリヤカーを止め、数冊の本を燃やした。

「どうぞ、どうぞ。リヤカーにのせてあるの全部、くべて下さって結構ですよ」

たいていの人が親切にそう言ってくれたが、

「いいえ、いっぺんにたくさんくべて、火が家へ燃え移ったりしては大変ですから。また別の焚火を探します」

と断った。

本を投げ込み、リヤカーを引っ張り、火を見つけたら立ち止まる。その繰り返しだった。いつのまにか日は暮れ、夜が深まろうとしていた。島にある小説の数などたいしたことはないと思っていたが、空に立ち昇る煙はそう簡単には消えそうになかった。

公民館とガソリンスタンドと缶詰工場と独身寮の前を通り、T字路に突き当たると向かいは海だった。そこからはずっと海沿いの道を進んだ。砂浜にも人が集まっていた。海は闇に溶け、遠くまで暗く広がり、やがて空と一緒になった。荷台の本はもう残りわずかになっていた。

丘が見えてきた。その中腹は一段と激しく燃えていた。

「図書館だわ」

わたしはつぶやいた。

「そのようでございます」

おじいさんは額に手をかざし、まぶしそうに目を細めた。

丘を登る道は狭く急なので、わたしたちはリヤカーを置き、残りの本を全部手に持って歩くことにした。いつもならこのあたりは、暗くて足を踏み入れることなどできないはずだが、燃える図書館のおかげで昼間と変わらないくらいに明るかった。途中、すっかり花の消えてしまった植物園が広がっていた。今では枯れかけた枝が、淋しげにぽつぽつと伸びているだけだった。その上を火の粉が輝く花びらのように舞っていた。

図書館はすっぽり炎に包まれていた。こんなにも見事に、美しく、何かが燃えてゆくのを見るのは初めてだった。圧倒的なその光と熱と色は、恐怖も淋しさも忘れさせてくれた。R氏が懸命にわたしを説得しようとしたことや、帽子の彼女が叫んだ言葉が、どんどん遠のいてゆくようだった。

「何も建物全部焼いてしまうことはないのになあ」

「いや、図書館なんてものは本しか置いていないんだから、こうしていっぺんに火をつけた方が手っ取り早いんだ」

「この跡はどうなるんだろうねえ」

「植物園と一緒に空き地にして、秘密警察の関係の建物を造るっていう噂だよ」

遠巻きに見物している人々の話し声が聞こえた。

わたしたちは野鳥観測所まで、もう少し丘を登った。そこまで来ると人影は見えなかった。昼間散歩の途中で立ち寄る時はそれほど感じなかったが、夜訪れてみると観測所の荒廃ぶりはかなりひどかった。ガラスが割れ、蜘蛛の巣が張り、キャビネットや机は全部引っ繰り返っていた。床には一面、使いものになりそうもない、マグカップやペン立てや毛布や書類の切れ端が散らばっていた。わたしたちはつまずかないように注意深く部屋を横切り、父と双眼鏡を覗いた窓のところまで来ると、足元に本を置いた。

「ガラスの破片が落ちているかもしれません。お気をつけ下さいまし」

と、おじいさんが言った。わたしはうなずいて窓枠にもたれた。

図書館は観測所の斜め下の方、こんもりと茂った藪の向こうに見えた。手をのばせば届きそうでもあり、映画のスクリーンを眺めているようでもあった。闇の中で、炎だけが動いていた。海も木々もわたしたちも、この美しい風景が乱れてしまうのを恐れているかのように、じっとうずくまり、息をひそめていた。

「昔、誰かがこんなことを言っていたのを覚えているわ。〝書物を焼く人間は、やがて人間を焼くことになる〟」

わたしは言った。おじいさんは顎に手をやり、ほーっと低い声を出した。

「どなたがそのようなことを、おっしゃったのですか？」

「忘れたわ。とにかく誰か偉い人よ。でも、本当にそうなると思う？」

わたしは尋ねた。

「さあ……どうでしょうか。難しいご質問でございますねえ」

おじいさんは天井を見上げ、パチパチとまばたきしながらあごを撫で回した。

「何と申しましても、これは消滅なのですから、どうしようもございません。無闇に書物を焼いているわけではないんです。誰も消滅には逆《さか》らえないことを、そのお偉い方もご存じでしょうから、きっと許して下さいますよ。人間を焼くなんて恐ろしいことが、そうやすやすとおこなわれる道理がありません」

「もし、人間が消滅したら？」

わたしが続けて質問すると、おじいさんはうっと息を詰まらせ、もっと激しくまばたきし始めた。

「相変わらずお嬢さまは、込み入ったことをお考えなんですねえ。えーっと……つまり……何と申しましょうか……。そうだ。そうですよ、お嬢さま。人間には消滅なんて関係ないんですよ。放っておけば、必ずいつかは死ぬんですから。潔いものです。寿命に任せておけばよろしいんです」

どうにか答えを見つけることができて安堵したというふうに、おじいさんは壊れた窓ガラスの止め金をパチンと鳴らした。

その間もずっと図書館は燃え続けていた。わたしは足元の本を一冊取り上げ、窓から投げた。それは宙で両開きになり、茂みを越え、炎の中へゆっくりと落ちていった。ページが風を受け、ひらめいていた。落ちるというより、舞い下りるという感じだった。

今度はおじいさんが投げた。それは薄くて軽い本だったので、もっと優雅にページをひらめかせながら消えていった。

わたしたちは順番に同じ仕草を繰り返した。一冊一冊に丁寧に触れた。

風向きが変わると、ここまで熱風が吹き込んできた。長い時間雪道を歩いたせいで、足の先は凍えていたが、頰だけは熱かった。

「フェリーが消えた時、おじいさんはどんな気持だった？」

わたしは尋ねた。

「随分昔のことですからねえ。もう忘れてしまいましたよ」

おじいさんは答えた。

「明日から、どうやって暮らしていったらいいのかしら」

次に手に取ったのは、ハトロン紙のカバーがついた、分厚くて頑丈な本だった。

「ご心配なさらなくても大丈夫ですよ。私の場合もそうでした。仕事を失うっていうのは心もとないものですが、知らず知らずのうちにどうにかなるものです。すぐに代わりの仕事が見つかって、以前自分が何をしていたかなんて忘れてしまいます」

おじいさんは窓の向こうに目をやったまま言った。

「でもね、これからもこっそり、小説を書いていこうと思うの」

えっと言っておじいさんは振り返った。わたしはその分厚い本を両手で思い切り投げ上げた。ハトロン紙がすすり泣くような音を立てた。

「そんなことが、できるのでございますか？」

「自分でも分らないわ。だけど、彼が絶対にそうすべきだって、そうしなくちゃ、わたしの心は滅んでしまうって言うの」

「そうでございますか……」

おじいさんはまたあごに手をやり、顔中を皺だらけにして考え込んだ。

「しかし私も、Rさんに言われたとおり、毎日オルゴールを聴いておりますが、特別な変化は何もあらわれてきません。消えていった記憶がよみがえってくるわけでもなく、心が元気になるわけでもありません。相変わらず木の箱から、不思議な音の連なりが聞こえるばかりです」

「何をやっても無駄なのかもしれないわね。でも、書きかけの原稿は大事に隠してあるのよ。消滅した小説の続きを書くなんて、途方もないことだし、危険なことでもあるわ。だけど彼をがっかりさせたくないの。心が衰えてゆくのは苦しくも何ともないけど、彼の沈んだ顔を見るのは辛いの」

「私もあきらめずにオルゴールを聴き続けます。ありがたい誕生日のプレゼントでございますから」

そう言いながらおじいさんは、わたしの髪の毛についた灰を払ってくれた。

「くれぐれもご無理なさいませんように。私でお役に立てることがありましたら、いつでもおっしゃって下さい」

「ありがとう」

わたしは言った。

とうとう最後の一冊が手を離れていった。図書館は次第に建物の輪郭が崩れはじめていた。時折大きな音がして屋根が落ち、壁が倒れた。受付けのカウンターも閲覧室の椅子も燃えていた。

わたしは頬づえをつき、最後の一冊が舞ってゆく曲線を目でなぞった。ふと、その本の姿が何かに似ている気がした。昔この窓辺に父と並んで、同じようなものを眺めたことがある。わたしは深く息を吸った。胸の奥の底無し沼に、火の粉が一粒迷い込んできたような、微かな痛みを感じた。

「鳥だわ」

わたしは思い出した。鳥もあんなふうにして羽を広げ、遠くへ飛んでいった。けれどその記憶もすぐに炎にかき消され、あとにはただ夜が広がるばかりだった。

20

おじいさんが言ったとおり、新しい仕事はすぐに見つかった。町内会長さんが知り合いの商事会社を紹介してくれたのだ。

「香辛料を卸《おろ》している小さな会社ですけどね。社長さんも人格者だし、なかなかしっかりした職場ですよ。タイピスト兼事務員を探しているそうなんです」

「タイピスト？」

わたしは問い返した。

「不満ですか？」

「いいえ。ただ、タイプなんて学生時代、ちょっと触ったことがあるだけですから。自分に勤まるかどうか心配で……」

わたしはタイピストという言葉を声に出さずに何度もつぶやいてみた。それがなぜか特別な言葉に思えたからだ。

「大丈夫ですよ。仕事をしながらだんだんに覚えていけばいいんです。あちらはそう言っています。まあ、最初のうちは雑用が多いでしょうけれどね」

「どうもありがとうございます。いろいろとお手数をおかけして申し訳ありません」

そう言って頭を下げている間もずっと、つぶやきは消えなかった。すっかり貧弱になってしまった記憶の中身をかき回してみたが、何も手に触れなかった。

「いや、いや、気になさらないで下さい。私はちょっと橋渡しをしただけです。消滅に会った時は、お互い助け合いませんとなあ」

町内会長さんは満足気に微笑んだ。

とにかくわたしは香辛料の商事会社にお勤めすることになった。当然、日常生活の時間割りは変更せざるをえなくなった。朝は早く起きて、昼間R氏が困らないだけの食料やお湯や日用品をそろえて隠し部屋へ運んだ。夕方仕事から帰ると一番に隠し部屋をのぞき、異常がないことを確かめてからドンを散歩させ、夕食の準備をした。最初の頃は、一日に十時間近くも家を空けるのが気掛かりで仕方なかった。もし自分のいない間に突発的な事故、火事や強盗や病気や記憶狩りが発生したら、とつい想像してしまうからだ。

時間的には以前よりも忙しくなった。規則正しく会社へ通いながら、R氏の安全を守り、ドンの世話をし、家の中を整頓しておくのはなかなか大変だった。おじいさんのフェリーへ遊びに行く機会も減った。しかしどうにか、毎日は無事に過ぎていった。

会社はこぢんまりとしていて家庭的だった。仕事の内容は掃除や電話番や単純な書類の整理だった。タイプについては、教則本と機械を一台貸してもらい、家で練習することになった。外でお勤めするのは初めてだったが、何とかうまくやれそうだった。

ただ事務所の裏側の倉庫に保存している商品が、風の具合いで時折ひどく臭うのには悩まされた。いろいろな種類の香辛料が混ざり合った、苦い薬草のような、腐った果物のような臭いが、身体中にまとわりついてくるのだ。

しかし香辛料を扱っているおかげで、取引先から食料を分けてもらう幸運に巡り合えることもあった。もう市場のどこを探しても手に入らなくなったソーセージやチーズやコンビーフは、R氏とおじいさんとわたしの大事なおかずになった。

なぜタイピストという言葉に自分が敏感に反応したのか、その理由が分ったのは、小説の続きに挑戦してみようと、隠し部屋に避難させておいた原稿を取り出して読み直した時だった。

正確に言えば、わたしは既に小説を読むことはできなくなっていた。一個一個の言葉を音読はできても、つながりのある物語として理解することはできなかった。それらは原稿用紙のますめを埋めているただの文字であって、何の感情も雰囲気も情景もかもし出していないかったのだ。

ますめを一つずつ指でなぞっている時、〝タイピスト〟という言葉を見つけ、わたしはようやく自分がタイピストについての物語を書いていたことを思い出した。こんな調子だから、小説の続きを書くのはR氏が言うほど簡単にはいかなかった。

金曜日と土曜日の夜、わたしは仕事机に向かう。文鎮をはずし、原稿用紙の一枚めから慎重に目を通してゆく。でもうまくいかない。同じ一行を何度も繰り返したり、一つの言葉をじっと見つめたり、リズムをつけて視線を動かしたり、いろいろ工夫するがたいして効果はない。五枚め、六枚め、と進んでゆくうち根気が続かなくなってくる。パラパラと原稿をめくって、途中のきりのよさそうなところからもう一度試してみるが、やはり同じことだ。とうとう最後には疲れきって、ますめの直線を見ただけでめまいがしてくる。

読むのはだめでも、書くことならできるかもしれないと気を取り直し、今度は白紙の原稿用紙を用意する。指慣らしのために最初、あ、い、う、え、お、と書いてみる。ますめと字の大きさのバランスを確かめながら、か、き、く、け、こ、と続けていく。たとえ無意味な言葉でもこうして書き付けていると、少しずつR氏の望みに近づいているような満足した気分になってくる。しかし、その一行を消しゴムで消し、再びますめが空白になると、とたんに指がかじかみ、不安で一杯になって何を書いていいか分らなくなる。

いったい自分は何を書いていたのだろう。わたしは自分に問い掛ける。夜中、仕事机に向かって言葉を探り出していた時のことを、何でもいいから思い出そうとする。机の隅に置かれたタイプライターが、じっとこちらをうかがっている。会社の人たちがうるさく言わないのをいいことに、タイプの練習はあまりはかどっていない。わたしはでたらめにキーを叩いてみる。カシャ、カシャ、カシャと、金属のこすれ合う音がする。その瞬間ふと、物語の感触がよみがえってくるような予感がし、思わずわたしはそれをつかみ取ろうとする。しかし手の中に残るのは、ただ小さな空洞だけだ。

長い時間真っ白いますめを見ているのに耐えられなくて、わたしはまた、あ、い、う、え、お、と書いてしまう。今度こそ何か書けるかもしれないと期待して、それを消す。けれどやはり、何も浮かんでこない。仕方なく、あ、い、う、え、お、に戻る。その繰り返しだ。最後にはとうとう、原稿用紙がこすれてぼろぼろになってしまう。

「無理をしなくていいんだよ。ゆっくり記憶をほぐしていけばいいんだ」

ごめんなさいと謝りながら白紙の原稿用紙を差し出すと、彼はがっかりした様子も見せずに、わたしを慰めてくれた。

「どんなにがんばっても、もうだめなんじゃないかしら」

「そんなことはないさ。小説を書いていた時と今と、君自身はどこも変わっていない。ただ違うのは、本が燃えてしまったということだけだ。紙は消えたけれど、言葉は残っている。だから大丈夫。僕たちは物語を失ったわけじゃないよ」

彼はいつものようにわたしを抱き寄せた。ベッドは柔らかく、暖かかった。彼の肌はますます白くなり、筋肉の形が透けて見えそうだった。すっかり伸びた髪の毛は、目元を半分陰にしていた。

「炎は一晩中消えなかったのよ。このままずっと夜が終わらないいんじゃないかと思ったくらい。手持ちの本を全部燃やしてしまっても、立ち去る人は一人もいなかった。みんなじっと炎を見つめていたの。紙の燃える音がひとときも途切れることなく聞こえているのに、なぜか静寂に包まれているような錯覚を感じたわ。鼓膜が痙攣を起こしたみたいだった。こんな厳《おごそ》かな消滅は初めてよ。わたし、おじいさんと手をつないでいたわ。身体のどこかを触っていてもらわないと、自分も炎に吸い込まれそうだったから」

わたしはあの夜の出来事を詳しく話して聞かせた。一度口を開くと、次から次に話したいことが浮かんできて止まらなくなった。リヤカーを引っ張るのに苦労したこと、中央公園の遊具が赤く染まっていたこと、ぬかるみに落ちた〝帽子〟のこと、崩れた図書館のこと、〝鳥〟のこと……。どれだけ喋っても、一番大事な事柄を言い忘れている気がして仕方なかった。彼は辛抱強く耳を傾けていた。

喋り疲れてわたしが長い息を吐くと、彼は視線を上に向け、遠くを見通すような目をした。彼の背中の向こうに、空になった夕食の食器が見えた。皿の真ん中にグリンピースが一粒だけ残っていた。棚の上には、燃やさなかった本がきちんと並べられていた。

「僕がいない間に、外の世界は随分変わってしまったんだろうね」

彼はわたしの髪の毛を撫でながら言った。声が二人の身体のすきまを埋めてゆくのが分った。

「髪の毛、何か変な臭いがしない？」

わたしは尋ねた。

「どんな？」

「香辛料の臭い」

「しないよ。とてもいいシャンプーの匂いがするだけだ」

彼は髪の間に指を滑り込ませた。

「よかった」

わたしはつぶやいた。

それから彼はタイピストの物語を、声を出して読んでくれた。わたしはそれを遠い国のお伽話のように聞いた。

「慣れないお仕事で、お疲れじゃございませんか」

おじいさんはテーブルにお茶のセットを並べながら言った。厚手のシャツの上に、以前プレゼントしたセーターを着て、足には毛糸の室内履きをはいていた。

「いいえ。みんな親切にしてくれるから、楽しくやっているわ」

わたしは答えた。

フェリーで二人一緒にお茶の時間を過ごすのは久しぶりだった。そのうえうれしいことに、今日はホットケーキまであった。珍しく卵とはちみつが手に入ったので、二人で焼いたのだ。たねをきっちり三等分にして三枚焼き、一枚はR氏へのお土産用にナプキンに包んで取っておいた。

ソファーの下に寝そべっていたドンはすぐに匂いをかぎつけ、テーブルクロスの端を鼻で揺さ振りながらおねだりをした。

「タイプは難しいけど、練習してみるとおもしろいのよ。指だけを動かしていると、いつの間にか文章が出来上がっているなんて、まるで自分が手品師になったような気分よ。ドン、テーブルクロスを引っ張っちゃだめ。おまえにもあげるから、お行儀よくして待ってなさい」

わたしはドンの喉をさすった。

「さあ、もう少しの我慢ですよ」

おじいさんは一滴も無駄にしないように、注意深くはちみつをホットケーキの上にたらした。

「会社の景気もいいみたい。香辛料はほんの少しの土でも育つから、雪ばっかりの天気でも収穫はたくさんあるの。食料事情が悪くなって、傷みかけた肉や野菜が平気で出回っているでしょ。みんな臭い消しを欲しがっているのよ。ボーナスが弾みそうだって、社員の人は楽しみにしているわ」

「それはよろしゅうございます」

と言っておじいさんはポットの蓋を開け、お茶の出具合いを確かめた。

わたしたちは他愛もないお喋りをし、お茶を飲み、ドンをからかい、ゆっくりとホットケーキを食べた。一口におさまる分だけナイフで切り分け、できるだけ長い時間甘さを感じていられるよう、その一切れを舌の上で溶かしながら食べた。残りが減ってくると、一回に切り分ける大きさもだんだん小さくしていった。

わたしとおじいさんは一切れずつドンに分けてやった。ドンはよく味わいもしないであっさりとそれを飲み込んでしまい、「まさか、もうおしまいっていうわけじゃないんでしょ？」と言いたげな目つきでわたしたちを見上げた。

もしかしたら春が近づいているのかもしれないと思わせるほど明るい日差しが、窓から差し込んでいた。海は穏《おだ》やかで、いつもは波に揺られてどこかがぎしぎしきしんでいるフェリーも静かだった。船着場に積み上げられた雪の山は、表面が溶けて光って見えた。

ホットケーキを全部食べてしまうと、洗面所に隠してあるオルゴールを取り出し、テーブルの真ん中に置いて二人で聴いた。相変わらずそれは同じメロディーを忠実に繰り返した。わたしたちはお喋りをやめ、姿勢を正し、目をつぶった。オルゴールというものは本来、どういう場面でどういう格好で聴くべきものなのか分からなかったが、目を閉じた方がR氏の期待する〝効果〟がよりよく現われるのではないかと勝手に思ったのだ。

箱から流れてくるメロディーは、単純だけれど優しくて純粋だった。それを感じ取ることはできた。しかしそのことが、心の衰弱を食い止めるのに役立っているのかどうかは自信がなかった。音は心の底無し沼に吸い込まれると、いとも簡単に消えてしまい、どんなわずかな揺らめきさえ、どんな小さな泡粒さえ残さないからだ。

ドンも不思議そうにオルゴールを見ていた。ぜんまいを巻き直し、再び音楽が鳴り始める瞬間など、びくっと耳を震わせ、お腹を床にこすりつけるようにして後ずさりしながらも、好奇心は押さえきれないふうだった。わたしが箱を手のひらにのせ、鼻先に近づけてやると、あわてておじいさんの足の間に逃げ込んだ。

「お嬢さまの、あの……小説の続きはどうなりましたか」

オルゴールの蓋を閉じてから、おじいさんが言った。小説という言葉が、もう発音しづらくなっているようだった。

「ええ。努力はしているんだけど、やっぱりうまくはいかないわ」

わたしは答えた。

「消滅してしまったものに関わるのは、難しいことでございます。正直に申し上げれば、私はこの箱のぜんまいを巻くたび、空しい気持になります。今度こそ何か新しい発見があるかもしれないと自分を励ましますが、いつも期待は裏切られます。でも大事なプレゼントですから、元気を出してまたぜんまいを巻いております」

「わたしも机の上に白紙の原稿用紙を広げてはみるんだけど、そこから先一歩も進めないの。自分のいる場所も分らないし、行き先も分らない。深い霧の中に取り残されたような気分よ。それで、何とか手がかりが欲しいと思って、タイプライターを叩くの。今、仕事机の上にはいつも、会社から借りた機械が一台置いてあるから。よく見るとね、タイプライターって魅力的な形をしているのよ。複雑で繊細で愛らしいの。まるで楽器みたい。だから活字のレバーが持ち上がる時のばねの音に耳を澄まして、そこから何か小説につながるものが聞こえてこないかと待っているんだけど……」

「あの、島中が燃えているかのようなすさまじい炎を目のあたりにしたら、誰だって神経のあちこちが麻痺してしまいます」

「ええ。わたしもあの夜、自分の記憶が燃えてゆく音を確かに聞いたわ」

ドンが小さなあくびをした。彼は部屋中でどこが一番日光のたくさん当たる場所かをよく知っていた。太陽が動くのに合わせ、いつのまにか少しずつ身体を移動させていた。

久しぶりの好天ではしゃいでいるのだろう、子供たちの歓声が遠くで聞こえた。船着場の倉庫の前では、作業服を着た倉庫会社の人たちがキャッチボールをしていた。

「それにしても……」

と、わたしは続けた。

「どうしてタイピストの物語を書こうと思いついたのかしら。タイプライターなんてほとんど触ったことがないし、タイピストの友だちだっていないのに。不思議だわ。かなり詳しく機械について描写しているの。タイプを打っている場面がたくさん出てくるのよ」

「自分が体験していないことでも、小説に書けるのでございますか？」

目を大きくしておじいさんが言った。

「そうらしいわ。見たり聞いたりしたことがなくても、自分で想像して書き表わせばいいの。本物の通りである必要はなくて、たとえ嘘でも許されるんですって。彼がそう言っていたわ」

「嘘をついてもよろしいんですか？」

ますますわけが分らなくなってきたというふうに、おじいさんは眉毛をひくひくと動かした。

「ええ。小説なら誰にもとがめられないそうよ。つまり、ゼロから作り上げてゆけるの。目の前にないものを、あるかのように書くの。存在しないものを、言葉だけで存在させるの。だから記憶が消えても、あきらめる必要はないんだって」

わたしは空になったお皿をフォークでつついた。ドンは前足の上に頭をのせ、半分眠っているようだった。休憩時間が終わったのか、キャッチボールをしていた人たちがグローブをぶらぶらさせながら、倉庫の中へ入ってゆくのが見えた。

「こんなことをお尋ねしていいものかどうか、分らないのですが……」

しばらく黙って海を見ていたおじいさんが、おもむろに切り出した。

「お嬢さまはあの方がお好きなのでいらっしゃいますね」

どう答えたらいいのか、その最初の言葉が浮かばずに、わたしは寝ているドンの首に両腕を回して揺すった。ドンは迷惑そうに目ぶたを開き、咳のようなげっぷのよう

な声をもらした。そして彼が腕をすり抜け、船室を一周してまた元の日溜まりに戻ってきたのを見届けてから、

「そうね」

と、肯定しているとも、考えている途中だとも取れるあいまいな返事をした。

「彼は隠し部屋から出られると思う?」

今度はわたしが尋ねた。

「隠し部屋を出て、奥さんや赤ちゃんに再会できると思う?」

答える代わりにおじいさんはオルゴールを手に持ち、ため息をついた。

「わたしはたぶん、だめだと思う。彼はもう、あの部屋だけでしか生きていけないのよ。彼の心は濃密になりすぎているわ。外の世界へ出ていったら、無理矢理水面に引き上げられた深海魚みたいに、身体がばらばらにちぎれてしまう。だからわたしは、彼を抱きかかえて海の底に沈めているの」

「そうでございますか……」

おじいさんは手元を見つめたままうなずいた。ドンはもう一眠りしようと、前足であごの下を掻いてから気持よさそうに寝そべった。

その時突然、空の高いところからすさまじい音が響いてきた。思わずわたしとおじ

いさんは立ち上がり、テーブルに両手をついた。ドンも眠気など吹き飛んだ様子で、目を見開き、足を踏ん張っていた。

と同時に、フェリーが大きく左右に揺れた。投げ飛ばされそうになり、わたしはうずくまってソファーの足にしがみついた。キャビネットも食器戸棚も、その上に置いてあったラジオもランプも振り子時計も、船室にあるものすべてが崩れ落ちてきた。

「地震だ」

おじいさんが叫んだ。

21

揺れがおさまって目を開けた時、崩れた物と物の間から最初に見えたのはドンだった。ドンはソファーの下に入り込んで、しょんぼりと震えていた。

「さあ、もう大丈夫よ。こっちへおいで」

キャビネットから外れた引き出しと、倒れた電気スタンドのすきまから手をのばし、わたしはドンを抱き寄せた。そして狭い空間から身体を引っ張り出した。

「おじいさん、おじいさん」

わたしは部屋を見回した。さっきまでおじいさんがどこに坐っていたのか、見当もつかないくらい部屋は目茶苦茶になっていた。ドンも呼び掛けるような調子で何度か吠えた。

「はい。ここでございます」

ようやく返事が聞こえた。弱々しい声だった。

おじいさんは食器戸棚の下敷きになっていた。割れた食器の破片が身体中に降り注いでいた。顔が血だらけだった。

「大丈夫？」

わたしは戸棚をどけようとしたが、重すぎて思うように動かず、かえって身体を傷つけてしまいそうだった。

「私に構わず、早くお逃げ下さい」

おじいさんの声は瓦礫の中にこもって聞き取りにくかった。

「何を言っているの。そんなことできるわけがないじゃないの」

「一刻も早くここから逃げて下さい。津波がきます」

「つなみ……？　つなみって何？」

「説明している暇はございません。水平線の向こうからやってくる巨大な波のことです。地震のあとには必ずそれが襲ってくるのです。こんなところでぐずぐずしていたら、さらわれてしまいます」

「よく分らないけど、とにかく一緒に逃げるのよ」

おじいさんはわずかにのぞいている左手を振って、早く行け、と合図していたが、わたしは無視してもう一度食器戸棚を動かそうとした。やはりそれはわずかに持ち上がるだけだった。ドンが心配そうにこちらをうかがっていた。

「痛いかもしれないけど、我慢してね。少しでもすきまができたら、外へ外へ身体を動かすのよ」

わたしは自分自身を落ち着かせるために、絶えずおじいさんに話し掛けた。膝頭にガラスの破片が刺さり、ストッキングが破れて血だらけになっていたが、全然痛くなかった。

「掛け声をかけるから、タイミングを合わせましょう。タイミングさえ合えば、すり抜けられるはずよ」

「お願いでございますから、どうぞ私のことなど構わず……」

「まだそんな寝ぼけたことを言っているの。嫌よ。一緒じゃなきゃ嫌なの」

怒るようにそう言うと、わたしはドンの足元に転がっていた、天窓を開けるための引っ掛け棒をつかみ、それを食器戸棚の下に突っ込んでてこにした。

「一、二の、三」

今度はさっきよりも持ち上がった。床か戸棚かわたしの背骨か、どこかがぎしぎし音を立てていたが、構わず力一杯棒を押した。

「さあ、もう一回。一、二の、三」

左肩と左耳が見えてきた。その時また、フェリーが揺れた。前ほどひどい揺れではなかったが、バランスを崩して尻餅をつきそうになったので、引っ掛け棒にしがみついた。

「ねえ、これが、つなみなの？」

「いいえ。津波はこんななまやさしいものではありません」

「いずれにしても、急いだ方がいいわね」

何か自分も役に立ちたいと思ったのだろう。ドンはおじいさんのセーターをくわえて、引っ張り出そうとしていた。

手のひらが赤くなり、奥歯とこめかみが痺れ、腕の関節は外れそうだったが、戸棚は思うように動かなかった。どうしてこれほど重い戸棚がこんなところにあるのか、無性に腹が立ってきたが、それでも根気強く力を込めているうち、少しずつ身体が姿をあらわしてきた。

つなみ、とは何だろう。考えまいとしても、その言葉がどうしても引っ掛かっていた。おじいさんが恐れるくらいだから、よっぽどすごいものに違いない。海の底に住んでいる狂暴な生き物だろうか。それとも、消滅と同じような、目に見えない、絶対に逆らうことのできないエネルギーだろうか。わたしはそのイメージの怖さを振り払うためにも、ますます強く棒を押した。

最後まではさまっていた足首がようやく抜けた時、わたしはほっとしてその場にしゃがみ込んだ。おじいさんはよろよろしながら立ち上がると同時に、

「さあ、お嬢さま。逃げましょう」

と叫んだ。わたしはとっさにドンを抱きかかえ、おじいさんのあとに続いた。

物の散乱したフェリーの中をどのように通り抜け、船着場からどちらの方向の道を走ったのか思い出せなかったが、とにかく一息ついた時には、わたしとおじいさんとドンは丘の中腹の図書館跡に坐り込んでいた。同じように逃げて来た人たちがたくさん回りにいた。さっきまですばらしくいい天気だったのに、いつのまにか灰色の雲が空を覆い、今にも雪が落ちてきそうだった。

「お怪我はございませんか」

おじいさんがわたしの顔をのぞき込んだ。

「ええ、平気よ。おじいさんこそ大丈夫？　こんなに血だらけで」

わたしはポケットからハンカチを取り出し、顔を拭いてあげた。

「ガラスの破片でひっかいただけですから、心配はいりません」

「ねえ、ちょっと待って。左の耳から血が流れ出てるわ」

黒ずんだ血が一滴二滴、耳たぶからあごを伝っていた。

「いいえ。何でもありません。耳をひっかいただけでございます」

「でももし、耳の奥か、脳の中をやられているんだったら大変よ」

「いいえ。いいえ。そんな大それたことじゃございません。本当にご心配なく」

あわてておじいさんは左耳を両手で隠した。その時だった。地響きとともに水平線が大きくくねったかと思うと、白い波の壁が海岸へ押し寄せてきた。

「あれは何？」

わたしはハンカチを足元に落とした。

「津波でございます」

耳を押さえたまま、おじいさんは答えた。あっというまに目の前の風景が変わってしまった。海が空へ吸い上げられているようでもあり、地面の割れ目に吸い込まれているようでもあった。あふれた海水は上へ上へと盛り上がり、島全体を覆い隠そうとしていた。回りの人たちが一斉にうなり声を出した。

海はフェリーを飲み込み、防波堤を乗り越え、海岸沿いの家々を押しつぶした。それはたぶん一瞬の出来事だったと思うのだが、わたしは風景の小さな部分――いつもおじいさんがうたたねをしていたデッキチェアが流されてゆくのや、倉庫の入り口に転がっていた野球のボールが波に浮かんでいるのや、赤い屋根が折紙のように折り畳まれ飲み込まれてゆくさま――を一つ一つはっきり目にしたような気がした。

風景が元に戻った時、最初に口を開いたのはドンだった。ドンは切り株の上にあがり、海に向かって一度、低く長く吠えた。それを合図にして、みんな少しずつ行動を起こしはじめた。丘を降りようとする人、電話を探す人、水を飲む人、泣いている人、さまざまだった。

「もう、おさまったかしら」

そう言いながらわたしはハンカチを拾い上げた。

「はい、たぶん。けれどもうしばらく、ここで様子を見た方がよろしいでしょう」

おじいさんは答えた。

改めてお互いの姿を眺めてみると、二人ともひどい格好をしていた。おじいさんのセーターはぼろぼろに破れ、髪の毛は埃だらけで、靴は両方とも脱げていた。手には一つ、オルゴールだけを持っていた。あの状態の中をくぐり抜けてきたにもかかわらず、それには傷一つ残っていなかった。わたしの方は、巻きスカートのホックが外れ、ストッキングは伝線だらけでほとんど足を覆っておらず、靴のかかとが片方取れていた。

「どうしてオルゴールを持って逃げたの？」

わたしは尋ねた。

「よく覚えておりません。下敷きになっていた時、自分の身体の下にオルゴールがあるのは分っていました。でも、どうやってそれを持ってここまで走ってきたのか、自分でも思い出せないんです。片手で持っていたのか、両手で抱えていたのか、ポケットに入れていたのか……」

「何か一つでも救うことができてよかったわ。わたしが持ち出せたのは、ドンだけよ」

「はい。ドンが無事で何よりでした。年寄り一人分の生活用品など、大したものはありません。津波にさらわれたって、惜しくも何ともございません。元々フェリーは、とっくの昔に消滅していたものなんですから」

おじいさんは海を見やった。海岸は木材や瓦礫で埋めつくされていた。自動車もいくつか浮かんでいた。その向こう、海の真ん中あたりに、フェリーは船尾を上にして、波の間に突き刺さるような格好で転覆していた。

「彼のために残しておいたホットケーキも、だめになっちゃったわね」

わたしは言った。

「そうでございますね」

おじいさんはうなずいた。

町もあちこちが破壊されていた。ブロック塀が崩れ、道路がひび割れ、火事が発生していた。緊急自動車と秘密警察のトラックがひっきりなしにわたしたちを追い越していった。小説が消滅した時の焼け跡がまだ元に戻らないうちに、更に追い打ちをかけられて、町はすっかり打ちひしがれているように見えた。とうとう雪も降ってきた。

わたしの家は外から見たところ、瓦が何枚かはがれ落ち、犬小屋が引っ繰り返っている以外には、それほど傷んでいなかった。ただ部屋の中は大変なことになっていた。お鍋、食器、電話、テレビ、花瓶、新聞、ティッシュの箱……あらゆるものが散乱していた。

ドンを小屋につなぐとすぐ、わたしたちは隠し部屋へ急いだ。宙に浮かんだようなあの小部屋が地震でどうなったかが、一番気掛かりだった。わたしは絨毯をめくり、扉を持ち上げようとした。ところがそれは一ミリも動かなかった。

「おーい。聞こえますか？」

おじいさんが下に向かって叫んだ。しばらくしてから、コンコンと内側から扉を叩くくぐもった音がした。

「はい、僕です」

続いてR氏の声が聞こえてきた。

「大丈夫？　怪我はない？」

わたしは腹ばいになり、床のすきまに口を近づけた。

「ありがとう。怪我はないよ。君もおじいさんも無事でしたか？　とても心配していたんだ。外の様子が全然分からないからね。誰も戻ってこなかったらどうしようかと思っていたところなんだ」

「わたしたちはちょうど一緒にフェリーにいたの。どうにか逃げられたわ。フェリーは海にさらわれてしまったけど」

「そうだったのか。僕もちょっとでもいいから状況を知りたいと思って、扉を開けようとしたんだけど、動かないんだ。押しても引っ張っても叩いても、びくともしない」

「もう一度引っ張ってみますから、そちらからも力一杯押していただけますか」

床をあちこち触って点検していたおじいさんは、R氏にそう声を掛けた。しかし、結果は同じだった。

「地震で床がねじれてしまったんでしょうか」

板一枚でさえぎられているだけだというのに、R氏の声は遠く頼りなく聞こえた。そのことが余計わたしを不安にした。

「たぶんそうでしょう。扉と床のかみ合わせが狂ったんでしょうなあ」

おじいさんはあごに手を当てて考え込んだ。

「このまま開かなかったらどうなるの？　餓死しちゃうわ。いいえ、その前に窒息死してしまうかも」

わたしは早口で言った。

「換気扇は動いていますか？」

おじいさんが尋ねた。

「いいえ。停電らしくて動かないんです」

昼間なので気づかなかったが、電気は止まっているらしかった。

「じゃあ、そちらは真っ暗なんですね」

「はい」

だんだんR氏の声が遠のいてゆくような気がした。

「急がなくちゃ」

わたしは立ち上がった。

「とにかく、のこぎりとのみで扉を開けましょう」


おじいさんはいつものとおり、黙々と的確に作業をすすめ、短時間で見事に扉を引きはがした。わたしはただそばでおろおろするばかりだった。唯一した仕事は、のこぎりとのみを向かいのおじさんに借りに行ったことだった。地下室に大工道具はあるのだが、目茶苦茶に物が崩れ落ちていて、とても探せる状態ではなかったし、おじいさんが持っているのはフェリーと一緒に流されてしまったので、お向かいに借りる以外方法がなかったのだ。ところが元帽子職人のおじさんは、大工仕事なら自分が手伝ってやると言って譲らなかった。

「大きな地震でしたなあ。お宅はいかがでしたか。どこを修理するんです？　お手伝いしますよ」

「ありがとうございます。でも、大した修理じゃありませんから」

「女性一人じゃ大変でしょう」

「いいえ。おじいさんがいますから」

「こういう非常事態の時は、いくら人手があったって邪魔にはなりませんよ」

わたしは顔では微笑みながらも、おじさんの気分を害さないで、なおかつ疑いをいだかせないような口実はないかと、考えを巡らせていた。

「実は今おじいさん、顔中に湿疹ができていまして。蕁麻疹《じんましん》らしいのですが。おばけみたいになっているんです。それで誰にも顔を見られたくないって言うんです。あんな歳になっても恥ずかしいんですかねえ。ちょっとまあ、頑固なところがありますから」

これでどうにか元帽子職人のおじさんは引き下がってくれた。

扉が開いた瞬間、木屑が舞い上がり、三人は同時に歓声を上げた。わたしとおじいさんはすぐ腹ばいになって下をのぞいた。R氏は梯子の下で膝を抱え、安堵と疲れの入り混じった視線でこちらを見上げていた。髪の毛に木屑がたくさん降りかかっていた。

わたしたちは梯子を降り、それぞれの身体にさわり合いながら、「まあ、まあ」とか「うん、うん」とか意味のない言葉を口にした。薄暗くてよくは見えなかったが、隠し部屋もやはり荒れていた。少しでも動くと、足にいろいろな物が触れた。その狭い空間でわたしたちは手を握り合い、いつまでもお互いを見つめていた。無事を本当に確かめ合う方法が、ほかには思いつかなかったからだ。

22

町はなかなか元通りにならなかった。被害に会った人々はできるだけ早く日常の生活を取り戻そうと努力していたが、寒さと資材不足で作業は思うようにはかどっていなかった。壊れた家の残骸や土砂は、いつまでも道路の端に山積みされたままになっていた。雪はすぐに薄汚れた泥になり、島全体を余計痛ましい姿にした。

海辺を漂っていた瓦礫は次第に沖へ流され、遠くへ散らばっていった。ただフェリーだけが、海の真ん中に突き刺さったままになっていた。頭を地面に埋め窒息死したようなその格好には、おじいさんが住んでいた頃の面影は残っていなかった。

地震から三日めの午後、会社の近くの電車通りを歩いている時、わたしは乾《いぬい》一家を見かけた。正確に言えば、わたしが見たのは一対の手袋だけなのだが、あれは間違いなく――間違いであってほしいけれど――乾一家ではないかと思う。

社長さんにお使いを頼まれ、文房具屋さんへ入ろうとした時、例の深緑の幌つきトラックがわたしを追い越していった。たくさんの人々が詰め込まれているらしく、幌は重そうに左右に揺れていた。車も通行人も端によけ、トラックが早く通り過ぎてくれるのを待っていた。

わたしは文房具屋さんの扉に手を掛けたまま、できるだけトラックの方は見ないようにしていたのだが、ほんの少しめくれ上がった幌の間から、手袋がのぞいているのが目に入ってきた。わたしははっとしてそこに神経を集中させた。それは鎖編みの毛糸で右手と左手をつないだ、空色の小さな手袋だった。

「あれは、乾さんの、ぼくちゃんの……」

わたしは地下室で彼の爪を切ってあげたことを思い出した。柔らかく透明な爪が舞い落ちていったさまや、すべすべした指の感触や、かたわらに置かれていた手袋のことを思い出した。

幌のすきまからは顔も身体も見えなかったが、外の世界にほんのわずかはみ出したその手袋は、哀しげな表情をしていた。わたしは後を追い掛けようとして歩道に出たが、何にもならなかった。トラックはすぐに見えなくなってしまった。

地震で家が壊れたり、火事になったりして、隠れ家に潜んでいた人々が何人も行き場を失い路上をさ迷っている、という噂は耳にしていた。それを秘密警察たちが片っ端から連行しているらしいと。しかし、あのトラックに乾一家が乗っていたのかどうか、確かめるすべはなかった。ただ、これからもずっと彼が誰かに爪を切ってもらえるように、そしてその様子をいつも手袋が見守っていられるようにと、祈るしかないのだった。

おじいさんはわたしの家に一緒に住むことになった。いずれ同居するつもりで、ぼつぼつと準備は始めていたので、こちらは何の問題もなかったのだが、おじいさんが地震以来妙にしょんぼりしているのが気がかりだった。自分の住まいを何の前ぶれもなく突然に失ったのだから、ショックを受けるのは当たり前だろう。それにいくら勝手を知った家とはいえ、いざ暮らすとなると不慣れなこともあるだろう。と、わたしは自分を納得させた。

しかし地震の後片付けについては、おじいさんは大活躍をしてくれた。建物が無事に残っただけでもありがたく思わなければいけないのだが、家の中はどこから手をつけていいのか見当もつかないくらいのありさまだった。それをおじいさんがてきぱきと元に戻していった。

まず、倒れた家具を起こし、壊れた部分は修理し、使いものにならないのは分解して庭で燃やした。部屋中に散乱していた物たちを整理分類し、しまうべき場所におさめ、床にワックスを塗った。隠し部屋の入り口はもちろん、がたのきた窓枠やドアもすぐ元通り使えるようにした。

「顔の傷がまだ直っていないんだから、ゆっくり休んでちょうだい」

と言ったのだが、おじいさんは、

「いえいえ、こういうことは考える暇もなく、勢いにまかせてやってしまう方が楽なんです。そういえばさっき、玄関先で向かいのおじさんとばったり出くわしたのですが、『蕁麻疹の具合いはいかがですか。おや、まだ痕《あと》が残っていますなあ。どうぞお大事に』なんていたわられましたよ」

と言って笑い、また金槌を持ってあちこちをトントン叩いて回るのだった。

その不可思議な品物を見つけたのは、おじいさんと一緒に地下室を片付けている時だった。

地下室は元々、古いものが無造作に置かれていたので、地震のあとの荒れ方もひどく、足の踏み場もないほどだった。この際、不必要なものは捨てようという話になったのだが、スケッチブックでも彫刻刀でも、いざ手にしてみるとすべてが母の思い出につながっているので、結局ほとんど始末することはできなかった。

「お嬢さま、ちょっとこちらへいらして下さい」

戸棚の下にしゃがんでいたおじいさんが言った。

「なあに？」

おじいさんが指差している先を見ると、そこには乾一家から預かった母の彫刻が、棚から落ちて転がっていた。結婚祝いの獏と、娘さんの誕生祝いの人形と、あとの三つは母が連行される前に乾さんにプレゼントした抽象的なオブジェ。

「ここのところを見て下さい」

獏と人形は無傷だったが、残りの三つは割れたり、継目が外れたりして壊れていた。けれどおじいさんがわたしを呼んだのは、それが壊れているからではなく、その中に隠されていたものが姿をあらわしているからだと、すぐに分った。

「何かしら」

わたしは両手で慎重に三つの彫刻を拾い上げ、テーブルの上に並べた。わたしたちは椅子に腰掛け、割れ目からのぞいている中の品物をしばらく黙って見つめた。

「取り出してみましょうか」

「そうでございますねえ。こうして見ているだけでは、どうにもなりませんからねえ。しかしお気をつけ下さいまし。何か危険なものかもしれません」

「そんなことないわよ。だってこれは母さんが作った彫刻だもの」

わたしは親指と人差し指で、一個一個をつまみ出していった。

一つはいくつにも折り畳まれた長方形の紙片。黄土色に変色し、折り目がぼろぼろで破れそうになっている。わずかに数字と文字を読み取ることができる。

もう一つはチョコレートバーくらいの大きさの、金属の四角い棒。片方に小さな穴がびっしり並んでいる。

最後はビニール袋に入れられた、薬のような白くて丸い粒が数個。

「母さんが彫刻の中に隠しておいたんだわ」

すべてを取り出し終えてから、わたしは言った。

「そのようでございます」

おじいさんはいろいろに角度を変えながら、机の上のものを眺め回した。わたしは壊れた彫刻の破片を一つにまとめ、テーブルの端に寄せた。注意深く破片の間を探ってみたが、ほかには何も見つからなかった。

「乾さんは知っていたのかしら？」

「もしご存じなら、お預けになる時お嬢さまにそうおっしゃったでしょう」

「そうよね。じゃあこれらは十五年、誰にも気づかれず、じっと彫刻の中で息をひそめていたのね」

「はい、おそらく」

わたしたちは頬杖をつき、再び黙って机に視線を落とした。地下室のストーブは相変わらず調子が悪く、いつまでたっても暖まらなかった。明かりとりの窓には雪が吹きつけ、空は見えなかった。川に張った氷が時折ミシミシと音を立てた。

これらが母の秘密の引き出しにしまわれていた品々であるということは、すぐに見当がついた。紙切れと金属の棒と白い粒たちは、形の上ではどこにも共通しているところはないけれど、どれも慎ましげで密やかで甘美な雰囲気を持っていたからだ。

「これらをどういうふうに取り扱ったらいいと思う？」

わたしは尋ねた。

「そうですねえ……」

おじいさんは腕をのばし、金属の棒に触れようとした。ところが手は小刻みに震え、宙をつかむばかりだった。テーブルの上の品物に近づけようとすればするほど、見当違いの方向へ動いてしまうようだった。

「どうしたの？」

わたしが声を掛けると、おじいさんはあわてて自分の左手で右手を押さえ、膝の上に引き戻した。

「いや、何でもありません。見慣れない品物が目の前に並んで、緊張しただけでございます」

「腕がどうかしたんじゃないの？　ちょっと見せて」

「いやいや。本当に何でもありませんから」

おじいさんは身体を斜めにし、右腕を隠すようにした。

「疲れが出たのかもしれない。地下室はこのままにして、今日はゆっくり休みましょう」

おじいさんは黙ってうなずいた。

「とにかくこれは、隠し部屋へ運びましょう。あそこだけでしか存在できない種類の品物であることは、確かだから」

「呼び出し状が来てから、連行されるまでの間にお母さんが作った彫刻は、ほかにもあるかい？」

と R氏が言った。

「さあ、どうかしら。でも、うちには乾さんから預かった三つ以外にはないと思うわ」

ベッドカバーを指でつまみながら、わたしは答えた。ベッドの上には、地下室で見つけた三つの品物が並べられていた。

「わたしや父のために残した彫刻は全部、呼び出し状が届くずっと以前に作られたものだから」

「他にお母さんが彫刻をしまっておくような場所はないかなあ」

「考えられるのは、川の上流の別荘だけど、何年もあそこには行ってないわ。もう廃屋になっているはずよ」

「たぶん、そこだ。そこにお母さんは彫刻を隠したんだ。いや、消滅した品物を彫刻に閉じ込めて、隠したんだ。秘密警察から守るためにね」

彼はベッドに両手をつき、足を組み替えた。スプリングがきしんだ。

「だからあの秘密の引き出しが、いつのまにか全部空になっていたのね」

わたしは彼の横顔を見上げた。

「うん。そうだよ」

彼はまず一番に、長方形の紙片を取り上げた。少しでも力を込めると破れてしまいそうだったので、優しく掌に広げた。

「覚えているかい？」

彼は聞いた。

「いいえ」

ため息と一緒にわたしは答えた。

「これは、フェリーの切符だよ」

彼の口調は謙虚で穏やかだった。

「フェリーの、切符……？」

「そうさ。見てごらん。消えかかっているけど、ここのところに行き先と値段が印刷してある。ずっと北の方にある、大きな島へ渡るための切符さ。みんなこれを買ってフェリーに乗り込んだんだ。おじいさんが整備したフェリーにね」

わたしは息を殺し、まばたきもせずに、その薄汚れた紙切れを見つめた。真ん中には颯爽と海を滑るフェリーの姿が描かれている。その愛称は何だったろう。おじいさんが住んでいた頃、船体にペイントされていた文字は潮風にさらされてはがれ落ちていた。切符のそれも、色あせて解読できない。

「わずかだけど、記憶の水面が揺らいでいるような気がするわ」

だんだん目が痛くなり、まぶたを閉じたくてたまらなくなるけれど、もしそうしたら、せっかく動き始めた水面がまた静かになってしまいそうで、怖くてじっと我慢している。

「でもだからといって、この紙切れについての記憶を取り戻せたというわけじゃないの。もっとささやかで頼りない感触よ。あなたの濃密な記憶の前では、簡単に押しつぶされてしまうでしょう」

「押しつぶしたりするもんか。大事に掬《すく》い上げてあげるよ。何でもいいから思い出してごらん」

彼は広げた掌をわたしの膝の上にのせた。肩と肩が触れ合った。

「わたしが思い出せるのは、たった一つの風景なの。その切符がどこで何のために売られていたのか、どういう機能を果たしていたのか、なんていう重要なことは何も分らないの。ただ浮かんでくるのは、それが地下室の秘密の引き出しにしまわれていた時の姿。ここについている折り目のとおりに畳まれて、引き出しの真ん中でうつむいていた姿よ。引き出しの把手を引っ張ると、紙の端がびっくりしたみたいに震えたの。そして母が、あなたがやったのと同じような優しい手つきで、切符を広げたわ。

地下室はいつも夜だった。明かりとりの窓に月が映っていたから。あたりには木の削り屑や石のかけらや石膏が散らばっていた。川のせせらぎが夜のつぶやきみたいにずっと漂ってた。母の手のひらは厚みがあって、温かそうで、汚れていたわ。粘土がこびりついていたり、彫刻刀の切傷があったりして。わたしも切符に触ったと思う。母の顔と切符を交互に見比べながら、そっとつまみ上げたの。胸がどきどきしたわ。単純に楽しいとか、おもしろいとかいうのじゃないのよ。自分の指が狭いすきまをくぐり抜けて、どこかねじれた空間に吸い寄せられてゆくような、恐れの方がずっと強かった。でも母が微笑んでいたから、それだけが頼りだったの。切符は薄っぺらで、ざらざらしていて、ごみ箱に捨てられている紙屑と何の変わりもなかった。どうして母がこんなものを大事にしまっているのか分らなかった。でも彼女をがっかりさせたくなかったから、わたしもそれを大事に扱ったのよ」

一気にそこまで喋ると、わたしは胸を押さえて上半身をかがめた。あまりにも強く、記憶の一点に気持を集中させていたために、息が苦しくなったのだ。肋骨の奥に痛みさえ走った。

「無理をすることはないよ。少し休んだ方がいい」

彼は切符をベッドの上に戻し、わたしにお茶の入ったカップを持たせた。お茶の葉のストックが底をつきはじめたので、この頃口にできるのはわずかに色のついたお湯でしかなかったが、それでも呼吸を整える役目は果たしてくれた。

「いつもこうね。あなたを満足させられるようなことは、何一つ思い出せないの」

「僕が満足するかしないかなんて関係ないよ。君の眠った心を目覚めさせることが大切なんだ」

「眠った心？　眠っているだけならいいけど、もう消えてなくなっているのよ」

「そんなことはないさ。君はたった今、フェリーの切符にまつわることを思い出したじゃないか。引き出しの把手や、お母さんの手のひらや、川のせせらぎをね」

彼は立ち上がり電球の光の強さを調節すると、またベッドに腰掛けた。隠し部屋も地震の前とほとんど同じように片付いていた。戸棚に並べられた鏡も髭剃りも薬の瓶も元のままだった。ただ出入口だけが新しい板に取り替えられていた。

考えてみればわたしたちはいつでも、このベッドに腰掛けていた。大慌てでおじいさんが作ってくれた、質素だけれど頑丈なベッド。清潔さにだけは気を付けて、三日に一度は日光消毒をしているふかふかのカバーに包まれたベッド。わたしたちの居場所はこの四角の中以外、どこにもなかった。ここでわたしたちは話をし、食べ物を口にし、お互いの姿を見つめ合い、身体に触れ合った。わたしは二人に与えられた唯一の空間を、改めて眺めてみた。それは頼りないほどに狭く、はかなげだった。

「心の沼の水面が動いたら、その感触を君は必ず書き留めておきたくなるはずなんだ。そうやって君はずっと小説を書いてきたんだからね」

彼は言った。それから切符の隣に置いてあった銀色のチョコレートバーを取り上げ、口元に持っていった。本当にそれは食べられるものだったのかとわたしが驚いていると、彼は目元だけで笑いながら、息を吸い込んだり吹き込んだりし始めた。同時に金属の棒から音が流れ出してきた。

「まあ……」

わたしは声を上げた。しかし彼は口元をふさいだままだったので、言葉を発することはできなかった。ただ音が流れ続けるだけだった。

それはオルゴールとは違っていた。もっと音色に厚みがあり、部屋の隅々にまで響き渡る勢いがあった。けれど時には、心細げに震えたりかすれたりもした。オルゴールのように同じメロディーが繰り返されるのではなく、音の一つ一つに違った表情があった。

彼は両手でその四角い棒をつかみ、唇の間に押し当て、右や左に動かしていた。右にいくほど高い音で、左にいくほど低い音が出た。その姿は両手の中にほとんど隠れているので、まるで唇そのものが音を生み出しているかのようだった。

「ハーモニカだよ」

手を下ろしてから彼は言った。

「ハー、モ、ニ、カ」

わたしは一語一語、口移しで水を飲み込むように発音した。

「ロマンティックな響きね。真っ白で、毛足の長い、賢い子猫の名前みたい」

「これは猫なんかじゃないよ。楽器だよ」

彼はそれをわたしに持たせた。実際手に持ってみると、その小ささを余計はっきりと感じ取ることができた。所々錆ついてはいたが、電球の光を受けて上品な銀色に包まれていた。真ん中には、たぶん楽器の製造工場の名前なのだろう、アルファベットが刻まれていた。彼が口をつけていた部分には、蜂の巣のような穴が規則正しく二列に並んでいた。

「吹いてごらんよ」

彼が言った。

「えっ。わたしにできるわけないわ」

「そんなことないさ。君も子供の頃、きっと吹いていたはずだよ。だってこうしてお母さんが、大事に取っておいたくらいなんだから。さあ、やってごらん。呼吸するのと同じさ。簡単だよ」

わたしはそろそろと口にハーモニカを押し当てた。彼の唇の温もりがまだ残っているような気がした。そっと息を吐いてみると、思ったよりも大きな音がしたので、びっくりして唇から離した。

「ほらね、簡単に音が出るだろ」

彼は微笑んだ。

「ここが、ド。次が、レ、次が、ミ。順番に吐いて吸って吐いていけば、すぐにドレミファソラシドが出せるんだ」

それから彼はいくつか曲を吹いてくれた。知っている曲もあったし、知らないのもあったが、どれもわたしを安らかな気分にしてくれた。

何であれこうして楽器を身近に触るのも、演奏を聴くのも久しぶりだった。もう随分長い間、わたしは楽器のことなど忘れていた。そういえば子供の頃、オルガンを習っていた。先生はよく太った中年のおばさんで癇癪《かんしゃく》持ちだった。和音のテストが苦手で、いつもオルガンのふたに顔を半分隠してびくびくしていた。ドミソもレファラも全部同じに聞こえた。みんなで一緒に演奏する時は、邪魔にならないように鍵盤は押さず、指だけ適当に動かした。楽譜を入れる鞄は母さんの手作りで、頭の上に林檎をのせた子熊のアップリケがついていた。

あのオルガンと鞄は、どこへいったのだろう。高価なオルガンだったのに、わたしが一年足らずでお稽古をやめてしまったので、母さんがぶつぶつ文句を言っていたのは覚えている。しばらくはカバーをかぶせて彫刻を飾る台の代わりにしていたけれど、いつのまにか姿を消した。たとえ消滅がやってこなくても、こうしていろいろなものが静かに消えてゆくのだ。……

彼はうつむき加減にやや左肩を落とし、目を伏せ、ハーモニカを吹いていた。額にかかる前髪がまつげに触れそうだった。彼はとても上手だった。一度も間違えなかった。テンポの早いのや、ゆっくりのや、明るいのや、しんみりしたのや、たくさんの種類の曲を知っていた。

時々、交替してわたしが吹いた。下手だから恥ずかしいわ、と尻込みしたのだが、彼は僕も少しは休んで聴衆になりたいよと言った。仕方がないので、昔ばあやさんが歌ってくれた子守歌や、おはじきの数え歌をたどたどしく吹いた。本当にたどたどしくだった。どこがファで、どこがシか、間隔がうまくつかめなかったし、息の調節にも不慣れだったので、不釣り合いに大きな音が出たり、消え入りそうに音が震えたりした。でも一曲終わるたび、彼は拍手をしてくれた。

ここはハーモニカを演奏するにはうってつけの場所だった。外の雑音は何一つ聞こえず、電話が鳴ったり、誰かが訪ねてきたりすることもなく――おじいさんは一階の和室でもう眠っている――音は部屋の隅々にまで均等に響き渡り、わたしたちは好きなだけここへ閉じこもっていることができる。空気が薄いので、あまり続けて演奏すると息苦しくなるが、そんな時は二人で換気扇のそばに立ち、大きな口を開けて深呼吸する。

知っている曲を全部吹いてしまうと、わたしたちはハーモニカをベッドの上に戻し、代わりに最後に残ったもう一つの品物を手に取った。彼はビニール袋の口を開き、中に入っていた白い粒を全部両手に受けた。ビニール袋は薄茶色に変色し、ごわごわしていたが、中身はそれほど古びているようには見えなかった。

「何かの薬かしら」

わたしは言った。

「いいや。ラムネだよ。君のお母さんはこんなささやかな物まで、大事に取っていたんだね」

それは丸くて、真ん中が少しくぼみ、全体に白っぽい粉をふいていた。彼はいとおしそうに一粒つまむと、不意にわたしの口の中へ入れた。びっくりしてわたしは口を両手で覆った。彼はにこにこしていた。

舌が熱いくらいに甘かった。もっとよく味わおうとして舌を動かしたとたん、あっというまに溶けてしまった。

「おいしかったかい?」

彼が尋ねた。あまりにも一瞬のことだったのでわたしは声も出せず、ただ甘さがいつまでも逃げないようにと、唇を閉じたままうなずくだけだった。

「砂糖菓子さ。子供の頃はお店にいくらでも売っていた。島中には数えきれないくらいのラムネがあった。でも今残っているのは、ここにある数粒だけだ」

そう言って彼は自分でも一個食べた。それもたぶんすぐに溶けてしまったのだろうが、彼はいつまでも残りのラムネを見つめたまま、じっとして動かなかった。どのくらいの時間、二人そうやって黙っていたのだろう。

「残りは、おじいさんに分けてあげよう」

ようやく彼は口を開き、ラムネを元のビニール袋に戻した。

その夜彼はわたしに、三つの品物についての物語を話して聞かせてくれた。フェリーの切符とハーモニカとラムネは、二人の枕元にきちんと並べられていた。

横になるとベッドは、坐っていた時よりもまた一回り小さくなるような気がした。それは二人の身体をぴったりと包み、どこにもすきまがなかった。けれど彼の腕は大きく、わたしはその中で寝返りをうつこともできたし、髪の毛をかき上げることもできたし、小さなくしゃみをすることもできた。

夜はもうかなり更けているはずだったが、戸棚の時計は彼の肩の陰になって見えなかった。おじいさんが新しく取り付けた戸口の鍵が、つやつや光ってきれいだった。換気扇はずっと休みなく回り続けていた。

「北の島には牧場があった」

彼は話し始めた。

「山の裾野の牧草地に牛や馬や羊が飼われていたんだ。お金を出すと馬に乗せてもらえた。牧場のお姉さんが綱を引っ張って、広場を一周するんだけど、あっという間に終わってしまうんだ。僕はいつもお姉さんに、もっとゆっくり、もっとゆっくりって叫んでいた。そうしたらある時、一周だけおまけしてくれたことがあった。牧場の中にチーズ工場があった。そこに入るたび、僕は気分が悪くなった。石油タンクみたいに巨大な入れ物の中でぐるぐるかき回されているチーズを見ているとどうしても、もし自分があの中へ落ちたらっていう想像をしてしまうんだ。牧場で一日遊んで、でも夕方の五時にはフェリー乗り場へ戻らなくちゃいけない。フェリーは一日四往復しかしてくれないからね。北の島のフェリー乗り場は市場みたいににぎやかだった。アイスクリーム、ポップコーン、焼きりんご、キャンディー、そしてラムネ。子供が好きなものは何でもそろっていた。フェリーがこの島に帰り着く頃には、ちょうど海は夕焼けに染まっているんだ。水平線に沈んでゆく太陽が、手でつかめそうなくらい近くにあった。海の上から眺めると、僕たちの島は北の島に比べて、もの静かで、心細げで、輪郭がぼやけているみたいに見えた。僕はフェリーの切符を、ズボンのお尻のポケットにしまうようにしていた。なくさないようにしっかり折り畳んでね。馬に乗ったせいで、それはいつもくしゃくしゃになっていた」

彼の話は途切れなく続いていった。わくわくするお伽話を読んでもらっているようでもあり、心地よい音楽を聴いているようでもあった。わたしは時々枕元に目をやったが、三つの品物は相変わらず、うとうとと眠っていた。彼の口からあふれるこれほどたくさんの物語を、それらが隠し持っているとは、とても信じられないくらいのおとなしさだった。わたしはすぐにまた、彼の胸に頬を押し当てた。

学習発表会でハーモニカの演奏をしたこと。指揮者の指揮棒が何かの拍子に折れてしまい、みんなが吹き出して演奏が途中で止めになったこと。おばあさんがエプロンのポケットから一粒ずつラムネを出して食べさせてくれたこと。ある日食べすぎてお腹をこわしたこと。それでおばあさんがお母さんに叱られたこと。そのおばあさんは筋肉がだんだん衰えてゆく病気で死んだこと。……

消滅してしまったものたちの話を聞くのは、神経のある一部分を酷使しなければならなかった。しかしそれが少しも不愉快ではなかった。彼の話すべてを鮮明な映像に描き出すことができたわけではなかったが、そんなことは気にしなかった。子供の頃地下室で母さんと秘密の時間を過ごした時と同じように、わたしはただ無邪気に耳を傾けているだけだった。まるで神様が空から降らせてくれるチョコレートを一つ残らず受け止めようと、スカートの裾を広げて待っているかのような気分だった。

23

次の日曜日、わたしはおじいさんと一緒に別荘へ行ってみることにした。もしかしたらR氏の言うとおり、そこに秘密の品物を隠した彫刻が残されているかもしれないと思ったからだ。

別荘といっても、母が昔夏の間だけ仕事部屋に使っていた粗末《そまつ》な小屋だ。彼女の死後誰も足を踏み入れていないうえに、あの地震のあとだから、たぶん廃屋同然になっているはずだった。

わたしとおじいさんはそれぞれ、水筒とお弁当を入れたリュックサックを背負い、朝早く出発した。田舎に野菜の買い付けにでも行く家族のような振りをして、汽車を乗り継ぎ、川沿いの山道を一時間ほど歩いてようやく別荘にたどり着いた時には、お昼近くになっていた。

「これはかなりひどいですなあ」

おじいさんはリュックを雪の上におろし、ベルトにはさんだタオルで顔をぬぐった。

「予想以上ね」

わたしは川原の石に腰掛け、水筒の水を飲んだ。

もうそれはほとんど建物の形を成していなかった。扉がどこなのかさえよく分からなかったし、下手にどこかに触れようものなら、音を立てて崩れ落ちそうだった。屋根は雪の重みでへこみ、煙突は途中で折れ、苔で覆われた壁板の所々からは、鮮やかな色の茸が生えていた。

とにかくわたしたちはお弁当を食べ、少し休憩してから作業に取り掛かった。日が暮れたあと外をうろつくのは秘密警察に怪しまれるもとなので、手早く用事を済ませる必要があった。

まず、入口だったらしい所の材木を取り除き、中へ入った。床には釘やナイフやのみや彫刻刀や、危ないものがたくさん落ちていたし、天井は倒れた柱でふさがっていたので、懐中電灯を照らしながら慎重に奥へ進んでいった。

「ねえ、あれは何？」

わたしは悲鳴に近い声を上げた。作業台の下に、どこか回りの瓦礫とは雰囲気の違う小さな塊——湿り気とぬめり気を帯び、柔らかそうでありながら所々にとげとげしさもあり、形は崩れてまとまりがなく、異臭を放っている塊——が寝そべっていた。

「何かの死骸でございます」

おじいさんは懐中電灯の光をそこへ近づけた。

「死骸？」

おじいさんは冷静に答えた。

「はい。おそらく、猫です。野良猫が迷い込んできて、ここで死を迎えたのでございましょう」

よく観察してみると、頭とお腹の肉はほとんど溶けて骨が覗き、手足の先と耳にわずかに猫の面影が残っていた。わたしたちはその見知らぬ猫に両手を合わせ、できるだけそちらを見ないようにしながら仕事にかかった。

彫刻は部屋のあちこちに散らばっていた。それが〝品物〟を隠すために作られた彫刻か、そうでないかを見分けるのは難しくなかった。隠すためのものは、あとから中身が取り出しやすいように、木片や石を組み合わせて作ってあるので、形が抽象的だったし、既に割れて〝品物〟が出てきているものもあったからだ。

わたしたちはリュックサックに彫刻を詰め、それが一杯になると、用意しておいた旅行鞄を取り出した。いちいち作品を割ってみて、中を点検する暇はなかった。手に取った一瞬の感触で、そこに消滅が隠れているかどうかを判断した。

二時間ほどで作業は全部すんだ。リュックサック二つと、旅行鞄二つが満杯になった。猫をどこかに埋葬してやろうかと思ったが、朽《く》ち果ててゆくこの小屋と一緒に、いずれは雪に埋もれてしまうのだからと、結局そのままにしておいた。川原の途中でわたしは一度立ち止まり、鞄を足元に置いて、もう再び訪れることはないだろう別荘を振り返った。

「お鞄、私がお持ちしましょうか」

おじいさんが言った。

「いいえ。大丈夫よ。ありがとう」

わたしは答えた。それからわたしたちは麓の駅に向かって歩きだした。

急行列車の発車時刻が迫った駅は混雑していた。ピクニック帰りの家族連れや旅行者や町へ野菜を運ぶ農夫たちが、大きな荷物を持ったまま待合室からあふれていた。みんな落ち着きのない、不安げな表情を浮かべていた。どことなく駅全体がざわついていた。

「汽車が遅れているのかしら」

右手から左手に鞄を持ち替えながら、わたしは言った。

「いいえ、お嬢さま。検問です」

秘密警察たちはちょうど改札口を閉鎖し、人々に二列に並ぶよう命令しているところだった。駅前のロータリーには深緑のトラックが並んでいた。駅員たちは秘密警察に言われるまま、待合室のベンチを邪魔にならないように隅へどけていた。ホームにはもう汽車が入っていたが、出発する気配はなかった。

『どうしたらいいの？』

声に出さずにわたしはおじいさんを見上げた。

「動揺を見せてはいけません」

おじいさんは早口でささやいた。

「できるだけ、列の後ろに並ぶのです」

わたしたちは人の波に押されるのにまかせ、じりじりと後ろへ下がり、最後から十番めくらいの位置を確保した。わたしたちのすぐ前には、野菜や缶詰や干し肉やチーズを一杯に詰め込んだ、竹籠を背負った農夫がいた。その背中を見ているだけでよだれが出てきそうなほど、見事な食料品の山だった。後ろにはスーツケースを持ったお金持ち風の母娘が並んだ。

列はじわじわと前進していった。秘密警察たちは武器に手を掛けたまま、待合室の中を行き来してわたしたちを見張っていた。人々の背中に邪魔されてよくは見えないが、改札口で二人の秘密警察が身分証明書と荷物のチェックをしている様子だった。

「最近、やけに検問が多いねえ」

「こんな田舎の駅じゃあ、収穫はないだろうに」

「いや、町の隠れ家よりも山の奥の方が安全だっていう噂だよ。だから警察も最近は田舎の記憶狩りに力を入れているんだ。ついこの間、山の洞穴で一人つかまったらしいよ」

「しかしこっちはいい迷惑だ。早く済ませてほしいよなあ」

みんなひそひそ声で話していたが、秘密警察と目が合うと、すっと口をつぐんでうつむいた。

「奴らが一番詳しく調べたいのは身分証明書です。荷物じゃありません」

背中をかがめ、ズボンのベルトを締め直す振りをしながらおじいさんがささやいた。

「私たちの身分証明書には一点の曇りもありません。何の心配もいりません」

確かに彼らは身分証明書のチェックに時間をかけていた。裏返しにし、光に透かし、写真と本人を何度も見比べ、偽造されたものでないか、番号が〝ブラックリスト〟に載っていないか、調べていた。それに比べて荷物のチェックは、口を開き、中をちらっと覗くだけであっさりとしたものだった。

けれど、今わたしたちが持っている荷物は、下着や替えのセーターやお菓子や化粧道具ではない。自分たちでさえその名前も機能も説明することのできない、とうの昔に記憶から消え去っていった品々なのだ。わたしはリュックの肩紐を引っ張り、旅行鞄の持ち手を強く握った。長い間彫刻の中に閉じ込められ、朽ちてゆく小屋に置き去りにされていたのが、今日突然眠りを妨げられ、彼らはおろおろと怯えているに違いない。その動揺が背中と掌から伝わってくるような気がした。

「私にお任せ下さい。お嬢さまはただ黙っていらっしゃればよろしいのです」

鞄一杯の彫刻のことを、おじいさんはどう弁解するつもりなのだろう。彼らはこれを彫刻作品とは思わないかもしれない。彼らにとってみればただの不審物だ。それにもし、割れた彫刻が見つかったら……。割れて中身が出てきているのは、目立たないように鞄の下の方に押し込んではきたけれど、手を突っ込んで探られたり、鞄を逆さまにされたりしたら、もうおしまいだ。逃げられない。わたしは唾を飲み込もうとしたが、口の中が乾ききって、舌が歯茎に張りつくだけだった。

順番はどんどん近づいてきた。汽車が一度汽笛を鳴らした。みんなイライラしている様子だった。汽車の発車時刻はとっくに過ぎているし、あたりにはもう夕闇が迫ってきている。こんなところで急に足止めされ、予定が狂って迷惑しているのだろう。わたしはそういう人たちがうらやましかった。どんなに大事な約束が駄目になったとしても、命までなくしてしまうわけではないのだから。

「さあ、次」

彼らは相変わらず無表情で、必要なこと以外は喋らなかった。検査のすんだ人たちは荷物のファスナーを締める間もなく、改札口からホームへ押し出された。あと三人、あと二人。わたしたちはできるだけ身体を寄せ合った。

「ちょっと、どうしてくれるんですか。一時間も遅刻ですよ」

わたしたちの前の、竹籠を背負った農夫の順番が来た時、突然彼がそう言った。スムーズに進んでいた列の動きが急に止まった。彼らに向かってそんな口の利き方をするなんて無茶だと、みんなが息を飲んだ。

「わたしはねえ、あなたたち秘密警察の宿舎の食堂に食料品を届けている者なんです。毎週日曜日の夕方、五時までに決まったものを納めるよう、厳しく言われているんです。ほら見て下さい。警察発行の通行証もあるんです。とにかく早く汽車を動かして下さい。今頃、宿舎のあなたたちの同僚は夕食にありつけなくて文句を言ってますよ。怒られるのはわたしなんです。警察が時間にうるさいのはあなたたちがよくご存じでしょう。食堂の責任者にあなたから電話して下さいよ。遅れたのはわたしのせいじゃない。こんなもたもたした検問のせいだってね」

農夫は首からぶらさげた通行証を彼らの鼻先に突き付け、息も継がずに喋った。その時、わたしたちの後ろにいた娘さんがハンカチで口元を押さえ、よろめいて倒れた。

「まあ、大変。貧血だわ。この娘は心臓が悪いんです。どなたか手を貸して下さいませんか」

お母さんが叫んだ。おじいさんはすぐ、自分の鞄をわたしに持たせ、娘さんを抱き上げた。順番を待っていた他の人たちもみんな、何事がおきたのかと前へ集まってきた。列は目茶苦茶になった。その間もずっと農夫は抗議を続けていた。

「さあ、全員、身分証明書を手に持つんだ。はっきり見えるようにこちらに向けるんだ。パスしたら走って汽車へ乗れ」
うるさい農夫を払いのけるようにし、リーダーらしい男は手を振り上げ命令した。わたしは鞄は重くて腕が痛かったが、できるだけ素早くコートの内ポケットから身分証明書を取り出した。おじいさんは貧血の娘さんのお母さんに、ズボンのポケットから出してもらっていた。そして残っていた全員が一かたまりになって改札口を抜けた。身分証明書は形だけちらっとのぞかれるだけで、荷物の検査はなかった。わたしたちはもつれ合いながら、命令のとおりに――本当は彼らの気が変わらないうちに一刻も早くここから立ち去るために――ホームを走った。貧血の娘さんはおじいさんの腕の中で何度も、すみません、すみませんと繰り返していた。全員が座席に倒れ込んだとたん、汽車は動きだした。

その夜、わたしたちが夕食のテーブルにつくことができたのは、十時を過ぎてからだった。乗り継ぎの駅で母娘と別れ、特急で終点の中央駅までたどり着き、そこからバスで家へ戻ってくるまでの間、わたしたちはほとんど口を利かなかった。乗り物はどれも混んでいて、ゆっくり話をする雰囲気ではなかったし、検問での幸運を喜ぶにはあまりにも神経が疲れ過ぎていたからだ。どんな大変な状況の時でも、常に毅然《きぜん》とし、わたしを励ましいたわってくれるおじいさんでさえ、坐っているのがやっとという疲労ぶりだった。

家に帰ってからも、二人ともしばらくはリビングのソファーでぼんやりしていた。荷物は床に放り投げたままだった。とても彫刻の中身を取り出してみる元気はなかった。

夕食といっても、クラッカーと胡瓜《きゅうり》のピクルスとりんごを並べただけだった。りんごはあの母娘にお礼にもらったものだった。

「冷たいものばかりでごめんなさい」

わたしは言った。

「いいえ。これで上等でございます」

おじいさんは手をのばし、フォークでピクルスを刺そうとしていた。わたしはパサパサしたクラッカーを水で流し込みながら、見るともなくピクルスの皿に視線を落としていた。おじいさんは何度も失敗した。フォークは頼りなく宙をさ迷い、ようやくねらいを定めたと思ったら、皿の縁やテーブルクロスを突き刺した。フォークを持ちかえたり、握り直したりしたが無駄だった。おじいさんは首を傾《かし》げ、眉間《みけん》に皺を寄せ、不気味な昆虫を捕まえるような目で胡瓜を見ていた。

「どうしたの……」

声をかけたが聞こえないようだった。

「どうしたの」

もう一度繰り返してみたが、相変わらず同じ試みが続けられるだけだった。だらしなく開いた唇が青ざめていた。

「ねえ、もうやめて。分ったわ。ピクルスが食べたいんでしょ？　さあ、取ってあげるから」

たまらなくなって、おじいさんの手からフォークを取り上げ、胡瓜を一切れ突き刺して彼の口元に持っていった。

「ああ、まあ、どうも……」

ようやく正気に戻ったように、力のない声がもれてきた。

「どこか身体の具合いが悪いんじゃないの？　目がかすむとか、手が痺れるとか」

わたしはおじいさんのそばに寄り、肩を撫でた。おじいさんがわたしを慰めてくれる時の、いつものやり方だ。

「いいえ。そんなことはございません。ちょっと疲れただけでございます」

おじいさんはポリポリと音を立ててピクルスを齧《かじ》った。

24

十日が過ぎ、別荘を往復した疲れと検問の恐ろしさが薄れてゆくにつれ、おじいさんはようやく元気を取り戻していった。わたしが勤めに出ている間にほとんどの家事をすませ、よその家の雪下ろしまで手伝ってあげるほどだった。体力も食欲も神経もすべてが健全に戻った。

R氏には検問のことは話さないでおくことにした。彼をただ無闇に不安に陥れるだけだし、知ったからといって彼に何ができるわけでもなかった。どんな消滅がやってこようと、秘密警察がわたしたちのすぐそばまで近寄ってこようと、隠し部屋に潜んでいる以外、彼にできることは何もないのだ。

R氏は別荘から持ち帰った彫刻の中身を一刻も早く知りたがった。まるで何十年も音沙汰なしだった親友との再会を待っているかのように、早く、早くとせかせた。しかしわたしとおじいさんにとっては、たくさんの彫刻を一個一個全部壊してゆき、――どうやって壊したらいいのかその方法もよく分らない――中身の〝品物〟を外の世界へさらけだすという作業は、それほど心躍るものではなかった。どんなに貴重な発見があったとしても、それらの前でわたしたちの心が固く凍えたままであることは分りきっていたし、その心をときほぐそうと懸命になるR氏の姿を見るのは切ないからだ。わたしたちにとっては、今晩の三人分のおかずをどこで手に入れるか、今度はいつ記憶狩りがやってくるか、という心配の方が重要だった。

けれどいつまでも、リュックサックと旅行鞄を床に放り投げたままにしておくわけにはいかないので、次の日曜日、作業に取りかかることにした。まず、彫刻を全部地下室へ運び、机の上に並べて一個ずつ金槌で叩いていった。力の入れ具合いが一番難しかった。一度軽く叩くだけで、ぱっくりときれいに割れるものもあったが、そうはうまくいかないことの方が多かった。力を入れすぎると、中身まで一緒につぶれてしまいそうで怖かった。また、音にも気を配らなければいけなかった。川沿いの道は人通りは少ないが、それでもいつ秘密警察が通りかかって、地下室から漏れてくる音に不審をいだくかもしれないからだ。

わたしたちは力加減や角度やリズムをいろいろに工夫しながら、交替で金槌を振り上げた。一人は洗濯場へ続くドアのすきまから外の様子をうかがい、人の気配がしたらすぐに合図して作業を中断させた。

結局、全部の彫刻に一つずつ〝品物〟が隠してあった。見逃してしまいそうなほど小さなもの、油紙に包んだもの、入り組んだ輪郭のもの、黒ずんだもの、尖ったもの、毛羽立ったもの、薄っぺらなもの、ぴかぴかしたもの、ふわふわしたもの……。それぞれみんな違っていた。

二人ともそれらをどう取り扱ったらいいのか途方に暮れた。強く握っても壊れないのか、そっとピンセットか何かでつまみ上げた方がいいのか、指紋がついても大丈夫なのか、分らなかった。しばらくただじっと、見つめているしかできなかった。

「十五年もたっているとは思えないくらい、どれもみずみずしいですねえ」

おじいさんが言った。

「そうね。しかも、もう消滅しているというのに」

わたしは相づちをうった。

〝品物〟は例のタンスの引き出しの数より多かった。母の秘密の隠し場所はタンス以外のところにもあったのだろう。根気強く見つめ続けていると、それが引き出しの中にあったものか、そうでないかの区別はつくようになった。母が話してくれた物語もぼんやり浮かんできた。でも、そこまでだった。それ以上、記憶の沼はさざめかなかった。

〝品物〟をお盆にのせて隠し部屋へ持っていくと、R氏は梯子の下でにこにこしながらわたしとおじいさんを出迎えた。

「袋に詰めると、ぶつかり合って壊れたらいけないと思って、こうしてお盆にのせることにしたの」

わたしは言った。

「そんなに気を使わなくても平気だよ」

そう言って彼は、わたしたちが慎重にささげ持っているものたちを見回した。

〝品物〟を全部一ヵ所に並べるには、隠し部屋は狭すぎた。壁の戸棚だけには納まりきらず、床にまではみ出した。それらを踏まないように注意しながら、わたしたち三人はベッドに腰を下ろした。

「夢を見ているような気分だ。僕もこれほどのものがいっぺんに集まるとは思っていなかったよ」

「ああ、懐かしい。僕もこれと同じものを持っていたよ。消滅の時、父に無理矢理燃やされてしまったんだ」

「あっ、これはずいぶん高価な品だ。大切にした方がいいよ。もっとも、お金に困ってもこれを買ってくれる人はいないけど」

「さあ、これをちょっと触ってごらんよ。怖がることないさ。気持がいいんだから」

「君のお母さんは実に丁寧に、すべてを隠しておいたんだね。感謝すべきだよ」

彼は休みなく喋った。一つ一つを手に取り、それにまつわる思い出や、その使い方や機能を説明していった。わたしとおじいさんは口をはさむ余裕がなかった。

「あなたにそんなに喜んでもらえて、よかったわ」

すべての説明が終わり、彼が一つ深呼吸をしたところでわたしは言った。

「とんでもない。ここに並んでいるものたちを必要としているのは、僕じゃなくてあなたたちの方だ」

はーっとおじいさんが考え込むような声を出した。

「これらは必ず、あなたたちの心に何かの変化をもたらしてくれるはずだよ。どんなささいな感触でもいい、思い出すんです。記憶を生き返らせるんです」

わたしとおじいさんはちらっと顔を見合わせ、互いの足元に視線を落とした。R氏にこう言われるのは分り切っていたことだけれど、いざとなるとこの場面にふさわしい言葉が何も浮かんでこないのだった。

「あのう……」

言いにくそうにおじいさんが口を開いた。

「もし、何かを思い出せたとして、それからどうしたらよろしいのですか？」

「どうしなきゃならない、なんて決まりはありませんよ。記憶の中では誰でも自由なんです」

彼は答えた。

「しかし、思い出す、っていうのは身体の中の、ここか、ここか、とにかく目に見えない場所でおこなわれることでございますよね」

おじいさんは頭のてっぺんと胸に手をやった。

「いくらすばらしいことを思い出しても、放っておいたら誰の目に触れることもなく、そのまま消えてしまいます。自分自身でさえ記憶の正体をつかんでおくことはできません。証拠が何も残らないんです。それでもやっぱり、あなたさまがおっしゃるとおり、消え去ったものたちを無理矢理でも引きずり出した方がよろしいのでしょうか」

「そうです」

一呼吸おいてから彼は言った。

「記憶は目に見えないから恐ろしいのです。消滅の打撃をどんどん受けていって、手遅れになってもまだ、本人はその重大さに気づかないんです。これを見て下さい」

机の上に束ねてあった原稿用紙の束を、彼は手に取った。

「これは間違いなくここに存在しています。ますめの一つ一つに言葉が存在しています。そして書いたのは、君だ。目に見えない心が、目に見える物語を作り出したんだ。小説は燃やされたかもしれないけど、君の心が消えてしまったわけじゃない。だって君はこうして僕の隣に坐っているんだから。あなたたちが僕を助けてくれたのと同じように、僕もあなたたちを救いたいんだ」

わたしは彼がしっかりとつかんでいる原稿の束を見た。おじいさんはこめかみを押さえ、話の筋道をもう一度考え直しているようだった。

「もし、島にあるものすべてが消滅したら、どうなるのかしら」

わたしはつぶやいた。彼もおじいさんもしばらく黙っていた。聞いてはいけないことを聞いてしまった気がした。言葉に出したとたん、本当のことになってしまうかもしれないからと、みんなが恐れ、口をつぐんでいたのに、わたしが不用意につぶやいたために二人とも戸惑っているようだった。

「島全部が消えても、この隠し部屋は残るよ」

長い沈黙のあと、彼が言った。気負いや強引さのない、慈《いつく》しみに満ちた口調だった。石碑に刻まれた一文を朗読しているかのようだった。

「この部屋にはすべての記憶が保存されているじゃないか。エメラルドも地図も写真もハーモニカも小説も、何もかもがね。ここは心の沼の底なんだ。記憶がたどり着く最後の場所なんだ」

何事もなく数週間が過ぎた。タイプの腕はかなり上達し、会社でもいくつかの書類を打たせてもらえるようになった。香辛料の売れ行きは好調で、さらにゼラチンやジャムや冷凍食品まで扱うようになり、仕事は忙しかった。残業が続いて帰りが遅くなる日もあったが、おじいさんのおかげで家のことを心配する必要はなかった。買物でも料理でも掃除でもR氏の世話でも、おじいさんはよく働いてくれた。

ある日、排水管が詰まって水が使えなくなった。普通なら修理依頼の電話をかけるだけですむのだが、わたしたちにとっては排水管一本が命取りになりかねなかった。おじいさんは雪まみれ埃まみれになりながら、一日半で元通り水が使えるようにしてくれた。

ドンが病気になるという事件もあった。片方の耳ばかりを妙に犬小屋の壁にこすりつけているなあと思っていると、黄色くべたべたした耳だれが出ていた。脱脂綿でそっと拭いてやると、ドンは耳の先をパタパタさせ、『ご面倒をおかけして申し訳ありませんねえ』というふうな表情で、薄目をつぶった。でも三十分もするとすぐにまた、耳だれが出てきた。

獣医さんに診てもらうべきかどうか、わたしたちはしばらく考えた。ドンは普通の犬ではなく、記憶狩りで連行された隣人の犬なのだ。病院関係に秘密警察の目が光っていることはよく承知している。隠れ家に潜んだ人でも、重い病気になれば医者へ駆け込んでくる可能性が高いからだ。もしドンが記憶狩りに関わりのあった犬だと彼らに知れたら、面倒なことになりはしないだろうか。彼らのことだから、犬の遺伝子だって解読済みかもしれない。置き去りにされてかわいそうだったから飼っているだけですと言っても、裏に何かあると濡れ衣を着せられたら厄介だ。

しかしもしそれほど犬にこだわっているのなら、記憶狩りの時ドンも一緒にトラックに乗せたはずだ。あの夜以降、家の中を捜索し、貴重品を奪い去りに来た時にもドンのことは無視している。だからそう神経質にならなくてもいいのではないか。という結論に達し近所の犬猫病院に連れて行くことにした。

獣医さんは牧師のような優しい喋り方をする、白髪の老人だった。ドンの耳をきれいに掃除し、軟膏を塗り、一週間分の錠剤をくれた。

「ちょっと炎症を起こしていますが、たいしたことはありませんよ」

と言って獣医さんはドンの喉をくすぐった。診察台の上でドンは気持よさそうに身体をくねらせ、『もう終わりですか？　もうちょっと治療して下さいよ』とでも言いたげに甘えた目で獣医さんを見上げ、なかなか台から下りようとしなかった。心配がすべて無駄に終わって、わたしたちはほっとした。

もう一つの小さな出来事は、おじいさんがR氏の散髪をしたことだ。ここに潜んで以来、彼はずっと髪を切っていなかったので、かなり見苦しくなっていたのだ。〝品物〟があふれ、ますます窮屈になった隠し部屋で散髪をするのだから一騒動だった。

まず、わずかにのぞいている床に新聞紙を敷きつめ、そこにR氏を坐らせ、首の回りにタオルとビニールの敷物を巻いて洗濯バサミで止めた。おじいさんは狭い空間の中で苦労して身体の向きを変えながら、器用に髪を切っていった。わたしはベッドの上から眺めていた。

「おじいさんに散髪の技術まであるなんて知らなかったわ」

「いいえ。技術というほどのものではありません。ただ無闇にジョキジョキ切っているだけでございますよ」

喋りながらもおじいさんは、ハサミを動かす手を止めなかった。R氏は時々上目遣いに自分の髪の毛の様子を探ろうとしていた。そのたびに、

「じっとしておいて下さいまし」

と、おじいさんに頭を押さえられた。

出来栄えはまずまずだった。本職のようにいかないのは当然だけれど、少しふぞろいな髪先がかえって若々しく見えた。R氏も満足していた。

そのあとの片付けが大変だった。せっかく新聞紙を敷いていたのに、髪の毛は部屋の隅々にまで飛び散っていた。わたしたちは〝品物〟と〝品物〟の間に紛《まぎ》れ込んだ髪の毛を、丁寧に拾い集めていった。

こうしてひとときの穏やかな日々が過ぎていったあと、ある土曜日の夕方、ドンを散歩させている途中、丘の図書館跡で偶然おじいさんに会った。

「あら、買物はもうすんだの？　何かおいしいものが手に入った？」

焼けただれた煉瓦の山に腰掛けていたおじいさんは、わたしに気づいて片手を上げ

た。

「いや。相変わらずでございます。今日の収穫は、しなびた白菜、人参が三本、とうもろこしの粉、賞味期限が二日過ぎたヨーグルト、ほんのわずかの豚肉、といったところでしょうか」

わたしは近くの木にドンをつなぎ、おじいさんの隣に坐った。

「それだけあれば充分よ。一週間はもつわ。でも、買物に注ぎ込まなくちゃならないエネルギーが、日増しに大きくなるわね。一人じゃあどうしようもないわ。お勤めしながらなおかつ、市場や商店街を一時間も二時間も歩き回るなんて、とても無理だもの」

「本当に、食べ物が減ってくるというのは、不安なものでございます」

おじいさんは靴の先で煉瓦をつついた。かけらがぽろぽろと落ちて、雪の上に散らばった。

図書館はもうただの黒い瓦礫の山になっていた。そこが本を保管する場所だったことを思い出させるものは、何も残っていなかった。瓦礫を少しでも動かすと、すきまからまだ煙が吹き出してきそうだった。手入れの行き届いた芝生の広場だった前庭も、雪に覆い隠されていた。前庭のずっと下の方には、海が広がっていた。

「寒いのに、何をしていたの？」

わたしは尋ねた。

「フェリーを見ていたのでございます」

おじいさんは答えた。フェリーは地震のあった日と同じ姿で、海の真ん中に突き刺さっていた。そこだけ波の動きが邪魔されて、白い泡が渦を巻いていた。見えている船尾の部分が小さくなったような、沖へいくらか流されたような感じもしたが、気のせいかもしれない。

「前の生活に戻りたい？」

フェリーが二度と元には戻らないことも、おじいさんがどんな答えをするかもよく分っているのに、わたしはつい余計な質問をしてしまった。

「いいえ。とんでもございません」

おじいさんはあわてて首を横に振った。予想通りだった。

「お嬢さまと一緒に暮らせて、こんなに幸せなことはありません。もしお嬢さまがいらっしゃらなかったら、私は路頭に迷うところでした。前の生活に戻りたいなんて、これっぽっちも思ってはおりません。フェリーはもうずいぶんがたがきていたんです。地震に関係なく、いつかは沈んでいたはずです。やはり消滅したものは、いくら元々の機能とは違う使い方をしていても、そう長くは存在できない運命なのでございましょう」

「ただ、あの地震があまりにも突然のことだったから、ショックが大きいんじゃないかと心配していたの」

「本当なら、命をなくしていたところを、お嬢さまに助けていただいたのです。ショックなど受けてはおりません。ただもう、ありがたいばかりでございます。懐かしいからではなく、そのありがたさをかみしめるためにフェリーを眺めていたのです」

会話が途切れると、わたしたちは黙って海を見た。空の色が海に近いところから徐々に変化し始め、フェリーが夕暮れに包まれようとしていた。浜辺にも船着場にも人影はなく、海岸沿いの道路を車が走り去ってゆくだけだった。ドンは木の幹を前足でひっかいたり、鎖をなめたり、相手をしてもらおうとこちらに向かってしっぽを振ったりした。治りかけた耳がかゆいのか、時折、耳の先を神経質そうにヒクヒクさせていた。

後ろを振り向くと、丘の頂上には、半分雪に覆い隠された野鳥観測所の建物が見えた。秘密警察がブルドーザーで取り壊すまでもなく、ほとんど崩壊しかかっていた。遊歩道にはまだ、植物園の入り口を示す看板が立っていたが、傾いた矢印は何もない空中を指していた。この丘には、滅びるのをおとなしく待っているものしか残っていなかった。

おじいさんは衣類も全部津波でなくしたので、わたしが大事にしまっておいた父さんのコールテンのズボンと、混ざり毛糸のセーターと、衿に人工毛皮のついたオーバーを着ていた。ズボンは色あせ、人工毛皮もすり切れてはいたが、サイズはぴったりでとてもよく似合っていた。頑丈で大きくて働き者の両手を膝の上にのせ、わたしが話しかけると、どんな一言でも聞き漏らすまいとするかのように、首を小さく傾げた。

子供の頃から、わたしはおじいさんの手が大好きだった。みんなで一緒に出掛ける時は、いつでもおじいさんと手をつないだ。それはおもちゃ箱や、自動車のプラモデルや、カブト虫の飼育箱や、お手玉や、電気スタンドや、自転車のサドルカバーや、魚の燻製や、リンゴケーキや、とにかく何でも作り出すことができる。関節は強固なのに、掌は柔らかくて気持がいい。その手に触れてさえいれば、絶対にわたしは一人ぼっちになったり、邪魔にされたり、見捨てられたりはしないという安心感があった。

「彫刻の中から取り出した〝品物〟たちも、やっぱりフェリーと同じように、長く存在することはできないのかしら」

「さあ、どうでございましょうか……」

おじいさんはお尻の位置を少し後ろにずらした。

「彼は隠し部屋でなら、すべてのものが存在し続けられると思っているみたいだけど」

「はい。それだけ、私たちの作った隠し部屋の威力を信頼して下さっているのでしょう。しかし私は、どちらかと言えば、疑問を持っております。もちろん直接あの方に、そんなことを申し上げるつもりはございません。申し上げたところで、どうなるものでもありませんから」

「そうね。消滅について彼に正確に説明できる言葉は、この島のどこにもないわ。〝品物〟についてわたしたちが本当には理解できないのと同じね」

「秘密警察に反抗することはできても、あの方と私たちを隔てている運命には、反抗できないのでございますよ」

「時々、考えるの。秘密警察が消滅したらいいのにって。そうしたら、誰も隠れる必要なんてなくなるわ」

「ええ。それはすばらしいことでございます。しかし、その前に、もし、隠し部屋が消滅してしまったら……どうなるのでございましょう」

おじいさんは両手を胸の前でこすり合わせた。手を温めているようにも見えたし、何かに祈っているようにも見えた。隠し部屋が消滅する——絨毯の下に何があるのか、床板をどうやって持ち上げたらいいのか、R氏がどうしてそんなところにいるのか、分らなくなってしまう時がやって来る——などという想像はしたことがなかったので、わたしは戸惑った。せっかく散歩に来たのに、いつまでも木につながれたままでうんざりしたのか、ドンがしきりにクウクウと鳴き始めた。

「そんな心配、する必要ないわよ」

自分の戸惑いを隠すように、明るい声でわたしは言った。

「これまでだってずっと、あらゆる種類の消滅を受け入れてきたわ。とても重要で、思い出深くて、かけがえのないものをなくした時でさえ、ひどく混乱したり苦しんだりはしなかった。わたしたちはどんな空洞でも迎え入れることができるのよ」

おじいさんは両手を膝の上に戻し、わたしの顔を見て微笑んだ。

「そうでございますね」

夕暮れに溶け入ってしまいそうな笑顔だった。

わたしは煉瓦の上から降り、マフラーをきつく締め直してから、ドンの鎖を解いてやった。

「さあ、日が沈むわ。風邪をひくといけないから、もう帰りましょう」

自由になったドンは喜んでおじいさんの足にからみついてきた。

「お嬢さま、どうかお先にお帰り下さいまし。私はしばらくここで休憩してから、もう一軒肉屋を回ってこようと思っています。先日、丘の反対側に、品揃えのいい肉屋を見つけたんです。上等のハムでも買い入れてまいりましょう」

おじいさんは言った。

「無理しないで。今日はもうこれで十分じゃない」

「いいえ。無理などではありません。ちょっと回り道するだけでございますから」

「あっ、そうだ。じゃあ、元気の出るいいものをあげるわ」

わたしはふとラムネのことを思い出し、スカートのポケットに突っ込んだままになっていたビニール袋を取り出した。

「何でございますか、これは？」

おじいさんは首を前かがみにし、目をパチパチさせた。

「ラムネ。乾さんから預かった彫刻の中に入っていたものよ」

わたしはビニール袋の中身を全部掌に出した。Ｒ氏とわたしが二粒ずつ食べたので、あと三粒残っていた。

「こんなものを持ち歩いていたら、危険でございますよ。もしまた、検問にでも出くわしたら……」

そう言いながらも、ラムネから目が離せないようだった。

「大丈夫よ。これはね、口の中へ放り込めばすぐに溶けてなくなっちゃうんだから。さあ、食べてみて」

おじいさんはおそるおそる一粒つまみ、口に運んだ。頑丈な指の間で、ラムネは余計小さく見えた。おじいさんは唇をくねらせ、一段と激しく目をパチパチさせた。

「何ともこれは、甘もうございます」

その甘さをもう一度確かめるように、胸をさすった。

「おいしいでしょ？　残りも全部あげるわ」

「本当でございますか？　こんな珍しいもの。ありがたいことでございます。ありがたいことでございます」

おじいさんはラムネが溶けるたびに、唇をくねらせ、胸をさすった。全部なくなると、両手を合わせ、

「ごちそうさまでございました」

と言って頭を下げた。

「じゃあ、先に帰って待ってるからね」

わたしは手を振った。ドンは短く二度吠えると、早く丘を駆け下りようとして鎖を引っ張った。

「はい。それでは……」

煉瓦の山の上に坐ったまま、おじいさんは微笑んだ。

それが、おじいさんとの最後のお別れになった。

25

おじいさんが肉屋の店先で倒れたという電話が病院から掛かってきたのは、七時半頃だった。いくら回り道をしているといっても、あまりにも帰りが遅すぎるので、心配になって外へ様子を見に行こうとしていた時、ちょうど電話のベルが鳴った。看護婦さんか事務の人か知らないが、電話口の女性は早口で、そのうえ雑音もひどかったので話の全体を正確に理解することはできなかった。ただとにかく、すぐ病院へ来るように、ということだった。

わたしはじょうごのスピーカーでR氏に事情を説明してから、お財布だけを持って飛び出した。途中、タクシーをつかまえようと思ったのだが、運悪く一台も見つからず、結局病院までずっと走って行った。

おじいさんはベッドではなく、ステンレス製の調理台のようなものの上に横たわっていた。それはこまの付いた四本の細長い脚以外、何の飾り気もなかった。部屋はタイル張りで、寒かった。身体には一枚の布がかぶせてあった。端がほころびかけた、肌触りの悪そうな、黄ばんだ毛布だった。

「道端で倒れていらっしゃるところを、救急車で運ばれたのですが、ここへ到着した時には既に意識はなく、心臓も止まっておられまして、あらゆる救命措置を施し、懸命の努力をいたしましたが、午後七時五十二分、お亡くなりになりました。……死因につきましては、頭蓋骨内に出血がみられ、これがどういう原因で発生したかは、更に詳しい検査が必要となりますが……」

かたわらで医者がずっと喋り続けていたが、それらの言葉のほとんどをわたしは理解することができなかった。ただその見知らぬ男の平板な声が、耳の奥をぐるぐると渦巻いているだけだった。

「最近、頭を強く打つというようなことはありませんでしたか?」

わたしは医者の顔を見上げ、唇を開こうとしたが、胸が苦しくて声が出てこなかった。

「出血の場所が脳の内側ではなく、頭蓋骨に近い外側の方ですので、そういう場合、外傷が原因になることが多いものですから。しかし、先に心臓の発作か何かを起こされ、道に倒れた拍子に頭を強打した可能性もあり、となると……」

再び医者は同じ調子で喋り始めた。

わたしは布をめくった。最初に手が見えた。それは胸の上で組まれていた。もう何も作り出すことのできない手だった。わたしはおじいさんが地震の時、食器戸棚の下敷きになり、耳から黒ずんだ血を流していたことを思い出した。ピクルスを突き刺せなかったり、彫刻の中身にうまく触れることができなかったことを思い出した。あの時から、じわじわと出血が始まっていたのかもしれない。

「でもおじいさんは、配水管だって直せたわ。R氏の髪の毛だって、上手に散髪することができたわ」

わたしはつぶやいた。けれど声はタイルの壁に吸い込まれ、医者の耳には届いていないようだった。

足元に買物籠が落ちていた。肉屋の包みと人参の葉がのぞいていた。

お葬式は慎ましいものだった。参列したのは、遠い親戚――従兄の孫と姪夫婦――、昔の仕事仲間、それに近所の人が数人というところだった。もちろんR氏は隠し部屋で、一人ひっそりと祈るしかなかった。

わたしはおじいさんの死をありのままに受け入れることができなかった。これまで何人か大事な人を失ってきたけれど、それらの別れとおじいさんの場合は成り立ちが違っていた。母さんと父さんとばあやさんが死んだ時にも、わたしは確かに悲しんだ。彼らを恋しく思い、できることならもう一度会いたいと願い、生前彼らに働いた自分のわがままや意地悪を悔いた。でもそういう苦しみは、時間が自然にやわらげてくれた。死は時間と一緒に徐々に遠ざかってゆき、記憶、わたしたちにとってこのうえもなく貴重な記憶だけが残された。自分の生きている場所の法則が、死によって揺らぐことはなかった。記憶は法則を変えたりはしない。どんなに大事な人を失おうとも、わたしを取り囲んでいる消滅はいつも変わりなく存在してきた。

しかし今度は、何かが違っている気がする。悲しみのほかに、もっと得体の知れない不気味な不安が取りついている。おじいさんの協力なしに、無事にR氏をかくまうことができるかどうか、という実際的な不安ではない。おじいさんがいなくなったことで、自分の立っている地面が急に頼りない綿の塊《かたまり》にすり替わってしまったような気分なのだ。

わたしはその綿の上に一人で取り残されてしまった。もう誰も慰めてくれないし、手を引いてくれないし、空洞になった心を分かち合ってくれない。もちろんR氏はわたしをいたわってくれるだろうけれど、彼はいつでもあの四角い空間に閉じこもったままだ。ふわふわとした安定の悪い綿の上から、あの部屋へ降りてゆくのは、とても困難なことだ。そしてわたしは長く彼のそばにとどまっていることができない。また必ず、元の場所へ戻らなければならない。しかも一人ぼっちで。

わたしとR氏を包んでいる世界の材質は、あまりにも違いすぎる。庭に転がっている石ころを、糊で折紙にくっつけようとしているようなものだ。

「お嬢さま、大丈夫でございますよ。今度はこっちの糊を使ってみましょう」

と言って新しい種類の糊を差し出してくれるおじいさんは、もういない。

わたしは自分を勇気づけるために、毎日の生活に没頭する努力をした。朝は早く起き、R氏のためにできるだけ手の込んだ料理を用意した。会社では、与えられた仕事を最も効率よくミスなくこなすにはどうしたらいいか、という問題で常に頭の中を一杯にしておいた。市場で、お店の前にどんなに長い行列ができていてもあきらめず、人込みをかきわけ、機転をきかせ、どうにかして買物籠を一杯にした。洗濯物にはきちんとアイロンをかけ、着られなくなったブラウスはリフォームして枕カバーにし、ほつれたセーターは解いてベストに編み直した。台所とお風呂場をぴかぴかに磨き上げ、毎日ドンを散歩させ、屋根の雪下ろしをした。

でも夜、ベッドの中にもぐり込んだ時やって来るのは眠りではなく、重苦しい疲労と不安だった。目をつぶると、余計に神経が高ぶり、涙が出てきた。いつまでたっても眠ることができず、仕方なくわたしは机の前に坐り、原稿用紙を広げた。それが何の役に立つのか分らなかったが、他に夜を過ごす方法が一つも思いつかなかった。

わたしはスピーカーの隣に隠してある〝品物〟を原稿用紙の上に並べ、しばらくじっと見つめる。

「さあ、どれでも気に入ったのを持って行っていいよ」

隠し部屋へ降りてゆくたび、R氏はそう言って二、三の〝品物〟を貸してくれる。気に入ったの……と言われても、衰弱した心にそういう感情は湧き上がらないのだが、彼をがっかりさせないために、わたしは適当に目についたものを指差す。

見つめるのに飽きると、今度は触ったり、匂いをかいだり、蓋を取ったり、ねじを回したり、転がしたり、電球にかざしたり、息を吹き掛けてみたりする。それぞれの形の違いによって、いろいろに扱うことができる。それが本当に正しい扱い方なのかどうかは、分らないけれど。

時折、〝品物〟が何か特別の表情のようなものを見せる瞬間がある。ちょっとした輪郭の曲線や影の濃淡が、視線の隅に引っ掛かる。もしかしたらこれが、彼の望んでいる心の変化かしら、と思ってわたしははっとする。でもほんの一瞬の出来事なので、もたもたしているうちにすぐ消えてしまう。自分の力で取り戻すことはできない。それに、表情を持っている〝品物〟はごくわずかで、ほとんどすべてはただ冷ややかに、目を伏せているだけなのだ。

こんなふうにして夜を過ごすことで、おじいさんが死んだ不安が癒されるわけではないが、泣きながらベッドで震えているよりはましだった。二晩続けて特別な表情の一瞬に出会えることもあったし、一晩に三度のこともあったし、四日間何の変化もない日が続くこともあった。次第にわたしはその一瞬が待ち遠しくなってきた。自分をR氏のところへ導いてくれる、光の目印のように思えたからだ。そして光は、心の空洞を照らしていた。

ある夜、わたしは思いきって原稿用紙に言葉を書きつけてみた。微かに照らされた空洞の風景を、書き残してみようとした。小説が消滅して以来、初めてのことだった。鉛筆の持ち方がぎこちなく、字はますめからはみ出したり、小さすぎたりして不恰好だった。そのうえ、自分の書いたものが本当に言葉と呼べるのかどうか自信もなかったが、とにかく指を動かした。

『わたしは水に足を浸《ひた》しました』

一晩かかって書けたのは、一行だけだった。わたしは繰り返し声に出してそれを読んでみたが、この言葉たちがどこからやって来て、どこへつながってゆくのか見当もつかなかった。

〝品物〟を返す時、わたしはおずおずと原稿用紙をR氏に差し出した。たった一行なのに、彼は長い時間、原稿に視線を落としていた。

「落書みたいなものよ。わざわざあなたに読んでもらうほどのものじゃないわ。ごめんなさい。丸めてごみ箱へ捨ててちょうだい」

いつまでも彼が黙ったままなので、きっと失望させてしまったのだと思った。

「とんでもない。すばらしい進歩じゃないか。今までは消しゴムで、紙をぼろぼろにすることしかできなかったんだから」

彼は原稿用紙を大事に机の上にのせた。

「進歩だなんて大げさよ。ただの気紛《きまぐ》れだもの。明日になったらまた、何も書けなくなるかもしれないわ」

「いや。もう物語は動き始めているよ」

「そうかしら。わたしはあまり期待していないの。だって、水って何のこと？　足を浸すってどういうこと？　全然分らないわ。意味が伝わってこないんだもの」

「意味なんて重要じゃないよ。大切なのは言葉の奥底に潜んでいる物語なんだ。君は今、それを引き出そうとしているところなんだよ。君の心が、消滅したものを取り戻そうとしているのさ」

彼は励ましてくれた。おじいさんの死でダメージを受けているわたしを、これ以上痛めつけないために、でまかせを言っているのかもしれなかったが、それでも構わなかった。彼に優しくしてもらえるなら、理由などどうでもよかった。

『水には埃一つ浮かんでいませんでした』

『わたしは草原を見下ろしました』

『風が吹くと草原に模様ができました』

『ねずみがチーズを齧っているような模様です』

物語の手応えが感じられないまま、わたしは一晩に一行、言葉を書き連ねていった。ますめと字の大きさのバランスは、だんだんによくなってきたが、言葉を拾い上げる時不器用に手が震えるのは相変わらずだった。

「その調子だよ。うまくいっているよ」

そう言いながら彼は、一枚ずつ原稿用紙を積み上げていった。

おじいさんが死んでから最初の消滅が訪れた。わたしはベッドの中で神経を集中させ、今度は何が消えたのか正体を探ろうとした。外はしんとし、人々がざわついている気配はなかった。ということは、消滅したのはわたしたちに関係のない特殊なものか、それとも取るに足らない小物だろうか。わたしは起き上がろうとした。妙に密度の濃い空気が、身体に絡みついてくるような感じがした。カーテンのすきまから漏れてくる光は灰色で、天気は悪そうだった。また、大雪になるかもしれない。早めに家を出て、七時の路面電車に乗ろう。そうでなくても消滅の日は道が混雑するのだから。

わたしは布団をめくった。そしてそこに、不可思議なものを見つけた。それは腰にぴったりと密着していた。引っ張ったり押したりつねったりしてみたが取れなかった。はんだで溶接したかのようだった。

「何なの？　これは」

わたしは気色悪くなって、枕にしがみついた。何かにつかまっていないと、ベッドから転がり落ちそうだった。身体のどこかを少し動かすだけでも、腰にひっついたその物体が邪魔になって、バランスを崩してしまうのだった。

しばらく顔を枕に押しつけたまま、気分が落ち着くまでじっとしていた。さっき物体に触れた感触が、まだひんやりと掌に残っていた。たちの悪い病気にかかったのだろうか。一晩のうちに巨大な腫瘍が発生したのかもしれない。でも、こんなものを抱えてどうやって病院まで行ったらいいのだろう。わたしはもう一度ちらっと腰に目をやった。やはりそれは、同じ格好でベッドに横たわっていた。

いつまでもじっとしているわけにはいかないので、とにかくベッドから出て、洋服に着替えることにした。まず、右足を踏ん張り、上半身をゆっくり起こしていった。途中、物体がドスンと音を立て下に落ち、その拍子にわたしも床に投げ出された。ごみ箱にぶつかって中身が散乱したが、構わず洋服ダンスまで這ってゆき、セーターとズボンを引っ張り出した。

セーターはうまく着ることができた。しかし問題はズボンだった。なぜかズボンには二つ入り口があった。右足を突っ込んだあと次にどうしたらいいのか、わけが分らなくなった。物体は相変わらず腰から離れる気配はなく、黙ってわたしの方をうかがっていた。攻撃を仕掛けてくる恐れはなさそうだったが、一筋縄ではいかない不敵さをたたえていた。しかし眺めれば眺めるほど、それはズボンのもう一つの入り口に納まるのに、ちょうどいい形をしていた。長さといい、厚みといい、ぴったりだった。

試しにわたしは物体を両腕でつかみ、ズボンの穴に入れてみた。重くてなかなか言うことを聞かず手間取ったが、やはり思ったとおり、それはすっぽりとズボンの中に隠れた。あらかじめ寸法を測っておいたかのようだった。

その時ようやくわたしは気づいた。消滅したのは、左足だったのだ。

転ばないように階段を降りるのは難しかった。手すりにつかまり、一段ずつ慎重に物体――消えてしまった左足――を運ばなければならなかった。外に出ると、雪が積もっているので余計に大変だった。わたしは少し迷ってから、やはり左足にも靴をはかせた。

通りには近所の人たちがぼつぼつと集まり始めていた。みんな自分の身体をどう扱っていいのか苦心していた。ちょっとでも無理をすれば痛い目に遭うのではないかと、恐れている様子だった。塀に寄り添いながら歩いている人もいたし、家族で肩にもたれ合っている人たちもいたし、元帽子職人のおじさんのように傘を杖がわりにしている人もいた。

「全く、どういうことだろうねえ……」

誰かがつぶやいた。みんなうなずいたが、次の言葉がなかなか出てこなかった。こんな種類の消滅は誰にとっても初めてのことなので、事態がどんなふうに進んでゆくのか予想もつかず、うろたえているのだった。

「そりゃあ今までだって、思いもしないものがいろいろ消えていったけど、今回ほどびっくりさせられたことはなかったねえ」

斜め向かいのおばさんが言った。

「これからどうなるんだろう?」

「どうもなりはしないさ。島にまた一つ、空洞が増えただけのことだよ。いつもの消滅と同じじゃないか」

西隣の役場勤めのおじいさんが答えた。

「しかし、どうもすっきりしないね。身体がばらばらに崩れてしまいそうで、うまくまとまりがつかないんだ」

傘の先で雪を掘りながら、元帽子職人のおじさんが言った。

「すぐに慣れるさ。最初のうちはちょっと苦労するかもしれないけど、それは何も今回に限ったことじゃない。長さの違いこそあれ、新しい空洞の感触に慣れるにはある程度の期間が必要なんだ。びくびくしなくても大丈夫だよ」

「わたしにとっちゃあ、持病の膝痛が片方消えてくれて、ありがたいくらいの話だよ」

そう言って二軒先のおばあさんが笑った。わたしもつられて口元をゆるめたが、弱々しい微笑みにしかならなかった。

みんな話をしながらも時折、自分の左足に目をやっていた。もしかしたら雪の冷たさのショックで、足が元通りになっているかもしれない。消滅が何かの手違いを起こしているだけなのかもしれない。……と、わずかな希望にすがっているような目つきだった。でも左足には何の変化もなかった。

「あの……」

さっきからずっと気になっていることを、わたしは勇気を出して口にした。

「どうやって、左足を処分したらいいんでしょうか」

役場のおじさんは低いうなり声を漏らし、膝痛のおばあさんは鼻をすすり、向かいの奥さんは傘の柄をくるくると回した。しばらく沈黙が続いた。それぞれ適切な答えを探っているようでもあったし、誰かが何か言ってくれるのをただ待っているだけのようでもあった。

その時、道の向こうから秘密警察が三人歩いて来るのが見えた。わたしたちは緊張し、邪魔にならないように身体を寄せ合って道の端に固まった。左足を抱えたままこんな所でもたもたしていたら、彼らにどんな難癖をつけられるか分らなかった。

彼らはいつもの制服を着て、パトロールしていた。わたしは一番に左足に目をやったが、それらがまだ三つともきのうと同じ位置にあったので、いくらかほっとした。秘密警察でさえその処分の仕方が分らないのだとしたら、わたしたちがとがめられることもないだろうと思ったのだ。しかしさすがに、彼らの歩き方はしっかりしていた。今朝突然、前代未聞の消滅に襲われ、厄介な物体を押し付けられたとは思えないほど、うまくバランスを取っていた。こういう事態に備え、あらかじめ訓練していたかのようだった。

彼らが通り過ぎ、完全に見えなくなったのを確かめてから、元帽子職人のおじさんが口を開いた。

「秘密警察でさえ、ああしてまだくっつけて歩いてるんだから、焦って処分することもないんじゃないか？」

「そうだよ。無理矢理のこぎりで切り取るってわけにもいかないし……」

「燃やす、埋める、流す、逃がす。どの方法にも当てはまらない消滅っていうのが存在しても、別に構わないじゃないか」

「そのうち、いい方法が見つかるかもしれないよ」

「もしかしたら、自然に取れるんじゃないだろうか。だんだんに朽ちていって、枯木が落ちるみたいに、ぽろり、と」

「そうだよ。そうだよ」

「何も心配はいらないよ」

みんな一通り、自分の好きなことを喋って満足したのか、それぞれの家へ帰っていった。やはり秘密警察のように上手には歩けなかった。おばあさんは門柱の脇で転び、元帽子職人のおじさんは傘の先が雪の塊に引っ掛かって立往生していた。

小屋から出てきたドンが不安そうに尻尾を揺らし、玄関の前でうろうろしていた。わたしを見つけると雪まみれになりながら急いで駆け寄り、甘えた声で鼻を鳴らした。よく見ると、後ろの左足が消滅していた。

「そうか。お前も同じものをなくしたのね。そんなに怯えなくても大丈夫よ」

わたしはドンの胴体を抱きかかえてやった。後ろ足が頼りなくぶらぶらしていた。


その夜、R氏はベッドの中で、わたしの腰に密着した物体をさすってくれた。そうすれば左足が戻ってくるとでもいうかのように、長い時間休まず手を動かしていた。

「子供の頃、熱が出るとよくこうやって、母さんが身体をさすってくれたわ」

わたしはつぶやいた。

「ほらね。君の足は消えたりなんかしていないよ。だって、そういう大事な記憶を思い出せるんだから」

R氏は微笑んで、いっそう掌に力を込めた。

「そうかしら……」

あいまいにうなずいて、わたしは天井に視線を移した。

本当は、母さんの手の感触とR氏のそれとは全く違っていた。というより、わたしの左足には彼のぬくもりなど少しも伝わってきてはいなかった。ただ物と物がこすれ合う、きしむような違和感があるだけだった。でもそれを正直に口にしてしまうと、せっかくの彼の気持を傷つけてしまいそうで怖かった。

「さあ、よく見てごらんよ。ここに五つ爪が並んでいる。親指から順番に行儀よくね。半透明で滑らかで、果物の皮みたいにみずみずしい爪じゃないか。そしてここが踵。ここがくるぶし。右足にも同じ物があるよ。ほら、左右対称なんだ。膝はきれいな曲線を描いている。思わず両手で包みたくなるくらいだ。上から押さえると、複雑に骨が組み合わさっている様子が分る。今にも動きだしそうだ。ふくらはぎは柔らかくて温かい。太腿の皮膚は抜けるように白い。僕は君の左足のすべてを感じ取ることができるんだ。どんなに小さな傷でも、あざでも、くぼみでもね。なのにどうしてそれが消え失せたなんて言えるんだい？」

彼はベッドの脇にひざまずき、ひとときも手を休めなかった。

目を閉じると、自分の身体に発生した空洞をより強く意識することができた。そこはどんな小さな記憶の切れ端さえ残っていない、完全に透明な水で満たされていた。彼の手はその水を懸命にかき混ぜていたが、浮かび上がってくるのはただ小さな泡ばかりだった。泡は音もなく、すぐに弾けていった。

「わたしは幸運だわ。失ったはずのものをこうして、大事に扱ってくれる人がそばにいるんだもの。島中の左足はたいてい、誰からもそっぽを向かれて、淋しく打ちひしがれているはずよ」

「外の世界がどうなっているのか、僕には想像もつかないよ。こう次々と、いろいろなものが消されてしまったんでは……」

「たぶん、あなたが考えているほど大きな変化はしていないと思うわ。空洞が増えた分だけ、ちょっと肩をすぼめて、大騒ぎせずに、残された世界でやっているの。昔から繰り返してきたとおりにね。でも今度ばかりは、少々動揺しているみたい。消滅したものを始末しないまま、いつまでも持っているなんていう経験、みんなにとっては初めてのことだから。わたしはあなたのおかげで、慣れているから大丈夫だけど」

「始末することに関して、君たちは手間を惜しまないからね」

「ええ。だけど今回はお手上げよ。燃やすことも、粉々に砕くことも、海に捨てることも、薬で溶かすこともできない。そのことでみんなまいっているの。今のところ、できるだけ左足が視界に入らないよう、工夫するのがせいぜいね。でもそのうち、落ち着くと思うわ。どういう形でかは分らないけれど、いつかすべてがうまく収まる時が訪れるのよ」

「うまく収まるって、どういうこと?」

「左足の空洞がわたしたちの心の中に、ぴったりと収まるべき場所を見つけるっていうことよ」

「どうして君たちはいつもそうやって、何でもかんでも消してしまうんだ。僕は君を必要としているのと同じくらい、君の左足を必要としているというのに……」

彼はまつげを伏せ、ため息をついた。わたしはそのまつげに手をのばしかけたが、左足がベッドからずり落ちそうになったので、仕方なくじっとしていた。彼は両手で左足を抱き寄せ、ふくらはぎのあたりにキスをした。ささやきかけるような、包み込むような、静かなキスだった。

唇の感触をありのままに感じ取ることができたら、消滅していない皮膚と肉と血液で受け止めることができたら、どんなにいいだろうと、わたしは思った。左足にはただ、粘土が押し付けられたような圧迫感が残るだけだった。

「もう少し、そのままでいて」

わたしは言った。たとえ感触は空しくても、空洞を抱き締めた彼の姿をもっと眺めていたかった。

「ああ。いくらでも好きなだけ、こうしているよ」

26

次第にみんな、消滅した左足を抱えたまま生活することに慣れていった。もちろん以前のとおりというわけにはいかなかったが、身体が新しいバランスを覚え、それにふさわしい毎日のリズムが確立してきた。何かにつかまっていないと立っていられなかったり、慎重になりすぎてスムーズに動けなかったり、むやみに転んだりするようなことはなくなった。誰もが不便なく自分の身体を操れるようになった。

ドンでさえ最近は全速力で走り回り、犬小屋の屋根に登って日向ぼっこをし、庭の木の枝に飛びかかって雪を落とす遊びに熱中していた。時々調子に乗りすぎて、雪の大きな塊を頭にぶつけ、大慌てでわたしのところに助けを求めに来た。顔を拭き、あごの下を撫でてやると、また懲りずにもっと太い枝に狙いを定めていた。

いつまで待っても、左足が朽ちて落ちる気配はなく、相変わらずそれは腰の組織にしっかりと食い込んでいた。しかし、そのことを気に病む人もいなくなった。自分の腰に以前何がくっついていたか、今ではもう思い出せないのだから、それをどうやって始末しようかという心配も不必要になった。

記憶狩りで連行される人の数が急に増えてきた。これまであらゆる方法を使って、どうにかわたしたちの世界に紛れ込んでいた人たちが、左足の消滅によってもうごまかしが利かなくなったのだ。しかし今だに隠れ家にも移らず、秘密警察にも捕まらず、こっそり普通の生活を営んでいた人たちが、こんなにたくさんいたとは驚きだった。彼らに新しい微妙な身体のバランスを真似することは不可能だった。どんなに上手に真似しているつもりでも、力の配分や筋肉のラインや関節の動きが、どこかわずかに狂っていた。秘密警察たちは一目でそれを見破った。

記憶狩りが厳しくなったことや、おじいさんが死んだことで、百葉箱を使ったR氏の奥さんとの連絡はずっと中断していた。電話は盗聴される恐れがあったし、直接わたしが訪ねて行くのはもっと危険だった。奥さんからの手紙や差し入れは、R氏と外の世界をつなぐ唯一の糸だったが、彼を守るには隠し部屋を完全に隔離しておくのが一番の方法だった。そこで電話のベルを使うことにした。ある決まった日の決まった時間にベルを三度鳴らして切れれば、彼は元気という合図。　折り返しベルを三度鳴らせば、承知したの合図。

その旨を伝える手紙を持って久しぶりに小学校を訪れてみると、百葉箱はなくなっていた。地震で倒れたのか、雪に押しつぶされたのか、ばらばらに壊れていた。積み重なった木の板の間から、割れた温度計がのぞいて見えた。どうしようかしばらく迷ったが、結局、板の間に手紙を差し込んでおくことにした。元々誰からも忘れ去られた百葉箱ではあったが、こうして壊れてしまえばますます注意を払う人はいなくなるだろうから、わたしたちにとってはかえって好都合かもしれなかった。ただ奥さんがあきらめずに手紙を探してくれるかどうかが心配だった。

約束の時間にわたしはダイヤルを回し、三度呼び出し音を聞いてから切ると、そのまま電話の前で待った。ひととき沈黙の時間が流れたあと、ベルが鳴った。それは夜の闇の深いところへ溶けてゆくような余韻を残しながら、三つめでプツンと切れた。受話器が震えたような気がした。

とりとめのない言葉を書き連ねる作業は、細々と続けていた。小説を書いていた頃のエネルギーは冷えきったままで、回復の兆候は見られなかったが、図書館の炎が一晩中闇を照らし続けたあの夜の直後に比べれば、いくらか一つ一つの言葉の姿が見えてくるようになった。時計塔に閉じ込められたタイピストの指先や、時計室の床の木目模様や、山積みにされたタイプライターの影や、階段を昇ってくる彼の足音が、ぼんやり浮かび上がってきた。

しかし、白紙の原稿用紙を埋めるのはやはり困難で、一晩かかってもつかみ取ることのできる言葉の数はわずかだった。時折、疲れ果てて原稿用紙を全部窓から投げすててしまいたい衝動にかられたが、そのたびに隠し部屋から借りてきた〝品物〟を両手にのせ、深呼吸して気分を鎮めた。

フェリーは少しずつ海に姿を隠しつつあった。ドンの散歩の途中には必ず図書館跡に寄り、煉瓦の上に腰掛けて海を見ながら一休みした。そこは人影がなく、海岸通りの車の音が遠くに聞こえるだけで、いつも静かだった。植物園と一緒にさら地にして秘密警察の建物を造るという噂だったが、焼けた煉瓦の山はいつまでたってもそのままで、工事が始まる気配はなかった。

「お前は、ここに坐っていたおじいさんの姿を覚えている？」

わたしはドンに話し掛ける。

「あれが最後になるなんて思いもしなかったわ」

お構いなしにドンは駆け回っている。

「あの横顔にどこかおかしいところはあった？　いつもと変わりなかったわよね。生真面目で、頼りがいがあって、優しい顔つきだった。なのにわたしの心に浮かんでくるおじいさんの顔は、たまらなく淋しそうなの。助けを求めたいんだけど、遠慮して言い出せなくて、力なく目を伏せているような感じよ。顔の半分に影が射していて、泣きだしそうなのに、弱々しく微笑んでいるようにも見えるの。その表情が浮かぶたび、立っていられないくらい辛くなるわ。『何も心配いらないのよ。もう大丈夫なのよ』って叫んで、腕をのばすけど、どこにも届かないの。当たり前よね。おじいさんは死んじゃったんだから」

わたしは一人で喋り続けながらポケットのクラッカーを一枚取り出し、指先で砕いてドンに投げる。ドンは身体をそらしてジャンプし、空中で上手にキャッチする。手を叩いてほめてやると、自慢げに鼻先を空に向かって突き立て、もう一度、もう一度、とせがむ。

「もっと早く、わたしが頭にできた血の塊に気づいてあげていたら、おじいさんは助かっていたわよね」

いくら拭《ぬぐ》っても拭い去れない後悔を、声に出して言ってみる。そんなことをしても後悔が癒されるわけでもなく、それどころか余計に切なくなるだけだと分っているのに、わたしはここで何度も繰り返し悲しんでいる。その間ドンは、歯を鳴らしてクラッカーを食べている。

フェリーは日に日に沈んでいた。海の下に隠れて見えなくなるのも、そう遠くなさそうだった。今でもうねりが高いと、わずかに残っている船尾が波に隠れてしまうことがあった。

フェリーが完全に沈んでしまう時のことを考えると、胸がうずいた。丘に登って、海の表面に何ものぞいていないと気づいた時、わたしはそこに何があったのか思い出すことができるだろうか。おじいさんと一緒に一等船室でケーキを食べたり、隠し部屋の計画を立てたり、デッキの手すりにもたれて夕焼けを眺めたりしたことを、忘れずに覚えておくことができるだろうか。わたしの衰弱した心では、それはとても難しいことに思える。

右腕の消滅がやってきた時、人々は前回ほど戸惑いはしなかった。何が起こったのか分らないままベッドの中で苦悶したり、洋服を着るのにそれをどう扱うべきか迷ったり、始末の仕方を悩んだりすることはなかった。遅かれ早かれこういう事態が発生することは、みんな予想していた。

不必要になった〝品物〟を持ち寄って広場で燃やしたり川に流したりする手間がいらない分だけ、身体の消滅の方が静かで淡々としていた。ざわめきも混乱もなかった。ただ新しくできた空洞を抱え、いつもどおりに朝の支度をするだけだった。

もちろん毎日の生活の中で、ちょっとした変化は現われた。マニキュアを塗ることができなくなった。左手だけでできる新しいタイプライターの打ち方を考えなければならなかった。野菜の皮をむくのに時間がかかるようになった。右手にはめていた指輪を左手に移した。……しかしどれも大した問題ではなかった。覆いかぶさってくる消滅の波に身を任せていれば、どこか収まるべき場所へ自然に運ばれてゆくのだ。

わたしはもう、食事のお盆を持ったまま一人で隠し部屋の梯子を降りてゆくことはできなかった。料理をこぼさないように注意しながら戸口のところでお盆を渡したあと、R氏に脇を支えてもらい、一段一段ゆっくりと降りていかなければならなかった。反対に梯子を昇り、床板を押し上げ、狭い戸口から身体を外へ引っ張り上げるのも重労働だった。彼はいつも心配そうに下から見上げていた。

「いつか、隠し部屋へ出入りできなくなる時が来るかもしれないわ」

わたしは言った。

「そんなことないさ。僕が抱き上げてあげるから大丈夫だよ。お姫さまみたいにね」

彼は両手を顔の前に持ち上げた。長い間日に当たらず、レシートの整理やえんどうの筋取りや食器磨きや、そんな単純作業しかやっていない腕にしてはたくましかった。十分に張りがあり、力がみなぎっていた。石膏で固めた細長い棒のような、わたしの右腕とは大違いだった。

「そうしてもらえたら、素敵でしょうね」

「ああ」

「でも、消えてしまった身体を、どうやって抱くことができるの?」

彼は手を膝の上におろし、わたしの横顔を見つめたまま、質問の意味がよく分からないというふうに二、三度まばたきした。

「僕はいつでも、君の身体のどこにだって触れることができるよ」

「いいえ。消えたものに触れることなんてできないわ」

「どうしてさ。ほら。ここにだって、ここにだって……」

彼はわたしの腰と肩からぶら下っている、二本の石膏の棒をつかんだ。スカートの裾が揺れ、髪が頬に掛かった。

「ええ。確かにあなたは、わたしの身体を大事に扱ってくれるわ。オルゴールだって、フェリーの切符だって、ハーモニカだって、ラムネだって、それが存在していた時の役割をちゃんとよみがえらせることができる。でもだからと言って、存在そのものがよみがえるわけじゃないわ。ほんのひととき、線香花火の先がポッと光るみたいに、昔の記憶が照らされるだけ。光はすぐに消えてしまうし、そうしたらさっき、ここに照らし出されていたものは何だったのかなんてこと、簡単に忘れられてしまうわ。みんな幻なのよ。あなたがつかんでいる左足も右腕も、ここに並べられているものたちもみんな」

わたしは部屋中の〝品物〟を見回してから、頬に掛かった髪の毛を耳の後ろにかき上げた。彼はわたしから手を離し、スリッパの中に足を突っ込んだり出したりしていた。ふくらはぎと手首に彼の指の跡が残っていたが、あっというまに消えてなくなり、それはまた石膏の塊に戻った。

「このまま少しずつ、身体が消滅してゆくのかしら」

足先から膝、腰、胸と視線を動かしながら、わたしは言った。

「駄目だよ。何でもかんでもマイナスに考えちゃ」

「考えたって考えなくたって、消滅はやってくるわ。逃げ道はないのよ。次はどこかしらね。耳？　喉？　眉毛？　残りの足と腕？　それとも背骨？　順番に一つずつ消えていって、最後には何が残るんだろう。いいえ、何も残らないのかもしれないわ。

きっとそうよ。わたしが全部消えてしまうのよ」

「そんなことあるもんか。今だって僕たちは、ちゃんとこうして、向き合っているじゃないか」

彼はわたしの肩をつかみ、自分の方へ引き寄せた。

「あなたが見ているのは、本当の左足と右腕じゃないわ。どんなに撫でてくれたって、抱き締めてくれたって、それは脱け殻でしかないの。本当のわたしは今消えつつあるのよ。ひっそりと確実に、空気と空気のすきまに吸い込まれているの」

「僕は君をどこにもやりはしないよ」

「わたしだってどこにも行きたくない。あなたと同じ場所にいたいわ。でも無理なのよ。今だってあなたとわたしの心は、こんなにも遠い場所に引き離されているんだもの。あなたの心が感じるものには、ぬくもりと安らぎとみずみずしさと音と香りがあふれているけれど、わたしの心はどんどん凍りついてゆくだけ。いつか粉々に砕けて、氷の粒になって、手の届かないところで溶けてしまうの」

「君はどこへ行く必要もない。ここにいればいいんだ。そうだよ。ここなら安全だ。隠し部屋は失われた記憶を保存しておく場所なんだからね。エメラルドや香水や写真やカレンダーと一緒に、この宙に浮かんだ小部屋に隠れるんだ」

「わたしが？　……ここに？　……隠れる？」

「そうだよ」

彼はうなずいた。

「そんなことができるのかしら」

思いもしなかったことを言われて混乱し、わたしは頭を振った。その拍子に右腕がベッドの上から滑り落ち、彼の膝に当たった。

「できるさ。彫刻の中に閉じ込められていたものたちも、そして僕も、みんな隠し部屋に守られているんだ。秘密警察にだって見つからなかったじゃないか」

「最後の時がもうすぐそこまで近づいているのが分るの。今までずっと消滅は何の前触れもなく突然にやってきていたけど、自分の身体の場合には微かな予感があるの。皮膚が強ばるような、痺れるような感じよ。三日後か、十日後か、二週間後か、また新しく何かが消えてゆくわ。わたし怖いの。自分が消えてなくなることじゃなくて、あなたと別れなければならないことが、たまらなく怖いの」

「大丈夫だよ。怖がることなんてないさ。僕は君を隠し部屋に大切に保存するよ」

そう言って彼は、わたしをベッドに横たえた。

27

時々不思議に思うことがあります。どうして自分はもっと彼のことを恨まないのだろうか。本当なら口汚くののしり、無駄だとは分っていても殴りかかり、どうにかして彼を痛めつけようと躍起になってもいいはずです。声を奪い、わたしをだましてこんな所へ閉じ込めているのですから。

なのにわたしは彼が憎くないのです。それどころか、時折彼が見せるちょっとした気遣いに、優しさを感じることさえあるのです。スプーンを持ちやすい向きに置き直してくれたり、まぶたに飛び散った石けんを、目に入らないようにそっと拭き取ってくれたり、服を着替える時、ファスナーに引っ掛かってもつれた髪の毛をほぐしてくれたり、……つまりそういう瞬間です。彼が犯している重大な罪に比べれば、本当にささいな出来事です。それでもわたしは、彼の指が自分のためだけに働いてくれているのを見ると、感謝したい気持になるのです。馬鹿げているとは思いますが、これが正直な気持なのですから仕方ありません。

このことは、わたしがますますこの部屋に密着してきた証拠かもしれません。外の世界で持っていた感情が、ここにふさわしいものへと退化し、変形しているのです。最近は目も見えにくくなってきました。タイプライターの山も、ベッドも、鐘つき棒も、机の引き出しに転がっている品々も、すべて薄暗いベールに包まれ、輪郭がぼやけているのです。時計のすきまから外をのぞいてみても同じです。明るい日差しが降り注ぐ午後だというのに、教会の中庭の芝生は灰色にくすみ、集まっている人々の姿はみな影と見分けがつきません。

そのためわたしは、顔を洗うにしても洋服を着替えるにしても、そろそろと動かなければなりません。すぐに時計の修理道具につまずいたり、椅子の背中に腰をぶつけたりしてしまうのです。特に彼がそばにいる時は緊張します。わたしがそういうへまをやらかしても、彼は怒るわけではありません。けれど手を貸してくれるわけでもありません、ただ黙って、独特の微笑みを浮かべるだけです。肋骨を氷の刷毛で撫でるような、ひややかな微笑みです。

　こうして目がどんどん衰えているというのに、彼のことだけはいつでもくっきりと見ることができます。彼の指の動きをくまなくとらえることができます。彼一人を残して、あとはすべてが闇に沈もうとしています。

　ある日、ちょっとした事件が起りました。彼が初級クラスの授業のために下へ降りていって、しばらくたった頃のことです。昼過ぎ、塔を昇ってくる靴音が聞こえました。彼のものとは違います。もっとか細くてゆっくりとした靴音です。それは途中の踊り場でいったん止まり、少しためらっていたようですが、また上へ上へと昇ってきました。

『誰だろう。ここまでやって来るつもりかしら』

　わたしはどうしていいか分りませんでした。その人が敵なのか味方なのか。彼とはどういう関係なのか。わたしのことを知っているのかいないのか。何のためにタイプ教室を通り越して、こんな上まで昇ってくるのか。短い間にいろいろな疑問が湧き上がり、わたしを混乱させました。考えてみればこれまで一度も、彼以外の人間がここへやって来たことはありませんでした。わたし自身、何年もタイプ教室に通いながら、更にその上の塔のてっぺんにまで行ってみようなどと、思ったこともありませんでした。

靴音の感じからして、女性に間違いありません。しかも若い女性です。木の階段をくちばしでつつくような音ですから、ヒールの先に黒いプラスティックの滑り止めがついた、パンプスを履いているのだろうと見当がつきます。

彼女は自分でも迷っている様子でした。どこまでも続くこの階段の先に何があるのか、一種の怖れさえ感じているようでした。時計室が近づくにつれ、靴音の間隔が次第に長くなってきました。もしかしたら彼女が抱いていたのは迷いや怖れではなく、ただの疲れだったかもしれません。時計塔の階段は狭くて急で、とても長いですから。いずれにしてもとにかく、彼女は扉の前までたどり着きました。

コン、コン、コン。彼女は三回ノックしました。わたしは膝を抱え、床に坐り込みました。古びた木の扉が、そんな乾いた澄んだ音で鳴るなんて初めて知りました。彼はいつもノックなどせず、鍵の束をガチャガチャいわせながら鍵を開けるからです。

逃げ出せる最大のチャンスだ、とわたしは思いました。タイプ教室の生徒が、何かの物音に不審を感じたか、あるいは単純な好奇心からか、ここまでやってきてくれたのです。声は出せなくても、すぐに駆け寄り扉を叩けば、わたしの存在を知らせることができます。そうすれば、教会に助けを求めるなり、警察を呼ぶなり、鍵を壊すなり、何か行動を起こしてくれるはずです。外の世界へ出られるのです。

けれどわたしはうずくまったまま、ぴくりとも動くことができませんでした。心臓の鼓動が激しくなり、唇は震え、額には汗がにじんでいました。

『さあ、早く。早くしないと、彼女が帰ってしまうじゃないの』

わたしは心の中で叫びました。なのにもう一人の自分が、

『いけない。じっとしていなくちゃいけないわ』

と、わたしを押しとどめるのです。

『彼女にどんなふうにこの状況を説明するの？　彼にタイプを教わって、声を奪われて、タイプライターの山と一緒にこんな所へ閉じ込められて、今どんな扱いを受けているか。そんな込み入った話を彼女が信じてくれるかしら。しかもそれをどうやって表現したらいいの？　わたしはもう言葉を一つも持っていないのよ。言葉だけじゃない。耳も目も肉体も、身体のあらゆる部分がこの部屋にふさわしい状態に、つまり彼にとってふさわしい状態に変形してしまっているの。もしも彼女が助け出してくれたとして、わたしはなくしたものを取り戻せるかしら。このタイプライターの山の中から、自分の声が隠されている機械を見つけることができるかしら。彼の庇護《ひご》なしに自分の身体をバランスよく保っておくことができるかしら』

もう一人のわたしは次々と恐ろしい質問を繰り出してきました。わたしは両耳をふ

さぎ、膝の上に顔を押し当て、息をひそめました。彼女があきらめて下へ降りてくれるようにと祈りました。外の世界へ出て行く勇気はとてもありませんでした。どれくらいじっとしていたのでしょう。彼女はしばらく錠前に触ったり、ノブを回したり、ため息をついたりしていましたが、やがて扉から遠ざかって行きました。靴音が螺旋《らせん》を描きながら、下へ下へと響いていました。すっかり靴音が消えても、まだしばらくわたしは動くことができませんでした。どんなささいな音を立てても、それを聞きつけて彼女が舞い戻ってくるかもしれないと心配だったのです。

時計のすきまから外をのぞいてみる気になったのは、夕暮れ近くなってからでした。もちろん、扉をノックした彼女を見つけることはできませんでした。中庭には、午後の授業を終えた生徒と夜からの授業を受ける生徒が入り混じっていました。しかしその誰もが闇の塊でした。わたしの弱った目では、彼女たちの顔つきも服装も靴の形も見分けることはできませんでした。ただ、花壇の縁に腰掛けて談笑している彼の姿だけが、痛いほど鮮やかに網膜に張りついてくるのでした。

その夜、彼はいつもの奇妙な服を持って現われました。服は以前ほど凝ったものではなくなっていました。外の世界では通用しないタイプの形であることに変わりはありませんでしたが、素材はありきたりで、余計な飾りは一つもなく、縫い目も雑でした。そのことはわたしをがっかりさせました。もっと奇抜なものを着たいからではありません。服の素っ気なさが、わたしに対する情熱の衰えを表しているように思えたからです。

「今日、誰か訪ねて来なかったかい？」

唐突に彼が言いました。わたしは驚いて、受け取ったばかりの服を落としました。なぜ彼はそのことを知っているのだろう。知っていたのなら、なぜ彼女を止めなかったのだろう。重大な秘密がばれるかもしれないというのに……。わけが分らずわたしはうつむいていました。

「誰かがこの部屋の扉をノックしただろ？」

更に彼は問いつめました。わたしは小さくうなずきました。

「どうして彼女に助けを求めなかったんだ？」

落ちた服を拾い上げながら、彼は言いました。

「いくらでも彼女に自分の存在を知らせる方法はあっただろ？　扉を叩き返すなり、椅子を鳴らすなり、タイプライターを壁に投げつけるなり。いくらでもね」

どう答えたらいいのか見当もつかず、わたしはじっとしていました。

「なぜ逃げなかったんだい？　彼女は君をここから救出してくれたかもしれないの

に。そうしたら君は自由になれたんだ」

彼はわたしのあごに触れました。

「けれど君はそうしなかった。ここに残った。なぜなんだ？」

執拗に彼は理由を求めました。言葉を失った人間に理由など説明できるはずがないことは、十分承知しているはずです。ならば彼は何を求めているのでしょう。わたしはただもう、身体を硬くしているだけでした。

「彼女はねえ、新しく初級クラスに入った生徒なんだ」

ようやく彼は質問をやめました。

「タイプの技術はまだまだだよ。文章なんてまだ打てない。簡単な単語を一個ずつ、しかも所々間違えながら、ポツポツと打っている程度だ。その彼女が今日、突然、塔の一番上はどうなっているんですか？　と質問してきたんだ。子供の頃、機械室で時計守《もり》のおじいさんと一緒に遊んだことがあって、懐かしいからもう一度昇ってみたいって言うんだ。僕は反対しなかった。時計守のおじいさんはもういないし、そこはただの倉庫になっているけれど、もしよかったらてっぺんまで行ってみるといい。そう言ったんだ」

『なぜ止めなかったの？　もし彼女がわたしを見つけたらどうするつもりだった

の？』

　わたしは彼を見つめました。

「僕は信じていたよ。君が外の世界へはもう出られないことをね。誰かが扉をノックしようがどうしようが、そんなことには関係ない。君はもう半分、この部屋にしみ込んでいるんだ」

　しみ込む、という言葉の響きがいつまでも二人の間を漂っていました。わたしは服を受け取り、着替えました。デザインが質素になったぶんだけ、着替える手間も掛からなくなっていました。腰をほんの少しかがめるだけで、あとは自然に身体にまとわりついてきました。

「扉の向こうで彼女は何か声を掛けなかったかい？」

　わたしは首を横に振りました。

「それは残念だ。君にも彼女の声を聞かせたかったよ。とても魅力的な声なんだ。ただ単にかわいらしいとか、美しいとかいうんじゃない。もっと印象的な特徴を持っているんだ。鼻の奥の空洞に響く深みと、舌の湿り気と、唇の粘膜を震わせる危《あや》うさと、鼓膜を溶かすような甘さを混ぜ合わせた声だ。僕が今までに一度も耳にしたことのない種類だ」

彼はタイプライターの山に目をやりました。時計のすきまから吹き込んできた風が、天井の電球を揺らしました。

「タイプの上達は人並みだ。いや、平均以下かもしれない。すぐにWとO、BとVを間違えるんだ。キーを打つ姿勢も猫背だし、指は子供みたいに短くてぽっちゃりしているし、インクリボンの取り替え方もまだ覚えられない。なのにひとたび、彼女が口を開くと、その回りだけ光が射したみたいに輝く。声だけが特別な生き物なんだ」

喋り終えると彼はわたしを抱き上げ、ベッドへ運びました。

『彼女をどうするつもりなの？　どうしてそんな話をわたしに聞かせるの？　彼女の声をどうするつもりなの？』

わたしは彼の腕の中でもがきました。けれど奇妙な服のせいで、ただ身体をもそもそさせたに過ぎませんでした。彼は左手だけで両方の手首をいっぺんにつかみ、やすやすとわたしを動けなくしてしまいました。

「彼女にはもっともっとタイプを練習してもらわなくちゃならない。できるだけ早く、正確に、たくさんのキーを打たせる。そうして少しずつ、タイプライターに声を閉じ込めてゆくんだ。彼女が完全に声を失い、タイプのキーが一ミリも動かなくなるまでね」

彼は言いました。

あれ以来、彼はめっきり姿を見せなくなりました。わたしは何日も一人きりで過ごすことが多くなりました。服どころか、食事でさえ満足に作ってはくれません。一日に一回か、三日に二回、冷たくなった野菜の煮込みとパンを一切れ、戸口に置いて帰るだけです。わたしの方など満足に見もせず、お皿の幅以上には扉を開けようともせず、食器の音だけを残して降りてゆきます。

わたしの目も耳も、どんどん衰えてゆくばかりです。肉体は心から切り離され、薄暗い時計室の床に放り出されています。彼が慈しんでいてくれた頃にはみずみずしさも、ふくよかさも、優美さもあったのですが、今では粘土の塊のようになっています。それが本当にわたしの足なのか、手なのか、乳房なのか、自分でも自信が持てないくらいです。彼の指が触れてくれなければ、息を吹き返すことはできないのです。

この部屋にしみ込んでいるわたしを相手にしてくれるのは彼だけです。その彼がそっぽを向いてしまったら、どうなるのでしょう。考えただけでも怖くて震えがきます。

ある夜、わたしは洗面台に水を張り、その中に足を浸しました。自分の足が本当にそこに存在しているかどうか確かめるためです。水には埃一つ浮かんでいませんでした。どこまでも透明で、冷たそうな水でした。わたしは足先からそろそろと沈めてゆきました。

けれど、何も感じませんでした。ふくらはぎのあたりが少しひきつっただけでした。足はただ、宙をゆらゆらとさ迷っているのと同じでした。存在するというのがどういうことなのか、その感触がもう思い出せませんでした。

洗面台によじ登ったまま、わたしは窓の外に目をやりました。満月が出ていましたが、わたしの目にはそんなささやかな光は何の役にも立ちませんでした。町並みが、空まで続く広い草原に見えました。草が風になびき、模様を描きだしていました。ねずみがチーズを齧っているような模様です。念のため、手も顔も胸も水に浸してみましたが、同じことでした。わたしの存在は、手の届かないところへどんどん吸い寄せられているのです。

彼が訪ねてくれなくなって、今日で何日めでしょう。最後にものを食べたのは、ずいぶん前のような気がします。フランスパンの端が五センチほどと、スプーン一匙のマーマレードでした。弱った身体にはフランスパンは少し固すぎました。弱ったというのは、食料を与えられていないからではなく、わたしがますます深くこの部屋にしみ込んでしまった結果なのです。パンを噛み切るのはあきらめ、マーマレードだけをなめました。枕の下にしまったパンには黴《かび》が生えてきました。

わたしはベッドに横たわり、耳だけに神経を集中させています。塔を昇ってくる彼の靴音を待っているのです。ちょっとした木のきしみにもドキッとします。

『きっと彼だわ』

でもいつも裏切られます。単なる風のいたずらか、ねずみの足音なのです。

どうして彼は訪ねてきてくれないのでしょう。わたしは声だけでなく、肉体も感情も感覚も、すべてを彼だけのために存在させたというのに。部屋にしみ込んでしまうくらい懸命に、徹底的に。

彼は今頃、彼女にタイプを教えていることでしょう。忍耐強く、優しく、彼女の指に触れているでしょう。彼女の声を少しでも早く、タイプライターに閉じ込めるために。

わたしは目をつぶりました。最後の時が近づいているのが、自分でも分ります。声を失った時と同じように、痛くも苦しくもなくその瞬間が訪れることを祈っています。たぶん、心配はいらないでしょう。タイプライターのキーが活字を撥《は》ね上げたあと、パチンと落ちてくるようなものでしょう。

靴音が聞こえます。彼です。その後ろから、控えめなもう一つの靴音が続いています。プラスティックの滑り止めがついたパンプスです。二つの音は触れ合い、重なり合いしながら、次第に扉に近づいてきます。おそらく彼女はタイプライターを抱えているのでしょう。びっしりと声が詰まってキーが動かなくなったタイプライターです。

わたしは跡形もなく、ひっそりと吸い込まれてゆきます。久しぶりに自分の声と再会できるかもしれません。靴音が止まりました。彼が鍵を回しています。

最後の時が、訪れたのです。

28

鉛筆を置いたあと、わたしはぐったり疲れて机にうつぶした。言葉を探し出しつなげる困難のほかに、肉体的な疲労も大きかった。わたしに残された身体の部分は、もうほんのわずかになっていたからだ。

左手で書かれた文字はたどたどしく、所々、線は消え入りそうに細く震えていた。すべての文字が泣いているように見えた。わたしは原稿用紙を束ね、クリップで止めた。これが彼の望んでいる物語というものなのかどうか自信はなかったが、とにかく言葉の連なりは最後の場所にたどり着いた。彼のために残してゆける唯一のものを、完成させることができた。しかしその物語の中でも、結局〝わたし〟は消えてゆくのだけれど。

小説が消滅したのはそれほど昔ではないのに、ここまで書きつなぐのにずいぶん回り道をしてしまった。地震があり、フェリーが沈み、乾さんの彫刻が壊れ、中から〝品物〟が現われ、別荘へ彫刻を取りに行き、検問に会い、そしておじいさんが死んだ。一個一個の出来事はみんな偶然に左右されているようでありながら、確実に一つの方角へと向かっていた。その方角に何が待っているのか、島中の人たちみんなが薄々感付いていながら、誰もことさら口に出して言おうとはしなかった。誰も怖れてはいなかったし、逃れようともがいてもいなかった。みんな消滅の性質をよく理解していたし、それに対応する一番適切な方法を心得ていた。

ただR氏だけがわたしをここへとどめるために、考えつくかぎりの抵抗を試みていた。そのどれもが無駄な努力だと分っていながら、わたしは余計な口を挟まなかった。彼は空洞になった身体をさすり、数々の〝品物〟にまつわる記憶を話して聞かせた。彼の投げる小石はわたしの心の沼に投げ込まれ、底へ着地することなく、どこまでもただ舞い落ちてゆくばかりだった。

「よくがんばったね。こうしてまた、君の原稿を手にすることができてうれしいよ。僕と君の間にいつも物語が存在していたあの頃が、よみがえってきたんだよ」

彼は原稿用紙の束を大事に撫でながら言った。

「でも、心の衰弱を食い止める手立てにはならなかったみたいだわ。物語は完成したけれど、やっぱりわたしは自分を失い続けているんですもの」

わたしは彼の胸にもたれかかった。身体を支えていられないほどの重苦しい疲労に包まれていた。

「さあ、ゆっくり休むといい。ここでぐっすり眠れば、すぐに元気になるよ」

「わたしが消えたあとでも、物語は残るかしら」

「当たり前じゃないか。君が書きつけた言葉は、その一つ一つが記憶として存在してゆくんだ。僕の消えない心の中でね。だから安心していいんだよ」

「よかったわ。何か一つでも、自分がこの島に存在していた痕跡を残すことができて」

「今日はもう眠った方がいいよ」

「そうね……」

わたしは目を閉じた。すぐに深い眠りが訪れた。

一番最初、左足をなくした時には、みんな自分を持て余してふらふらしていた。なのに今、身体のほとんどの部分を失っているというのに誰もふらふらなどしていない。身体が少なくなった分だけまとまりがよくなって、空洞だらけの島の空気によくなじんでいる。枯草の塊《かたまり》が風に流されるように、軽やかに宙を舞っている。

ドンはもう、木の枝に飛びかかって雪を落とす遊びはできなくなったが、わずかに残った左前足や、顎や、耳や、尻尾を使ってささやかな新しい遊びを考えだした。以前の習慣でつい、昼寝の時、胴体を丸め後ろ足に頭をのせようとしてそこに何もないと気づき、あれっというような表情を見せることがあったが、すぐにあきらめ、毛布を引っ張ってきて枕の代用品にした。

島はどんどん静寂の密度を増していった。古いものが朽ちてゆく速度と新しいものが作られる速度の差は、広がるばかりだった。町のレストランや映画館や公園は閑散とし、地震でひび割れた道路は修理されずに放置され、汽車の本数は減り、フェリーはとうとう海に沈んで見えなくなってしまった。

新しく作られるものといったら、畑から顔をのぞかせているわずかな大根や白菜やクレソン、毛糸工場のおばさんが編むセーターや膝掛け、どこからかタンクローリーで運ばれてくる燃料。それくらいなものだった。あとは休みなく降り続く雪。雪だけは消える気配はなかった。

身体の消滅が始まる前におじいさんが死んだことは幸運だったのだと、ふとわたしは思った。そのおかげでわたしは、大好きだったおじいさんの手の感触を今でも思い出すことができるのだ。

おじいさんはもう十分にさまざまなものを失ってきた。これ以上生きて消滅を待つより、せめて肉体だけでも自分のものにしたまま死んだ方が安らかだったに違いない。ステンレスの台に乗せられたおじいさんは硬く冷たくなっていたけれど、腕や肩や胸や足には、わたしとR氏を守るために働いてくれた優しさとたくましさの面影が残っていた。

でもそんな順番は、本当はたいした問題ではないのかもしれない。たぶん最後には、すべてが消えてしまうのだろうから。

わたしは淡々と代わり映えのしない毎日を繰り返していた。会社へ行く。左手でタイプを打つ。ドンを散歩させる。質素な食事を作る。シーツを日光消毒する。そして夜は隠し部屋で彼と一緒に過ごす。他には何もやるべきことが思い浮かばなかった。

隠し部屋の狭い梯子を降りるのはますます困難になってきた。わたしは掛け声と一緒に、彼が広げた両腕の中へ飛び込んだ。彼はいつでも上手に受け止めることができた。

しかしベッドの中では、いくらしっかり抱き合っても、二人の間にあるすきまはどうしようもなく広がってゆくばかりだった。均等な対称をなした、強固で、生き生きとした彼の身体と、貧弱で、か細く、表情のないわたしの身体は、どの部分一つとってもぴったりと交わることがなかった。それでも彼はあきらめずに、できるだけ自分の近くにわたしを引き寄せておこうとした。彼が懸命に腕をのばしたり縮めたり、首を回したり、膝を折ったりするのを見ていると、わたしはしばしば哀しくなって涙が出てきた。

「泣くことなんてないよ」

そう言って彼は掌で頬の涙を拭ってくれる。その時、ああ、自分にまだ頬が残っていてよかったと、わたしは思う。そして同時に、頬が消滅したら涙はどこを伝ってゆくのだろう、彼の掌はどこを拭ってくれるのだろうという不安が広がって、また涙があふれてくるのだった。

物語を書き綴る左手、涙がこぼれる目、それが伝う頬と順番に消えていって、最後に残ったのは声だった。人々は輪郭のある存在をすべて失った。声だけがあてもなく漂っていた。

わたしはもう彼の腕に飛び込まなくても、隠し部屋へ降りてゆけるようになった。

重たい床板を持ち上げなくても、わずかなすきまをくぐり抜けられるようになった。そういう意味では身体が全部消滅したことは、一種の解放感をもたらした。しかし目に見えない頼りなげな声は、少しでも油断するとすぐに、風と一緒に遠くへ流されてしまいそうになった。

「声だったら安心よ」

わたしは言った。

「声だったら、最後の最後の瞬間を静かに穏やかに迎えることができると思うの。痛みも苦しみもみじめさも残さないでね」

「そんなこと考えちゃだめだよ」

彼はわたしに腕をのばそうとして、そのまま動けなくなった。行き場のない手が宙に浮いていた。

「あなたはとうとう、ここを出て行けるのよ。外の世界で自由になれるのよ。秘密警察はもう記憶狩りなんてしてないわ。声だけになって、どうやって人を捕まえることができるの？　そうでしょ？」

わたしは微笑もうとして、すぐにそれが無駄なことだと気づいた。

「外の世界は雪に覆われて荒れ果てているけれど、あなたの濃密な心があれば大丈夫。少しずつ世界の強ばりを溶かしてゆくことができると思うわ。ずっと隠れ家に潜んでいた他の人たちもきっと出てくるはずよ」

「君が一緒にいてくれなきゃ何にもならないよ」

彼はそれでもどうにかしてわたしの声に触れようとしていた。

「いいえ。わたしはもう、何の役にも立たないわ」

「なぜ？　なぜなんだ」

彼は声が漂っていると思われるあたりの空気を両手で包んだ。本当に声が存在している場所とそこの間にはずれがあったが、それでもわたしは彼のぬくもりを感じ取ることができた。

空気の流れが変わり、それを合図にしたかのように声が外側からゆっくりと消えはじめた。

「わたしがいなくなっても、この隠し部屋は大事に残しておいてね。あなたの心を通して、記憶がここでずっと生き続けられることを祈っているわ」

だんだん息が苦しくなってきた。わたしは隠し部屋を見回した。床に並んだ品々の中に、わたしの身体もあった。それはオルゴールとハーモニカにはさまれ、両足を斜めに投げ出し、手を胸の前で合わせて目を伏せていた。彼はたぶん、オルゴールのぜんまいを巻くように、ハーモニカを吹くように、この身体に触れて繰り返しわたしの記憶をよみがえらせてくれるだろう。

「どうしても、行ってしまうんだね」

彼は包んだ空気を胸に抱き寄せた。

「さようなら……」

最後に残った声ははかなくかすれていた。

「さようなら……」

彼はいつまでも両手の中の空洞を見つめていた。そこにはもう、何も残ってはいないのだということを、十分すぎるくらいの時間をかけて自分に言い聞かせてから、彼は力なく腕を下ろした。それから一段ずつゆっくりと梯子を上り、扉を外し、外の世界へ出て行った。一瞬光が差し込み、すぐにまたそれはさえぎられ、扉がきしみながらふさがった。と同時に、絨毯をかぶせるわずかな気配が伝わってきた。

閉じられた隠し部屋の中で、わたしは消えていった。

解説

鄭 義信（脚本・演出家）

『密やかな結晶』の解説を引き受けたことを、深く、深く後悔している。小川洋子さんの丹念に磨きこまれた、まるで達人の工芸作品のような小説を、僕が解説するだなんて……。

（あぁ～、嬉しくて、光栄で、ついほいほい引き受けてしまったけど……あぁ～、そんな大それた……おこがましい……恐れ多い……あぁ～、どうしよう……）。

これから僕が書くのは「解説」ではなく、小川洋子作品に魅了された一ファンのファンレターだと思っていただければありがたい。いや、ぜひとも、そう思っていただきたい。

言い訳の前置きが長くなってしまったけれど、本題に入りたい。

『密やかな結晶』は架空の島が舞台となっている。この島の人々は島にいる限り、心の中のものを順番に一つずつ失くしていかなくてはならない。消滅が静かに進んでいく島の物語はまったくの虚構でありながら、どこか懐かしく、いつか見た風景に似ている。遠い過去の、ほの明るい記憶に似ている。たとえば、秘密警察への協力を拒み、隠れ家に逃れようとする乾《いぬい》家族との別れ、主人公の「わたし」が乾家の八歳の男の子の爪を切る場面。

「わたしは左手の小指から順番に、ゆっくりと爪切りを動かしていった。爪は透明で柔らかく、刃をあてるとたやすく指から離れ、花びらのように落ちていった。みんな爪切りがつぶやく小さな音に耳をすませていた。それは夜の底にこのひとときを封印する、鍵音のように響いた」

永遠の別れになる予感を孕《はら》みながら、ひととき、彼らはささやかな時間を共有する。夜の静寂の中でパチパチと響く爪切りの音が、僕の耳底に聞こえてくる。そして、僕は僕の過去の記憶を呼び覚ます。子どものころ、父が僕の爪を切ってくれたことを思い出す。廃品回収業を営んで、日々の暮らしに追われていた父がその時、なんで僕の爪を切ってくれたのか記憶が定かではない。けれど、父が僕の指を傷つけないよう注意深く、爪を切る横顔を鮮明に記憶している。爪切りのパチパチ響く音を覚えている。あれもたしか静かな夜だった……。

小川洋子さんが切りとってみせる世界は、そんなふうに思わず追憶にひたる記述が無数にちりばめられている。あらかじめ失われることがわかっているがゆえ、なおさら光り輝く記憶が埋まっている。

「これは小さくて薄っぺらだけど、大事なものなんだよ。誰かに何か伝えたいことがある時は、紙に書いて、この『切手』を貼りつける。そうすれば、どこへでも配達してくれたの。そんな時が、遠い昔にはあったんだよ」

「わたし」の母の記憶、父の記憶、島の記憶……それらは、虚構でありながら、ひどく生々しく、ひどく切ない。

『密やかな結晶』は消滅の物語であるけれど、同時に消滅できない者の物語でもある。「わたし」が思いを寄せる編集者の「R氏」は、「わたし」の母と同じく消滅したものを記憶する者、忘れることのできない者である。彼らは記憶しているがゆえに、迫害され、粛清される。そこにユダヤ人差別やホロコーストの影を、「在日」韓国人である僕はどうしても色濃く見てしまう。小川洋子さん自身も『アンネの日記』を愛読していたことが、『密やかな結晶』を書くきっかけであったと明言している。

いつまでも記憶している者たち、忘れない者たちは、為政者にとって邪魔者以外の何ものでもない。彼ら、彼女らは歴史の証言者なのだから。

『密やかな結晶』の中で、「消滅」は「はく奪」と同義語であり、「R氏」は「消滅」を簡単に許す「わたし」に抗議の声をあげる。特に「小説」が消滅した件では、「R氏」は大いに憤慨する。それは小川洋子さん自身の声のようにも聞こえる。

「君は小説を書いてきた人間だよ。それが役に立つか立たないかで区分けできるようなものじゃないっていうことは、よく分っているはずだ」

「小説を失うのは、わたしにとっても辛いことだわ。あなたと自分の間をつなぐ大事な紐が、解かれてしまうような気分よ」

「原稿は燃やしちゃいけない。君は小説を書き続けるんだ。そうすれば、紐は解けない」

コロナ禍を経験したものにとって、「R氏」の言葉は大いに響く。僕が携わってきた演劇、映画、あらゆる芸術や文化が「不要不急」の代物として実際、消滅しようとしたのだ。僕たちができることは「R氏」の言葉どおり、あきらめることなく公演を打ち続けることしかなかった。

けれど、もはや「R氏」の言葉は、「わたし」の胸に届かなくなる。彼女は自分の中から記憶を消滅させることで、秘密警察側、つまりは為政者側に組みこまれていく。自分を失っていく。それに対して、小川洋子さんの筆は容赦ない。作家である

「わたし」の物語を書き綴る左手、涙がこぼれる目、それが伝う頬……つぎつぎと身体を消滅させていく。そして、ついにはすべてを消滅させてしまうのだ。まるで、同じ作家である自分自身を戒めるがごとく、厳しく「わたし」を追いつめていく。

『密やかな結晶』の最後、すべてが消滅する。「わたし」も島そのものも……すべてが失われた世界で、「R氏」一人だけが生き残る……物語の最後の最後に、僕は気づかされる。『密やかな結晶』が甘い追憶を呼び覚ます物語ではなく、大いなる糾弾の叫びであったことに……安易に、気づかぬうちに、加害者の側に回っている僕たちに警鐘を鳴らす小川洋子さんの凛《りん》とした思いが、僕を打つ。

「彼はいつまでも両手の中の空洞を見つめていた。そこにはもう、何も残ってはいないのだということを、十分すぎるくらいの時間をかけて自分に言い聞かせてから、彼は力なく腕を下ろした。それから一段ずつゆっくりと梯子を上り、扉を外し、外の世界へ出て行った」

最後の一人になろうとも、自由を謳うことの、生きることの尊さが、僕の胸を打つ。

小川洋子さんと対談させていただいた折、「『密やかな結晶』とは、なにをもって結晶なのですか？」という質問をしたことがある。僕の愚問に対して、小川洋子さんは

真面目な顔で、

「人間があらゆるものを奪われたとしても、大事な手のひらに握りしめた、他の誰にも見せる必要のない、ひとかけらの結晶があって、それは何者にも奪えない。そういうもの、秘密警察にもナチスにも奪えないものが誰にでもあるんです。心の中にある非常に密やかな洞窟のような場所に、みんながそれぞれ大事な結晶を持っているというイメージですね」

と、答えてくださった。

『密やかな結晶』を侵そうとする者に対して、秘密警察やナチスのように人間の尊厳を奪おうとする者に対して、小川洋子さんはきっと容赦がないと思うのだ。そのことを決して、許してはならない、忘れてはならない、と僕たちに語りつづけているのだ。小川洋子さんは「消滅」を描きながら、実は正反対である「消滅しないこと」を描こうとしていた。その静かで、確かな筆つきに、僕たちファンは惚れ惚れしてしまうのだ。

最後に、小川洋子さんに一ファンとしてのメッセージを。

「小川洋子さん！　いつまでも、あなたの書く物語で、僕たちを虜《とりこ》にしてくださいね！」

本書は、一九九九年八月に講談社文庫より刊行された
『密やかな結晶』を改訂し文字を大きくしたものです。
また、時代背景に鑑み、原文を尊重しました。

|著者|小川洋子　岡山市生まれ。早稲田大学文学部卒。1988年「揚羽蝶が壊れる時」で海燕新人文学賞を受賞。'91年「妊娠カレンダー」で芥川賞、2004年『博士の愛した数式』で読売文学賞、本屋大賞、同年『ブラフマンの埋葬』で泉鏡花賞、'06年『ミーナの行進』で谷崎潤一郎賞、'13年『ことり』で芸術選奨文部科学大臣賞を受賞。2020年、『密やかな結晶』(本書)の英語訳が日本人作品で初めてブッカー国際賞の候補になる。同年、『小箱』で野間文芸賞を受賞。著書に『猫を抱いて象と泳ぐ』『人質の朗読会』『最果てアーケード』『琥珀のまたたき』『約束された移動』などがある。海外での評価も高い。

密《ひそ》やかな結晶《けつしよう》　新装版《しんそうばん》

小川洋子《おがわようこ》

講談社文庫

定価はカバーに表示してあります

2020年12月15日第1刷発行

発行者——渡瀬昌彦

発行所——株式会社　講談社

東京都文京区音羽2-12-21　〒112-8001

電話　出版 (03) 5395-3510

販売 (03) 5395-5817

業務 (03) 5395-3615

Printed in Japan

デザイン—菊地信義

本文データ制作—講談社デジタル製作

印刷———豊国印刷株式会社

製本———株式会社国宝社

ISBN978-4-06-521464-0

講談社文庫刊行の辞

二十一世紀の到来を目睫に望みながら、われわれはいま、人類史上かつて例を見ない巨大な転換期をむかえようとしている。

世界も、日本も、激動の予兆に対する期待とおののきを内に蔵して、未知の時代に歩み入ろうとしている。このときにあたり、創業の人野間清治の「ナショナル・エデュケイター」への志を現代に甦らせようと意図して、われわれはここに古今の文芸作品はいうまでもなく、ひろく人文・社会・自然の諸科学から東西の名著を網羅する、新しい綜合文庫の発刊を決意した。

激動の転換期はまた断絶の時代である。われわれは戦後二十五年間の出版文化のありかたへの深い反省をこめて、この断絶の時代にあえて人間的な持続を求めようとする。いたずらに浮薄な商業主義のあだ花を追い求めることなく、長期にわたって良書に生命をあたえようとつとめるところにしか、今後の出版文化の真の繁栄はあり得ないと信じるからである。

同時にわれわれはこの綜合文庫の刊行を通じて、人文・社会・自然の諸科学が、結局人間の学にほかならないことを立証しようと願っている。かつて知識とは、「汝自身を知る」ことにつきていた。現代社会の瑣末な情報の氾濫のなかから、力強い知識の源泉を掘り起し、技術文明のただなかに、生きた人間の姿を復活させること。それこそわれわれの切なる希求である。

われわれは権威に盲従せず、俗流に媚びることなく、渾然一体となって日本の「草の根」をかたちづくる若く新しい世代の人々に、心をこめてこの新しい綜合文庫をおくり届けたい。それは知識の泉であるとともに感受性のふるさとであり、もっとも有機的に組織され、社会に開かれた万人のための大学をめざしている。大方の支援と協力を衷心より切望してやまない。

一九七一年七月

野間省一